FOLIO ESSAIS

Denis Lacorne

De la religion en Amérique

Essai d'histoire politique

NOUVELLE ÉDITION
MISE À JOUR ET AUGMENTÉE

Gallimard

Denis Lacorne est directeur de recherches au CERI-Sciences Po. *De la religion en Amérique* a obtenu le prix du Sénat du Livre d'Histoire en 2008.

À la mémoire de mon père
Jean Lacorne

Avant-propos

« LA CITÉ SUR LA COLLINE »

Les idées et les faits que nous allons avoir à passer en revue rompent tellement avec tous les usages européens, que ce n'est pas trop des lumières de l'histoire pour nous aider à les rendre à peu près intelligibles. Rien n'est plus difficile, à nos compatriotes en particulier, que d'apprécier exactement cette alliance intime d'une foi religieuse, encore vive dans la majorité de la population, et d'un scrupuleux respect pour la liberté de toutes les opinions, y compris même les opinions irréligieuses. Il y a là un état d'esprit complexe, une sorte d'équilibre entre deux courants opposés et presque également forts, une harmonie rarement troublée entre deux instincts que le peuple américain a eu jusqu'ici le secret de concilier tant bien que mal, l'instinct religieux et protestant, l'instinct politique et républicain. C'est de ce point de vue et non du nôtre qu'il faut juger tout ce qui touche en Amérique à la question religieuse.

FERDINAND BUISSON,
« De l'instruction religieuse »,
in *Rapport sur l'instruction primaire à l'Exposition universelle de Philadelphie en 1876*,
Paris, Imprimerie nationale, 1878, p. 454.

Depuis la rédaction de ce livre, paru en 2007 dans sa version française, et en 2011 dans sa version anglaise actualisée, le débat américain sur la séparation de l'Église et de l'État a redoublé de vigueur, en particulier au moment des élections présidentielles de 2008 et de 2012. Certains candidats, défenseurs des valeurs familiales traditionnelles et de l'héritage puritain de la nation américaine, voudraient atténuer le vieux principe républicain de séparation de l'Église et de l'État. D'autres, au contraire, inspirés par la fondation républicaine de la nation, défendent des valeurs séculières, héritées de l'époque des Lumières, et refusent tout enchevêtrement du politique avec le religieux. Un dernier groupe, enfin, prône des positions plus ambiguës, qualifiées d'« accommodationnistes » par d'éminents juristes. Ce dernier point de vue cherche à réconcilier valeurs républicaines et traditions religieuses, en tolérant dans l'espace public certaines expressions symboliques de religiosité ou en protégeant des formes nouvelles du libre exercice de la religion.

DEUX RÉCITS FONDATEURS

L'argument central du livre est de nature historique. Il est fondé sur l'identification de deux récits fondateurs et concurrents de l'identité américaine. Le premier, ancré dans la philosophie des Lumières est de nature politique : il élabore un nouvel ordre politique, un *Novus Ordo Seclorum* (*sic*) comme le proclame le Grand Sceau des États-Unis[1], fondé sur la souveraineté du peuple, la rébellion de ce peuple contre l'hégémonie d'un monarque anglais, sa libération avec l'adoption de textes révolutionnaires — la Déclaration d'indépendance, la Constitution fédérale de 1787, la Déclaration des droits de 1791 — qui structurent toujours la vie politique américaine. Ces textes, et les débats qu'ils suscitèrent, ont été fortement influencés par des penseurs européens comme John Locke, Montesquieu, Voltaire, Thomas Paine, James Burgh, William Robertson, l'abbé Raynal, et l'encyclopédiste Jean-Nicolas Démeunier qui avaient, chacun à leur manière, saisi la radicale nouveauté du projet politique américain : créer un nouveau régime républicain libéré du poids d'une longue histoire monarchique et détaché de toute religion officielle. La république américaine ainsi conçue présupposait une « Constitution sans Dieu » et la construction d'un véritable « mur de séparation » entre l'Église et l'État, garanti, au niveau fédéral, par le premier article de la Déclaration des droits des États-Unis (*Bill of Rights*).

Le second récit fondateur de l'identité américaine donne une place centrale à la religion, perçue comme structurante pour expliquer les conditions exceptionnelles de l'éclosion de l'identité nationale américaine. Ce récit, providentialiste, exagère l'importance de la colonisation puritaine de la Nouvelle-Angleterre et se généralise dans le premier tiers du XIXe siècle sous l'influence d'anti-modernes : des historiens romantiques, souvent formés en Allemagne, qui croient trouver les sources du « génie » du peuple américain dans les valeurs protestantes incarnées par les premiers

Pèlerins. Cette conception politico-religieuse de la fondation de l'Amérique, si bien défendue par George Bancroft et Alexis de Tocqueville dans les années 1830, est encore partagée aujourd'hui par des juristes conservateurs et des politistes qui prétendent tout expliquer à partir d'un « Credo américain », mêlant ensemble croyances protestantes et valeurs républicaines. Ce second récit, antilaïque et tout imprégné du christianisme de la Réforme, ébranle nécessairement le mur de séparation entre l'Église et l'État, imaginé par des Fondateurs comme Thomas Jefferson et défendu encore aujourd'hui par les gardiens de la laïcité américaine : des juristes, des politistes et des hommes politiques souvent proches du parti démocrate.

LA CITÉ SUR LA COLLINE

Lorsque des présidents républicains comme Ronald Reagan, Bush père et Bush fils, ou encore des candidats aux élections présidentielles de 2012 comme Newt Gingrich, Herman Cain ou Mitt Romney décrivent les États-Unis comme une « brillante Cité sur la colline[2] », ils jouent la carte du providentialisme américain et s'inscrivent dans la tradition néopuritaine en sollicitant les écrits fameux du gouverneur puritain de la colonie de la Baie du Massachusetts, John Winthrop. Celui-ci déclarait, dès 1630, au moment de la traversée de l'Atlantique, dans un sermon prononcé à bord de l'*Arbella* :

> Nous découvrirons que le Dieu d'Israël est parmi nous, quand dix d'entre nous serons capables de résister à un millier de nos ennemis, et lorsque le Seigneur chantera nos louanges et notre gloire, les habitants des futures colonies [d'Amérique] diront : c'est ainsi que le Seigneur l'a fait en Nouvelle-Angleterre. Car nous devons bien saisir que *nous serons comme une Cité sur la colline* et que les yeux des hommes seront fixés sur nous. [Par contre] si nous ne restons pas fidèle à notre Dieu dans la tâche qui nous incombe [...] alors Il retirera l'aide déjà accordée et nous deviendrons la fable et la risée du monde entier[3].

Replacé dans son contexte, le sermon de Winthrop, contrairement à la légende d'un exceptionnalisme américain, touche à la responsabilité des chrétiens, et à la nécessité de respecter l'ordre naturel conçu par Dieu. Chacun, selon Winthrop, doit rester à sa place, sans outrepasser ses fonctions ou sa place dans la hiérarchie sociale : certains « seront riches, d'autres pauvres ; certains seront puissants et éminents, d'autres soumis et dénués de pouvoir [...]. Les riches et les puissants ne devront point abuser des pauvres, ni les pauvres et les méprisés se soulever [contre les riches] et secouer leurs jougs[4] ». La nouvelle Jérusalem décrite par Winthrop est donc une cité harmonieuse, respectueuse de l'ordre établi par les puritains selon la volonté divine. Elle n'a rien à voir avec une quelconque démocratie, ni la mission universelle et civilisatrice de l'Amérique impériale et triomphante, imaginée plus tard, au XIXe siècle, par les partisans de la destinée manifeste[5], et remise au goût du jour, au XXe siècle, par les leaders américains de la guerre froide et un politologue célèbre, Samuel Huntington, qui n'hésita pas à placer les « valeurs anglo-protestantes » au cœur même d'un mythique « Credo américain[6] ».

Or c'est bien la notion triomphante et impériale de la « Cité sur la colline », remise au goût du jour, qui séduisit les présidents Reagan et Bush et les candidats à l'élection présidentielle de 2012 déjà mentionnés. Cette référence stéréotypée au sermon de Winthrop est manifestement plus rare chez les hommes politiques qui appartiennent à des minorités ethniques non protestantes, ou qui sont détachées de tout lien avec le puritanisme. Ainsi, lorsque John F. Kennedy évoque les Pères fondateurs et la nécessité d'une stricte séparation de l'Église et de l'État, dans son célèbre discours de Houston analysé dans le dernier chapitre de cet ouvrage, il se rattache aux sources politiques et séculières du républicanisme américain. L'héritage de Winthrop lui est indifférent. On ne trouvera pas, non plus, dans les déclarations de Barack Obama, le fils d'un immigré kenyan, de référence à Winthrop et à sa merveilleuse « Cité sur la colline ». Mais cela n'a pas empêché ces présidents de faire état de leur foi religieuse, de défendre avec vigueur la liberté religieuse, d'inviter à la Maison-Blanche de grands leaders religieux et même de participer activement au rituel annuel du *National Prayer Breakfast*[7]. Comme la plupart de leurs prédécesseurs, et comme le suggère l'exergue, ces présidents cherchent à concilier leur « instinct religieux » avec leur « instinct politique et républicain ». L'équilibre entre ces deux courants est évidemment instable et certains réussissent mieux que d'autres à harmoniser le politique avec le religieux.

INTRODUCTION

Les États-Unis, selon une opinion communément admise, seraient le pays le plus religieux du monde occidental. La pratique religieuse y est exceptionnellement élevée et le discours politique reste imprégné de valeurs et de références religieuses. Un nombre impressionnant d'élus — des membres du Congrès, mais aussi des ministres ou des présidents comme Jimmy Carter ou George W. Bush — ont prétendu avoir eu des rapports singuliers avec le Tout-Puissant, à la suite d'une expérience mémorable de conversion vécue à l'âge adulte. Ils se disent *born again christians* (chrétiens régénérés), et ils admettent volontiers que Jésus est leur principale source d'inspiration. D'autres, tel le président Clinton au moment de l'affaire Lewinsky, ont été décrits en France comme les victimes d'une *vendetta* conservatrice, organisée par de modernes puritains, déterminés à imposer un retour à l'ordre moral élaboré par leurs ancêtres de Nouvelle-Angleterre. Il n'y a pas, dit-on encore, de vraie séparation de l'Église et de l'État aux États-Unis et cette confusion des genres rend difficile l'émergence d'une véritable culture civique, détachée de toute croyance religieuse.

La prolifération des devises ou des symboles à caractère religieux ; la fréquence des messes, des prières ou des jours d'action de grâces organisés par les pouvoirs publics ; l'usage immodéré d'une rhétorique manichéenne opposant les forces du Bien à celles du Mal témoigneraient ainsi d'une impossible « sortie de la religion ». Bref, la démocratie américaine, en dépit de son architecture républicaine et contrairement aux grandes démocraties européennes, n'aurait pas réussi sa sécularisation. Son « Credo politique », inchangé depuis trois siècles, demeure fondamentalement anglo-protestant, marqué par le mythe de ses origines puritaines ; et ce malgré la présence de plus en plus nombreuse d'immigrés irlandais, italiens, polonais, hispaniques et asiatiques dont la culture d'origine échappe, par définition, à l'emprise des valeurs protestantes.

Ces idées reçues, souvent invoquées en France (et même aux États-Unis) sans débat véritable, n'ont cessé de m'interpeller depuis que je travaille sur l'histoire politique des États-Unis. Elles ne sont pas nécessairement fausses : le peuple américain a en effet développé très tôt dans son histoire un remarquable « esprit de religion », comme l'avait déjà noté Tocqueville en 1835. Les données récentes recueillies par des instituts de sondage sur la croyance en Dieu, la régularité de la pratique religieuse, la fierté d'appartenir à une Église, les bienfaits d'une conversion... attestent la véracité de cette observation.

Les controverses politiques et juridiques soulevées par les questions de l'avortement, du mariage gay, de l'euthanasie rappellent que le religieux, aux États-Unis, n'est jamais très éloigné du politique. D'autres préoccupations plus anciennes réapparaissent périodiquement sur la scène publique : ne devrait-on pas, comme l'exigent aujourd'hui encore les militants de la droite chrétienne, réintroduire la prière obligatoire dans les écoles publiques ? N'est-il pas souhaitable d'afficher les Dix Commandements dans les écoles pour signifier que le christianisme est à l'origine de toute morale publique ? Ne faut-il pas, de même, interdire l'enseignement des thèses de Darwin au motif qu'elles contredisent l'histoire de la Genèse, telle qu'elle est rapportée dans la Bible ?

Ces débats existent bel et bien. Fréquemment évoqués en France par les médias, ils nous sont, d'une certaine façon, devenus trop familiers. Nous croyons presque tout savoir de l'exubérance religieuse américaine : les « faits », aime-t-on à dire, sont suffisamment parlants pour nous conforter dans des jugements de valeur souvent condescendants. Ne sommes-nous pas, comme l'ont écrit certains penseurs, plus authentiquement « républicains » que les Américains, parce que nous disposons d'un idéal laïque respecté par tous et parce que nous avons su instaurer dans la durée une véritable séparation de l'Église et de l'État ?

*

Ces lieux communs, ces clichés, ces jugements comparatifs à l'emporte-pièce n'épuisent pas le sujet de la religion aux États-Unis ni son rapport éminemment complexe à la politique. Ils n'en dessinent qu'un tableau assez flou, fort éloigné d'une réalité qui reste, il est vrai, malaisée à saisir tant le terrain religieux est mouvant aux États-Unis. Qui peut prétendre connaître les milliers d'églises, de confessions et de sectes qui existent dans ce pays ? Qui peut aujourd'hui maîtriser le vaste champ des études religieuses américaines ? Historiens, sociologues, théologiens, journalistes, entrepreneurs de religion, sectataires de tout genre ne cessent d'écrire sur les multiples facettes d'un sujet en croissance exponentielle.

Le meilleur moyen d'éviter l'écueil d'une interminable description est de revenir à l'essentiel en explorant quelques questions fondamentales : Qu'est-ce qu'un puritain ? Qu'est-il advenu de ceux qui ne partageaient ni la foi ni l'*ethos* des premiers Pèlerins ? En quoi un *born again christian* diffère-t-il d'un puritain ? Quelle place accorder aux Grands Réveils évangéliques dans l'histoire des États-Unis ? À quel moment l'évangélisme, dans toute sa pluralité confessionnelle, devient-il la religion dominante aux États-Unis ? Comment le catholicisme a-t-il été accueilli dans ce pays à majorité protestante ? Qu'en est-il des religions « postchrétiennes », récemment introduites dans ce pays ? L'athéisme, l'irréligion ont-ils une place légitime dans l'Amérique contemporaine ? Existe-t-il une laïcité américaine ? Est-il pertinent de parler de séparation de l'Église et de l'État aux États-Unis ?

*

Ces questions seront discutées dans les pages qui suivent. Cependant, il faut bien comprendre que l'objet de mon étude n'est pas la religion en tant que telle, mais la place occupée par la religion dans la vie politique américaine et, en particulier, son rôle dans la construction d'une identité nationale. Cette identité, en effet, s'est forgée en deux temps : un premier moment correspond à la guerre d'Indépendance et à l'édification d'un dispositif constitutionnel républicain. Un second moment, plus tardif et plus diffus, renvoie à la patiente élaboration d'une idéologie nouvelle, souvent qualifiée de « Credo » américain. Ce Credo, qui mêle certaines valeurs républicaines à une vieille tradition anglo-protestante, fut imaginé au milieu du XIXe siècle par des élites protestantes qui se croyaient menacées dans leur existence par l'arrivée de centaines de milliers d'immigrés irlandais. Ces derniers, catholiques pour la plupart, restaient indéfectiblement attachés à une religion perçue à l'époque comme autoritaire, prosélyte et antidémocratique. D'où la virulence de ce que les historiens américains appellent la « guerre des Bibles », qui fut en réalité une « guerre des deux Amériques », opposant protestants et catholiques dans les grandes villes du nord-est des États-Unis.

Ces moments fondateurs ont induit deux conceptions rivales de l'identité américaine, qui n'ont cessé de se heurter ou de se concurrencer, depuis le milieu du XIXe siècle jusqu'à nos jours, pour des raisons qui seront également développées plus loin. En simplifiant, on peut dire que la première conception de la nation participe de l'héritage des Lumières. Elle privilégie les droits de l'homme et certaines valeurs civiques et séculières, d'abord pensées par les philosophes européens du XVIIIe siècle avant d'être reprises et reformulées par les Fondateurs de la République américaine. La deuxième conception est influencée par une certaine tradition romantique européenne qui, partant d'une critique en règle de la philosophie des Lumières, assigne une place de choix aux valeurs religieuses, au piétisme, aux vieilles traditions populaires, aux liens ethniques et aux grands ancêtres. Ces derniers, dans la tradition américaine, sont les puritains à qui, on le verra, est accordée une importance primordiale dans l'élaboration d'un récit national qui privilégie par-dessus tout la continuité historique.

*

Penser la religion aux États-Unis depuis la France soulève nécessairement la question du regard porté par nos compatriotes sur cet objet complexe. Ce regard, dans la période récente, comme je viens de le suggérer, est souvent stéréotypé. Il dénote une connaissance superficielle des « faits » religieux américains et une tendance générale à exagérer la portée historique des puritains, des fondamentalistes et des évangéliques les plus exaltés. L'écart entre les conceptions française et américaine du phénomène religieux n'a cessé de se creuser, au point d'occulter toute réflexion pertinente sur la place réelle de la religion dans la vie politique américaine. Peut-être sera-t-on surpris d'apprendre, à une époque où l'« évangélisme politique » paraît triomphant, qu'il existe bel et bien une séparation de l'Église et de l'État aux États-Unis, qu'elle est ancienne, qu'elle a ses défenseurs zélés et produit aujourd'hui encore des effets visibles.

En interrogeant trois siècles de littérature française consacrée aux États-Unis, j'ai constaté, à mon étonnement, que de nombreux auteurs — plus ou moins célèbres, mais observateurs avisés des réalités américaines — avaient déjà soulevé les questions qui sont au cœur de mes préoccupations. Leurs analyses, autrement riches et approfondies que celles dont nous abreuvent les médias et certains essayistes pressés d'en découdre avec l'Amérique, ont été oubliées pour des raisons qui restent à expliquer. Ces auteurs méritent d'être redécouverts et une relecture systématique de leurs œuvres pourra servir à constituer une histoire des perceptions françaises de la religion en Amérique. Cette histoire-là est ébauchée dans le présent ouvrage dans un but bien précis : celui d'enrichir notre connaissance des « faits » religieux américains. Loin de prétendre être exhaustive, elle voudrait contribuer à une réflexion plus générale sur la place de la religion dans la construction de l'identité nationale américaine.

La diversité des jugements portés par les Français sur la religion aux États-Unis ne laissera pas de surprendre. Le phénomène apparaît tantôt comme un objet d'admiration, tantôt un objet de détestation ou de dérision ; il symbolise à la fois la modernité et l'archaïsme, la tolérance et le fanatisme, le respect du divin et la mort de Dieu, l'impérialisme et le localisme… La religion en Amérique fascine d'autant plus qu'elle est fréquemment appelée à nourrir des débats propres à la France. Objet étrange, exotique, elle stimule la curiosité des observateurs français alors même qu'elle n'est guère familière à des esprits formés dans un pays de tradition catholique. Tout semble concourir à susciter un sentiment d'étrangeté : la pluralité des dogmes et des pratiques, l'enthousiasme exceptionnel des nouveaux convertis, le goût du commerce et la concurrence organisée entre églises rivales… Doublement dépaysés par l'éloignement du Nouveau Monde et la nouveauté de la scène religieuse américaine, les visiteurs français, comme on le découvrira, s'efforcent le plus souvent de cacher leur surprise en rattachant leurs observations à des cadres de pensée préétablis. Une solide culture classique leur permet de domestiquer l'étrangeté des choses vues en les renvoyant à des signifiants bien connus : l'Ancien, le Moderne, le Barbare, le Sauvage. La déclinaison de ces termes, leur mise en relation et leur permutation facilitent la construction d'un savoir historiographique qui renouvelle notre façon de penser la religion en Amérique.

*

On ne manquera pas de le noter : les époques choisies dans cet ouvrage — la fin du XVIIIe siècle, le début et le milieu du XIXe siècle, le début du

XXe siècle, les années 1930, le temps présent — suivent un ordre chronologique. Mais cet ordre apparent est néanmoins rompu par une succession de discontinuités tout à fait délibérées. Elles renvoient à des moments ou à des régimes historiographiques distincts qui, par hypothèse, influent sur la façon même de penser la religion aux États-Unis. Les auteurs étudiés n'écrivent jamais dans un univers clos. Leurs perceptions, réelles ou imaginaires, sont nécessairement inscrites dans un contexte historiographique qui les dépasse, qui oriente leur regard et les incite à privilégier tel événement, tels grands ancêtres ou telles utopies. Ce n'est pas un hasard si Voltaire s'intéresse principalement aux quakers, Tocqueville aux Pères pèlerins, Michel Chevalier aux réveils évangéliques, André Siegfried à l'« essence » d'un certain protestantisme anglo-américain, Emmanuel Mounier, Georges Bernanos ou Jean-Paul Sartre aux fantasmes du machinisme américain…

J'ai interrogé en parallèle les écrits d'un grand nombre d'Américains contemporains de ces diverses périodes — hommes politiques, philosophes, juristes, théologiens, historiens… — qui ont analysé de façon originale la relation entre l'État et les Églises, souvent soucieux de chercher à transformer cette relation pour servir des ambitions nationalistes ou pour améliorer le fonctionnement interne de la démocratie américaine. Seront donc évoqués, pour ne citer que quelques-uns : les sermons de prédicateurs fameux comme Roger Williams, Jonathan Edwards et John Wesley ; les écrits politiques de Fondateurs comme Thomas

Jefferson et James Madison ; les opinions de juges de la Cour suprême comme Hugo Black et William Rehnquist ; les œuvres d'historiens célèbres comme George Bancroft ; les travaux de politologues comme Walter Berns, Earl et Merle Black et Samuel Huntingon...

*

Le recours constant et simultané aux sources françaises et américaines pourra paraître inutilement compliqué. Il a été cependant pour moi le meilleur moyen de mettre en évidence certains courants historiographiques communs à la France et aux États-Unis, de vérifier la qualité de mes sources et de prendre un recul critique nécessaire face à des narrations trop souvent présentées, à tort, comme factuelles. La confrontation de deux littératures nationales traitant du même objet — la religion aux États-Unis dans son rapport à la politique — a grandement facilité ma tâche. Elle m'a permis de mieux saisir les ambiguïtés, les contradictions et les écarts qui marquent les récits des voyageurs : ambiguïtés dans les énoncés ; contradictions dans les descriptions ; écarts entre ce qui est dit et ce qui est objectivement observable. La religion en Amérique, telle que je la conçois, est donc aussi la résultante d'un fructueux dialogue entre penseurs français et américains.

Chapitre premier

UN EXOTISME FRANÇAIS

L'Amérique, à l'époque où écrit Voltaire, est un territoire lointain encore mal connu. Les récits des voyageurs — missionnaires, guerriers, aventuriers — intriguent et confirment l'idée que les colons, originaires du Vieux Continent, ne sont pas seulement des marchands ou des cultivateurs, mais aussi des innovateurs qui apportent avec eux des idées nouvelles, testées à grande échelle sur un territoire encore vierge. L'Amérique est perçue comme un laboratoire d'expérimentation politique, sociale et religieuse. Et c'est d'abord l'éclosion de nouvelles religions qui attire l'attention d'observateurs français à la recherche de grandes utopies transformatrices. Comme ces religions trouvent, pour la plupart, leur origine en Angleterre, ces observateurs comprennent cette vérité élémentaire : discuter des croyances américaines mérite un détour par la métropole anglaise, afin de mieux saisir le fonctionnement des sectes et des églises transplantées en Amérique du Nord par des colons porteurs de la foi chrétienne.

Voltaire donne le ton, en montrant son intérêt

pour les quakers, qu'il rencontre pour la première fois en Angleterre. Son exemple sera suivi par d'autres philosophes qui traverseront plus tard l'Atlantique pour aller à la rencontre des « Bons Quakers » de Pennsylvanie. C'est dans ce contexte que les idées de Voltaire seront discutées, vérifiées sur place, acceptées par les uns, réfutées par les autres, au gré des voyages et des circonstances.

LA RELIGION DES QUAKERS

Voltaire crut trouver dans les manifestations des quakers l'expression même de la religion véritable, simple et primitive à laquelle aspiraient les déistes de l'époque. Le quakerisme annonçait l'ébauche d'une religion naturelle fondée sur un seul dogme : « Il y a un Dieu et il faut être juste. » Telle était, selon Voltaire, « la religion universelle établie dans tous les temps et chez tous les hommes ». Le quakerisme se rapprochait de cet idéal en renouant avec les pratiques des premiers chrétiens vêtus à l'identique, « d'un habit sans plis dans les côtés, et sans boutons sur les poches ni sur les manches » et portant un grand chapeau à bords rabattus ; refusant par principe toute hiérarchie, tout signe distinctif et toute profession de foi. Les pages consacrées aux quakers dans les *Lettres philosophiques* mettent en lumière le caractère paradigmatique de cette religion admirable aux yeux de Voltaire, puisqu'elle démontrait l'existence réelle d'une Église désacralisée, privée de tous les sacrements essentiels : le baptême, la communion, la pénitence… Point de rituels surannés, constatait le philosophe : ni serment sur l'Évangile ni jet d'eau froide sur la tête d'un bébé récalcitrant[1].

Voltaire prétend procéder à une véritable enquête de terrain dans la région de Londres. Il y rencontre un célèbre quaker pour s'instruire des particularités d'une religion si singulière. Il en ressort un portrait saisissant du choc de deux cultures tellement étrangères l'une à l'autre. Voltaire découvre là « un vieillard frais qui n'avait jamais eu de maladie, parce qu'il n'avait jamais connu les passions ni l'intempérance ». Ledit vieillard accueille le philosophe, chapeau sur la tête, « sans faire la moindre inclination du corps », en le tutoyant avec cette simplicité naturelle qui sied à son personnage. Surpris, Voltaire maintient une exquise civilité et s'approche du vieillard en « courbant le corps et en glissant un pied vers lui[2] ». Ces préliminaires accomplis, on aborde les sujets les plus ardus avec une rare franchise : les cérémonies judaïques, le pèlerinage de La Mecque, l'Épître de Paul aux Corinthiens, la nature pacifique du véritable chrétien qui ne saurait se comporter comme un loup, un tigre ou un chien. La différence culturelle, l'inattendu, le désarmant sont au cœur du débat :

> — À l'égard de la communion, lui dis-je, comment en usez-vous ?
> — Nous n'en usons point, dit-il.
> — Quoi ! point de communion ?
> — Non, point d'autre que celle des cœurs[3].

Voltaire ne ménage pas son admiration, mais elle n'est pas sans bornes. Le philosophe reconnaît en effet qu'il y a aussi parmi les quakers des « faiseurs de contorsions » et tout un « galimatias » inspiré de l'Évangile, bien peu convaincant pour un voyageur venu de France. Son intérêt pour les quakers est cependant si grand qu'il se croit obligé d'entreprendre l'histoire de la secte, en commençant par la vie curieuse de son fondateur, George Fox, fils d'ouvrier illettré, « de mœurs irréprochables et saintement fou[4] ».

L'exotisme de cette nouvelle religion avait pour Voltaire valeur de modèle : elle offrait l'image d'une contre-religion parfaitement viable, d'un catholicisme inversé, ignorant tout du dogme, des rituels et des sacrements de la religion romaine. L'exotisme était double : tant à l'égard du catholicisme continental que par rapport aux deux grandes religions établies de l'Angleterre et de l'Écosse — l'anglicanisme et le presbytérianisme. Transposé en Amérique du Nord, le dépaysement paraît plus grand encore : c'est bien là que William Penn, le fils d'un vice-amiral et l'ami du duc d'York (frère du roi et futur Jacques II) a établi son empire, en obtenant de la Couronne britannique la propriété d'un immense terrain situé au nord du Maryland et nommé Pennsylvanie. William, le souverain de la nouvelle colonie, est couvert d'éloges par Voltaire : c'est un grand législateur d'une sagesse exemplaire, un pacifiste, le protecteur des Indiens et, surtout, l'inventeur d'une nouvelle forme d'État sans précédent dans les annales de l'humanité : un « gouvernement sans prêtres », privé d'armée et peuplé de citoyens égaux entre eux. D'où ce commentaire dithyrambique : « Guillaume Penn pouvait se vanter d'avoir apporté sur la terre l'âge d'or dont on parle tant, et qui n'a vraisemblablement existé qu'en Pennsylvanie[5]. »

Le mythe d'un âge d'or enfin réalisé par les quakers de Pennsylvanie est durable. On le retrouve dans l'article « Quaker » de l'*Encyclopédie* de Diderot et d'Alembert, dans les écrits sur l'Amérique de l'abbé Raynal, ainsi que dans l'article « Pennsylvanie » de l'*Encyclopédie méthodique* de Démeunier, qui reprend pour l'essentiel les propos de l'abbé.

Mettant à jour l'argument de Voltaire dans l'article « Quaker » qu'il donne à l'*Encyclopédie*, le chevalier de Jaucourt constate que le quakerisme, s'il a décliné en Angleterre, se maintient fort bien en Pennsylvanie. Comme Montesquieu avant lui, Jaucourt dresse un parallèle saisissant entre Penn et Lycurgue[6]. Il prétend que le grand législateur de Pennsylvanie a « la gloire d'avoir formé un peuple, où la probité paraît aussi naturelle que la bravoure chez les Spartiates ». Comme Voltaire, Jaucourt admire ce gouvernement moderne. Il vante la vertu, l'intelligence, l'industrie, la sagesse de ce peuple « vraiment grand » et conclut que le quakerisme, « c'est, tout calculé, le système le plus raisonnable et le plus parfait qu'on ait encore imaginé[7] ».

Imitant Voltaire et Jaucourt, l'abbé Raynal exprime, lui aussi, son admiration pour la modestie, la probité et l'amour du travail des quakers. Convaincu de la prospérité générale d'un « peuple sans maîtres et sans prêtres », il pense que cette république d'un genre nouveau a bien réalisé sur la terre la vieille fiction des érudits : les temps héroïques de l'Antiquité. Comme Voltaire, encore, Raynal note chez les quakers la simplicité des mœurs, le mépris des titres, des modes et des cérémonies, de même que la modestie de leur habillement :

> Sans galons, sans broderies, ni dentelles, ni manchettes, ils bannirent tout ce qu'ils appelaient ornement ou superfluidité. Point de plis dans leurs habits ; pas même un bouton au chapeau, parce qu'il n'est pas toujours nécessaire. Ce mépris singulier pour les modes les avertissait d'être plus vertueux que les autres hommes, dont ils se distinguaient par des dehors modestes[8].

Raynal est frappé par l'extrême égalitarisme et l'extrême individualisme d'une religion où chaque fidèle est un prêtre en puissance, qui attend l'illumination de l'Esprit Saint pour révéler son inspiration à l'ensemble des « Amis » réunis en assemblée. Le don de parole a chez eux valeur de sacerdoce, et il est, chose remarquable, également partagé par les hommes et les femmes. Cependant, reconnaît Raynal, tout n'est pas parfait chez les quakers. L'inspiration peut parfois irriter « la sensibilité du genre nerveux » au point de provoquer des convulsions (d'où le nom de *Quakers* ou de *Trembleurs*) et d'entraîner le châtiment des censeurs de cette nouvelle religion issue de l'ancien système religieux des anabaptistes : « l'hôpital des fous, la prison, le fouet, le pilori, souvent décernés à des dévots dont le crime et la folie étaient de vouloir être raisonnables et vertueux à l'excès ». En fait, note Raynal, ces convulsions ne sont pas plus choquantes que le manque de politesse exhibé par les membres de la Société des Amis. Car ce qui importe c'est l'exceptionnelle qualité des rapports humains cultivés par les habitants de Pennsylvanie. Il en va de même de la relation des Quakers avec les « naturels du pays », fondée sur la bonne foi, la confiance et le respect de la parole donnée, à une époque où les Amérindiens sont déjà persécutés et abusivement privés de leurs terres ancestrales. Enfin, Raynal vante l'exemplarité du régime religieux inauguré par William Penn :

> Le vertueux législateur établit la tolérance pour fondement de la société [...], laissant à chacun la liberté d'invoquer [Dieu] à sa manière, il n'admit point d'église dominante en Pennsylvanie, point de contribution forcée pour la construction d'un temple, point de présence aux exercices religieux, qui ne fût volontaire[9].

Toutefois, l'abbé philosophe s'inquiète de l'avenir d'un État dont les frontières restent ouvertes et sans défense. Le pacifisme radical des quakers n'est-il pas d'une grande imprudence ? Pas si sûr, répond l'abbé. Après tout, qu'est-ce qu'un ennemi aurait à gagner d'une invasion de la république des quakers ? Rien ou si peu : des terres en friche, abandonnées par leurs habitants, des usines délabrées, des commerces désertés par une diaspora d'« Amis » préférant émigrer ailleurs, quitte à faire le tour du monde plutôt que de se soumettre à leurs ennemis ou de riposter en prenant les armes[10].

L'évocation des quakers dans l'avant-dernier volume de l'*Histoire des deux Indes* introduit une pause, un moment de repos et de plaisir au milieu d'un cycle de conquêtes et de tribulations marqué par la cruauté, les guerres, l'appât du gain, l'introduction de l'esclavage et l'extermination des Amérindiens. Cet objet rare dans l'histoire des hommes — le triomphe de l'innocence et de la paix — donne des raisons d'espérer :

> C'est ici que l'écrivain et son lecteur vont respirer. C'est ici qu'ils se dédommageront du dégoût, de l'horreur ou de la tristesse qu'inspire l'histoire moderne, et surtout l'histoire de l'établissement des Européens au Nouveau Monde. Jusqu'ici, ces barbares n'ont su qu'y dépeupler avant que de posséder, qu'y ravager avant de cultiver. Il est temps de voir les germes de la raison, du bonheur et de l'humanité, semés dans la ruine et la dévastation d'un hémisphère, où fume encore le sang de tous les peuples, policés ou sauvages[11].

*

Michel-Guillaume Jean de Crèvecœur (1735-1813), dans ses *Lettres d'un cultivateur américain* parues à la même époque, exprime lui aussi une évidente sympathie pour les quakers. Comme tous ses prédécesseurs, il est impressionné par la simplicité et l'austérité de leurs mœurs. Leur système religieux est bien « sans hiérarchie, sans lois coercitives et sans culte extérieur ». L'auteur est particulièrement frappé par le manque complet d'ornementation de l'église qu'il visite, privée de tout l'équipement d'une religion révélée. Le lieu de réunion est d'une sobriété exemplaire. Quatre murs blancs, des bancs, rien d'autre : ni fonts baptismaux, ni autel, ni tabernacle, pas d'orgue, de peinture, de sculpture… L'assemblée des « Amis » à laquelle il assiste dans la petite ville de Chester est composée d'hommes, de femmes, de Blancs, de Noirs, en proportion à peu près égale. Répétant, à sa façon, l'expérience de Voltaire, Crèvecœur s'excuse de manifester une politesse désuète qui le rend ridicule aux yeux de ses hôtes : « La force involontaire de l'ancien usage me fit ôter mon chapeau… » Il corrige au plus vite cette erreur et remet son chapeau, comme il se doit entre Amis. À son grand étonnement, rien ne se passe dans le lieu de culte. Le silence absolu règne pendant une bonne demi-heure, jusqu'à ce qu'une « femme amie » se lève de son siège pour déclarer d'un air modeste que, l'esprit de l'univers daignant l'inspirer, elle allait parler. Son discours, explique Crèvecœur, fut d'une parfaite simplicité. « Elle n'y mêla point ni vaine théologie, ni citations scientifiques. Son style était pur, sa déclamation noble [...]. Elle parla pendant trois quarts d'heure [...]. Je n'ai jamais vu de ma vie un plus grand recueillement, une plus grande attention au service divin. Je n'aperçus aucune contorsion de corps, comme je l'avais tant de fois entendu dire, aucune affectation : ses gestes, son discours, le ton de sa voix, tout en elle était simple, naturel et agréable. Je vous dirai de plus que c'était une fort belle femme [...][12]. »

Crèvecœur, manifestement séduit par la beauté du rituel, dresse un étonnant inventaire des vertus des quakers — modestie, probité, justice, équité, frugalité, propreté, douceur, bienveillance, charité et, pour couronner le tout, des « mœurs tranquilles et sages », bref un exceptionnel « calme des passions », inconnu en Europe et dans le reste de l'Amérique. Notre visiteur est, avec l'abbé Raynal, l'un des premiers observateurs français à noter la place importante accordée aux femmes, traitées à égalité avec les hommes, participant à toutes les activités de la Société des Amis, incitées même à instruire les autres « quand elles se sentent inspirées ». Il relève aussi certains interdits pour « les jurements, les jeux, la débauche » et souligne que les quakers « abhorrent le serment », au point de renoncer à tous les emplois qui exigent une profession de foi religieuse (*test act*)[13]. Mais il omet de noter que la Constitution de Pennsylvanie, pourtant déjà ancienne, tient entièrement compte de cette situation en permettant à tous les postulants à un emploi public de « jurer » ou à défaut d'« affirmer » (pour ceux qui refusent le serment) qu'ils seront « sincèrement attachés et fidèles à la république de Pennsylvanie » (article XL de la Constitution de Pennsylvanie, 29 septembre 1776).

D'autres auteurs expriment une grande admiration pour la politique des quakers et en particulier pour leur engagement noble et courageux en faveur de l'émancipation des Noirs. Bénézet, ce

« Quaker distingué, cet apôtre de l'humanité », est l'objet des éloges du banquier genevois Clavière et du publiciste français et futur chef des Girondins Brissot, dans un récit de voyage qu'ils publient en 1787. Bénézet est ce prédicateur d'un nouveau genre, qui prêche la liberté des Noirs et convertit avec succès à cette cause nouvelle non seulement ses coreligionnaires mais encore les fidèles d'autres églises situées dans d'autres États. Les quakers appartiennent bien à cette humanité nouvelle, « destin[ée] à régénérer la dignité de l'homme[14] ».

Anticipant Tocqueville, le pasteur Rabaut Saint-Étienne, autre futur Girondin, croit découvrir chez les quakers la pratique d'une « égalité des modernes[15] », qui ne serait pas cette impossible chimère que suppose l'égalité complète des fortunes, mais une égalité relative qualifiée d'« égalité morale ». Cette dernière serait particulièrement utile à la survie d'une société moderne : « Les Quakers, écrit Rabaut, vivent en frères, et cependant les fortunes sont inégales entre eux : mais l'orgueil du riche, mais la vanité insultante y sont absolument inconnus [...] l'homme peu riche vit dans la société de l'homme fortuné [...] les femmes ont le même droit que les hommes[16]. » La religion des Amis représente donc bien plus qu'une utopie : c'est une utopie déjà réalisée, dont la modération — une remarquable capacité à estomper les différences sociales de sexe et de fortune — garantit la survie et constitue un modèle pour la nouvelle République française.

D'autres auteurs, comme Volney, sont plus sceptiques. Après un séjour de trois ans aux États-Unis (1795-1798), Volney est sans doute le premier philosophe français à dénoncer « l'erreur romanesque des écrivains qui appellent *peuple neuf et vierge* une réunion d'habitants de la vieille Europe ». Il ne croit pas à la « bonté essentielle » des lois américaines ni à la sagesse intrinsèque de leur gouvernement[17]. Mais s'il est sans illusion sur l'« exceptionnalisme » du Nouveau Monde, Volney n'en trouve pas moins, chez les quakers de Pennsylvanie, d'étonnantes qualités, à commencer par une morale théorique et pratique, particulièrement favorable à l'amélioration du sort de l'humanité. L'importance accordée par cette secte à l'éducation des enfants est, à ses yeux, le signe même d'une grande religion qui devrait « mériter d'être *l'église* de tous les hommes raisonnables », si elle n'avait conservé un défaut majeur pour un homme de science : le refus d'enseigner les sciences naturelles et physiques, sous prétexte que ces connaissances seraient par trop « *profanes*[18] ».

Peut-on faire mieux que les quakers ? Une autre religion serait-elle plus simple, plus austère, plus pure encore que celle de la Société des Amis ? C'est ce que pense l'auteur anonyme de l'article « Pennsylvanie » de l'*Encyclopédie méthodique*. Tout en faisant grand cas des thèses de l'abbé Raynal (reproduites *in extenso*), il croit avoir découvert un ultime exotisme dans la secte des *Dumplers*[19] installée au sein de la communauté d'Euphrate à cinquante milles de Philadelphie. Plus désintéressés encore que les quakers, les dumplers « sont par religion ce que les stoïciens étaient par philosophie, insensibles aux outrages ». Vêtus avec une extrême simplicité, ils portent « une chemise grossière, de larges culottes, et des souliers épais » que recouvre une longue robe blanche ornée d'un simple capuchon. « Ennemis du sang », ils sont tous végétariens et vivent une sorte de communisme primitif en partageant entre eux le produit de leurs activités. Comme les quakers, ils ne prêchent que lorsqu'ils se sentent inspirés. Et, contrairement aux protestants, ils ne croient ni au péché originel ni à l'éternité des peines, ce qui ne les empêche pas de prier fréquemment : deux fois la nuit et deux fois le jour. Ce sont, en bref, de modernes contemplatifs. Les sexes vivent séparés dans la chasteté. Le mariage n'est pas interdit, mais il conduit les couples à s'installer en dehors de la petite ville d'Euphrate.

La Pennsylvanie, selon l'*Encyclopédie méthodique*, n'est pas le pays de l'âge d'or réalisé sur terre, mais bien plutôt le pays de l'innocence et de la vertu. L'isolement de l'habitat, la grande taille des paroisses, la dispersion des églises, la pluralité des cultes offrent peu de prise au dogmatisme : « L'innocence et l'*inscience* gardaient les mœurs plus sûrement que les préceptes et les controverses[20]. »

LE REGARD DÉSENCHANTÉ DES SCEPTIQUES

D'autres voyageurs de la fin du XVIIIe siècle manifestent moins d'enthousiasme. L'exotisme des religions nord-américaines continue certes à fasciner et le quakerisme suscite encore des descriptions riches et passionnées. Mais il alarme aussi parce que la religion des Amis semble libérer des passions incontrôlables, menaçantes pour l'ordre public et le bon fonctionnement d'une société toujours vécue comme patriarcale.

Dans son *Voyage dans les États-Unis d'Amérique*, un émigré de la Révolution, le duc de La Rochefoucauld-Liancourt, s'inquiète du pouvoir acquis par une certaine Gemaima Willkinson [Jemima Wilkinson] qui « se crut appelée à une plus haute destinée, et forma le projet de devenir chef de secte ». Cette féminisation de l'autorité religieuse surprend vivement le visiteur, qui se propose de suivre les traces de Gemaima dans son repaire du lac Seneca, au sein de la nouvelle communauté religieuse de « Jérusalem ». Le voici qui assiste à l'un des *meetings* organisés par la prophétesse elle-même, dans sa propre maison, et qui ne manque pas de l'étonner. À commencer par l'habit de son hôtesse : elle porte une robe de chambre d'homme, une veste et un col d'homme, une cravate de soie blanche ; en outre, ses cheveux sont coupés court. À l'évidence, cette femme agréable, qui paraît plus jeune que son âge, a « une belle figure, d'une grande fraîcheur, de belles dents, de beaux yeux ». Mais son apparence semble suspecte et son comportement auprès des prosélytes tout aussi inquiétant : elle interdirait aux filles de se marier et « la chronique lui prête un intérêt personnel pour celles qui l'entourent ». Pourtant, l'honneur de la secte est sauf, puisqu'un être masculin, « un grand gaillard, bien frais et bien découplé », revêtu d'une robe blanche et prétendant incarner le prophète Élisée, serait périodiquement « admis à l'intimité de l'*amie universelle*[21] ». Ces mœurs extravagantes, apparemment choquantes pour notre duc, l'amènent dans la foulée à discréditer le bien-fondé de la prédication de la prophétesse. Misogynie à part, le visiteur français avait de bonnes raisons d'être étonné de la curieuse tournure d'une femme qui, d'après des travaux récents, revendiquait une seconde naissance intervenue après sa « mort » dans une épidémie de typhus et prétendait volontiers que son corps désincarné, ni homme ni femme, était devenu le « tabernacle » d'un esprit parfait : l'Ami Public Universel. Son identité, prétendait-elle, avait été transformée au contact du divin et son message, en bonne partie fondé sur l'Apocalypse de Jean, se voulait résolument millénariste. Elle préparait ainsi ses fidèles à la Seconde Venue du Christ sur terre. La prédication enflammée de la prophétesse attirait les foules de Philadelphie, d'après de nombreux témoignages de l'époque[22].

Un autre expatrié politique de sensibilité rousseauiste, Ferdinand Bayard, entreprend la critique systématique de ses prédécesseurs, au nom d'une histoire qu'il entend fonder sur la vérification des faits et le rejet des impressions littéraires : « le siècle des béatifications est passé[23] », affirme-t-il avant de démontrer que William Penn n'était pas ce moderne Lycurgue imaginé par Montesquieu et les encyclopédistes. En effet, le traité que Penn avait signé avec les « naturels » de la colonie n'était pas juste et magnanime, comme le prétendaient l'abbé Raynal ou le chevalier de Jaucourt. William Penn avait acheté les terres des aborigènes pour un prix dérisoire, et son fils Thomas, délié de tous les serments conclus par son père, commit contre ces peuplades désormais appauvries les pires atrocités tout en les justifiant par de douteuses « subtilités théologiques ». La « conduite atroce et crapuleuse » des apôtres de Penn, décrète Bayard, enleva aux malheureux Indiens toute illusion sur la douceur morale d'une religion prétendument pacifique[24].

En visite à Philadelphie, Bayard y découvre, à sa grande surprise, de fortes hiérarchies sociales, bien ancrées dans les mœurs et parfaitement contraires aux principes d'égalité prônés par les quakers. Constatant les progrès du luxe et des besoins artificiels, le visiteur révèle l'hypocrisie fondamentale des hommes qui, certes, ne portent pas de chemises à manchettes, mais disposent de vêtements de toile fine, et des femmes qui ne « portent point de plumes », mais sont « aussi magnifiques en linge que leurs maris ». Pis encore, les quakers menacent les fondements d'une saine économie politique puisqu'ils ralentissent la constitution de stocks monétaires en « étal[ant] sur leurs tables beaucoup d'argenterie. Ce gros luxe est d'autant plus nuisible, qu'il absorbe, comme l'avare, les métaux que la circulation seule utilise, et qui l'accélèrent à leur tour[25] ».

La charge de Bayard est sans appel : derrière le génie d'une religion sans prêtres, tolérante, pacifique, simple et modeste, il ne voit que duperies et atrocités contre les aborigènes, un luxe effréné chez les habitants des villes et une passion nouvelle pour ce que les critiques de l'Amérique ne manqueront pas d'appeler, un siècle plus tard, le « Dieu dollar ». Bayard apparaît en la matière comme un grand précurseur : « Je sens que dans un pays où tout, jusqu'à l'homme, n'est que le signe d'un sac d'argent, où les talents, les vertus, s'apprécient avec le trébuchet, *les coffre-forts sont tout, et l'individu moral n'est rien*[26]. » Comparant les mœurs des Anciens à celles des Modernes, il affirme que la seule vertu, pour un Philadelphien, tient au sens des affaires, qui guide toutes ses actions au détriment même des « devoirs de la bienséance ». En cas d'urgence, les Romains s'excusaient ainsi auprès de leurs interlocuteurs : « Mes dieux, mon pays m'appellent au Capitole, au champ de Mars. » Or, constate Bayard, « les marchands de Philadelphie disent avec le même sentiment d'urgence "On m'appelle à la boutique" ». Les uns peuvent vraiment être considérés comme des hommes et des citoyens, les autres ne sont que des courtiers ou des usuriers. Point de nouveau Lycurgue en Pennsylvanie, ni probité, ni vertu à l'antique, ni *a fortiori* d'âge d'or… Ce pays n'offre aux yeux de notre émigré que le spectacle désolant du commerce, du luxe et de l'usure, avec cette inéluctable conséquence : la disparition des grandes vertus morales et républicaines propres à l'Antiquité[27].

Chateaubriand, dans son *Essai sur les révolutions*, paru la même année, exprime lui aussi une vive déception et tire des conclusions proches de celles de l'émigré girondin : l'immoralité mercantile de ces êtres bizarres, portant de « grands chapeaux et des habits sans boutons[28] », l'emporte manifestement sur la vertu et la générosité légendaires des Amis, si souvent vantées dans la littérature des Lumières. Témoin et historien des temps nouveaux, Chateaubriand se rend à l'évidence : il lui faut abandonner ses chimères et oublier les grands auteurs qui servirent à la préparation de son voyage en Amérique du Nord :

> Lorsque j'arrivai à Philadelphie, plein de mon Raynal, je demandai en grâce qu'on me montrât un de ces fameux Quakers, vertueux descendant de Guillaume Penn. Quelle fut ma surprise, quand on me dit que si je voulais me faire duper, je n'avais qu'à entrer dans la boutique d'un Frère ; et que si j'étais curieux d'apprendre jusqu'où peut aller l'esprit d'intérêt et d'immoralité mercantile, on me donnerait le spectacle de deux Quakers, désirant acheter quelque chose l'un de l'autre, et cherchant à se leurrer mutuellement. Je vis que cette société si vantée, n'était, pour la plupart, qu'une compagnie de marchands avides, sans chaleur et sans sensibilité, qui se sont faits une réputation d'honnêteté, parce qu'ils portent des habits différents de ceux des autres, ne répondent jamais ni oui, ni non, n'ont jamais deux prix, parce que le monopole de certaines marchandises vous forcent d'acheter avec eux au prix qu'ils veulent, en un mot, de froids comédiens qui jouent sans cesse une farce de probité, calculée à un immense intérêt, et chez qui la vertu est une affaire d'agiotage[29].

*

Le regard français porté sur les quakers s'est complètement transformé en l'espace d'un demi-siècle. Dressant des parallèles, créant un va-et-vient incessant entre Anciens et Modernes, Montesquieu, Voltaire et le chevalier de Jaucourt (qui n'ont jamais mis les pieds en Amérique du Nord) croyaient trouver une réincarnation de Lycurgue en la personne du fondateur de la Pennsylvanie. Pourtant, l'engouement pour le quakerisme, cet exotisme absolu, sera de courte durée. Les premiers visiteurs français, notamment Crèvecœur et Brissot, marqués sans doute par le mythe du « Bon Quaker » mais aussi par l'autorité intellectuelle de leurs devanciers (qui oserait contredire Voltaire), ne faisaient qu'étayer *de visu* la véracité du mythe. D'autres voyageurs au regard plus critique, comme La Rochefoucauld-Liancourt, Bayard et Chateaubriand, entreprirent de déconstruire le mythe pour ne trouver que cruauté, mensonge et hypocrisie derrière la façade vertueuse de la Société des Amis. Pour eux, la nouvelle religion n'avait en rien changé la nature humaine et la vertu supposée des Modernes n'avait pas fait disparaître les vices des Anciens[30]… Sous l'apparence d'une exemplaire probité, le régime quaker de Pennsylvanie n'offrait que le spectacle affligeant d'une Europe décadente, peuplée de Tartuffes. Et la désillusion était d'autant plus vive qu'elle atteignait par là d'autres symboles de vertu républicaine. Lorsque Chateaubriand débarque à Philadelphie en 1791, « plein d'enthousiasme pour les [A]nciens », il s'attend à rencontrer dans ce qui est alors la capitale des États-Unis le nouveau Cincinnatus, le général Washington, premier président de la République fédérale. Il est déçu lorsqu'il voit le grand homme circuler dans un élégant phaéton : « Cincinnatus en carrosse dérangeait un peu ma république de l'an de Rome 296 [*sic*]. Le dictateur Washington pouvait-il être autre chose qu'un rustre piquant ses bœufs de l'aiguillon et tenant le manche de sa charrue[31] ? » Philadelphie, avec son étalage de luxe, de « vêtements élégants », d'« inégalité des fortunes », d'« immoralité des maisons de banque et de jeu » n'était, après tout, qu'une ville comme les autres, la simple transposition coloniale d'une bourgade anglaise. D'où ce constat attristé : « Rien n'annonçait que j'eusse passé d'une monarchie à la république[32]. »

L'aspect répétitif des arguments utilisés par les visiteurs français est à la source des stéréotypes qui seront inlassablement reproduits par d'autres visiteurs plus tardifs et feront les beaux jours de cette passion moderne, l'« anti-américanisme ». Mais les travers repérés ici ne constituent pas encore un système de blâme, absolu, figé par l'usage et échappant à toute forme d'évaluation raisonnée. Aussi l'opinion de Chateaubriand reste-t-elle nuancée, en dépit de ses critiques. Son impression générale est positive, puisqu'une république moderne est bien, de son propre aveu, présente sous ses yeux — « une république d'un genre inconnu annonçant un changement dans l'esprit humain[33] ». La liberté, conclut par ailleurs Chateaubriand, est un précieux trésor légué par l'Amérique au reste du monde. Et pas n'importe quelle liberté, puisqu'elle est « fille des Lumières et de la Raison », fondée sur une innovation politique inconnue des Anciens : le système d'une république représentative[34]. Le meilleur représentant de la nouvelle démocratie américaine est bien son président, le général Washington, que Chateaubriand rencontre enfin chez lui, à Philadelphie. Le Français est alors pleinement rassuré par la « simplicité d[e] vieux Romain[35] » du grand homme.

LA RELIGION DES SAUVAGES

L'exotisme des religions américaines présente deux expressions contradictoires. L'une, analysée plus haut, se fonde sur la découverte, au temps présent, d'une religion utopique semblant seulement appartenir à un avenir lointain et improbable : la religion « naturelle » des quakers. L'autre est produite par l'irruption dans le présent de survivances d'un passé lointain, remontant aux origines de l'humanité.

Pour certains auteurs, comme Corneille de Pauw, la plus vieille des religions connues en Amérique du Nord, la religion des Sauvages, ne constitue pas encore à proprement parler une religion, mais une simple superstition, moins élaborée encore que les croyances des Anciens du Continent européen, les Germains et les Gaulois. Produite par l'extrême ignorance de peuples « timides, crédules, et par conséquent superstitieux », il s'agit d'une religion de la peur : « S'ils entendent le tonnerre, si un objet nouveau les effraie, ils adoreront aujourd'hui le caillou, et demain un arbre : ils auront de la divinité les idées les plus absurdes, et la peindront presque toujours comme un être malfaisant, qu'ils tâcheront d'apaiser et de calmer par des sacrifices et des offrandes : ils auront des sorciers plutôt que des prêtres[36]. »

D'autres auteurs, moins sévères à l'égard des naturels du pays, trouvent dans leurs fables fondatrices d'évidentes similitudes avec les religions antiques. Pour Volney, l'histoire des anciens Grecs racontée par Thucydide recoupe en tout point celle des Hurons ou des Algonquins d'Amérique. Errant « nus dans les forêts de Hellas et de la Thessalie », les « anciens Grecs furent de vrais sauvages, de la même espèce que ceux d'Amérique ». Le climat, la végétation, les habitudes alimentaires, les idées religieuses étaient les mêmes. Le grand *Manitou* des tribus indiennes est analogue au « Jupiter des temps héroïques », et les petits manitous subalternes ne sont pas sans rappeler ces *daimones* de l'Antiquité, « génies des bois, des fontaines, honorés d'un même culte superstitieux ». D'où provenaient de telles idées ? Volney considère d'abord l'hypothèse d'un « foyer primitif » de toutes les religions humaines, fondé sur le chamanisme et se diffusant à travers le monde. Mais il ne la retient pas, lui préférant celle d'une coïncidence probable, liée à des conditions physiques et climatiques similaires, comme à l'état de développement d'une unique humanité. Les mythes fondateurs des Sauvages et des Anciens sont similaires parce qu'ils résultent tout simplement de la « production naturelle de l'esprit humain[37] ».

Chateaubriand formule les mêmes analogies dans son *Voyage en Amérique* et s'intéresse tout particulièrement au « système de fables » religieuses inventées par les Indiens. Il y trouve des « traces des fictions grecques et des réalités bibliques[38] ». Et après avoir consacré cinq pages aux fables des Sauvages et à leurs récits de la création du monde, il s'étonne et s'émerveille de constater qu'un long voyage au sein d'un immense « océan de forêts », à la recherche de « quelques bons sauvages[39] », le ramenait, métaphoriquement, à son point de départ : « Moïse, Lucrèce et Ovide semblaient avoir légué à ces peuples, le premier sa tradition, le second sa mauvaise physique, le troisième ses métamorphoses. Il y avait dans tout cela assez de religion, de mensonge et de poésie, pour s'instruire, s'égarer et se consoler[40]. » On voit donc bien à l'œuvre, chez Volney comme chez son contemporain Chateaubriand, une conception copernicienne de l'histoire : l'exotisme apparent de la religion des Sauvages n'est que la répétition d'un passé lointain déjà connu et maîtrisé. Mais Volney va plus loin encore dans sa relecture des sources classiques : les anciens peuples du Péloponnèse ne vivaient pas cet âge d'or tant vanté par les auteurs classiques. Ils étaient de « vrais sauvages », « vagabonds à la manière des Hurons et des Algonkins, des anciens Germains et des Celtes », et leur civilisation vint d'ailleurs, de l'autre côté de la Méditerranée. Elle fut, en réalité, importée par ces « colonies d'étrangers [...] venues des côtes d'Asie, de Phénicie et même d'Égypte », qui se comportèrent vis-à-vis des Grecs exactement comme les premiers colons anglais de Virginie et de Nouvelle-Angleterre à l'égard des Indiens. Le savant jeu à trois — les Anciens, les Modernes, les Sauvages — élaboré par Volney le conduit à proposer une révision déchirante de l'histoire grecque telle qu'elle est enseignée dans les collèges de la vieille Europe[41]. La découverte et l'observation des mœurs des Sauvages chez les Modernes lui permet de corriger, rétrospectivement, le savoir existant sur les premiers des Anciens. Dans cette perspective, pour reprendre les termes d'un argument soutenu par François Hartog, l'histoire n'était plus la reproduction circulaire d'une *historia magistra*, de modèles à imiter, empruntés au passé et projetés sur le présent et le futur, mais bien plutôt l'inverse : la projection du présent sur le passé faisait progresser la connaissance de l'histoire, remettant ainsi en cause « une foule d'illusions et de préjugés[42] », défendue à tort par les meilleurs étudiants des sources classiques[43].

LE PURITANISME ANGLO-AMÉRICAIN

Les visiteurs français n'ignorent rien de la religion des puritains à laquelle ils font une place bien modeste, sans commune mesure avec leurs observations sur les quakers. Cette religion leur pose problème, car elle appartient pleinement au monde moderne. Et pourtant, l'enthousiasme ou le zèle qui la caractérise dans ses origines rappellent plutôt l'époque des Anciens, sinon même la barbarie des Sauvages. Issue d'une période sombre de l'histoire de l'Angleterre, avant d'être transplantée, tardivement, en Amérique du Nord, cette religion constitue pour nos auteurs un archaïsme religieux. Avec les quakers, les puritains forment un parfait couple de contraires. Les uns sont pacifistes, au point de perdre la vie si on les provoque ; les autres sont fanatiques et violents. Ici encore, Voltaire et les encyclopédistes donnent le ton. Ils décrivent les puritains anglais et écossais tels des enragés pleins de fureur, prêts à commettre d'épouvantables horreurs[44]. Ces « fanatiques pervers[45] » avaient si peu de respect pour les autorités en place qu'ils se seraient comportés comme les mutins d'un navire en perdition, excités par leurs prêtres contre les autorités civiles, prêts à commettre des crimes, le glaive à la main pour la plus grande gloire de Dieu[46]. Dans son *Examen de Milord Bolingbroke* (1736), Voltaire dénonce « l'imposture et la bêtise du fanatisme » et tous les millénaristes chrétiens, ces « christicoles », qui prirent au pied de la lettre le texte de l'Apocalypse de Jean pour prédire cette démence : la descente sur terre d'une nouvelle Jérusalem. C'est pour de telles sottises, conclut Voltaire (qui prétend exposer la doctrine de Bolingbroke) que « l'Europe a nagé dans le sang et que notre roi Charles Ier est mort sur un échafaud[47] ! »

Le même thème est repris à quelques mots près dans l'article « Puritains » de l'*Encyclopédie*. Le puritanisme, pour les philosophes des Lumières, n'est, au fond, qu'une barbarie des Modernes conduisant tout droit aux excès des partisans de Cromwell : « ces sectaires aveuglés par leur zèle fougueux » sont responsables des « guerres civiles qui inondèrent [la Grande Bretagne] du sang des citoyens » et conduisirent au supplice de son malheureux roi[48].

Les causes d'un tel fanatisme ? C'est, répond l'auteur de l'article, l'insuffisante *pureté* calviniste de la religion anglicane à l'époque du règne d'Élisabeth. Les effets de ce fanatisme des petites différences religieuses trouvent là une analyse saisissante :

> L'animosité de ces nouveaux sectaires contre la religion catholique, faisait qu'ils ne trouvaient point la religion établie en Angleterre, assez éloignée de celle du pape. Ils appelaient cette dernière la *religion de l'antéchrist, la prostituée de Babylone,* etc. L'ordre des évêques leur paraissait odieux, il n'était à leurs yeux qu'un reste du papisme ; ils condamnaient l'usage du surplis dans les ecclésiastiques ; la confirmation des enfants ; le signe de la croix dans le baptême ; la coutume de donner un anneau dans les mariages ; l'usage de se mettre à genou en recevant la communion ; celui de faire la révérence en prononçant le nom de Jésus, etc. Tels étaient les objets de la *haine* des puritains. Ils sont bien propres à nous faire voir à quel point les plus petites cérémonies peuvent échauffer l'esprit des peuples, lorsqu'elles donnent matière aux disputes des Théologiens[49].

Cependant, la plupart des auteurs concèdent que les *Pilgrim Fathers* (Pères pèlerins) eurent bien du mérite. Martyrs pour la bonne cause, il leur fallut beaucoup d'audace et de courage pour quitter l'aisance et le confort de leur pays d'origine en vue d'émigrer vers les terres ingrates de la Nouvelle-Angleterre. Or ils ne furent en rien découragés, car la foi religieuse exaltait leur caractère.

La nature épique du voyage des premiers pèlerins est finement saisie par l'abbé Raynal dans sa fameuse *Histoire des deux Indes* : « Le 6 septembre 1621 ils s'embarquèrent à Plymouth, au nombre de cent vingt personnes, sous les drapeaux de l'enthousiasme, qui fondé sur l'erreur ou la vérité, fait toujours de grandes choses. » Le premier hiver s'avéra désastreux : la moitié des pèlerins périrent de froid ou de malnutrition ; mais « le reste se soutint par cette force de caractère, que la persécution religieuse excitait dans des victimes échappées au glaive spirituel de l'épiscopat[50] ». Et pourtant la force de caractère comme l'enthousiasme religieux ne suffirent pas à eux seuls à pérenniser la survie de la colonie de la nouvelle Plymouth. L'amitié de soixante guerriers indiens, venus à leur rencontre, les sauva du désastre puisqu'ils apprirent ainsi la culture du maïs et la pratique de la pêche sur les côtes de la future Nouvelle-Angleterre. Le succès des Modernes, selon Raynal, était inséparable de la proximité, fort accueillante, des Sauvages. Les moins civilisés apportaient l'art de la survie aux plus civilisés, renversant ainsi la hiérarchie traditionnelle du couple d'oppositions *Modernes/Sauvages*.

Livrés à eux-mêmes dans un monde neuf, sauvés par l'intervention providentielle de quelques bons Sauvages, les puritains n'en restaient pas moins identiques à eux-mêmes : des fanatiques brutaux et intolérants, capables de commettre de grandes atrocités contre ceux-là mêmes à qui une première génération de colons devait la vie. Raynal décrit une véritable chasse aux Sauvages, entreprise en 1724 dans la région de Boston, couronnée par le massacre d'un groupe d'Indiens paisiblement endormis autour d'un feu. Il constate avec horreur que les auteurs du massacre, mobilisés par un certain John Lovewel, reçurent en récompense 2 250 livres par tête d'Indien scalpée ! L'atrocité du spectacle conduit l'abbé à risquer une comparaison avec une époque antérieure de la colonisation des Amériques, pour porter ce jugement terrible sur les nouveaux pèlerins : « Anglo-américains, osez à présent adresser quelques reproches aux Espagnols ? Qu'ont-ils fait, qu'auraient-ils pu faire de plus inhumain ?... Et vous étiez des hommes civilisés ? Et vous étiez des chrétiens ? Non. Vous étiez des monstres à exterminer[51]. »

Victime de son propre rigorisme — il est par exemple interdit aux hommes de porter les cheveux longs à la manière des « Barbares indiens » —, le puritain de la Nouvelle-Angleterre se transforme sous la plume de notre auteur en tyran redoutable dès lors qu'un dissident se permet de contester la véracité de sa foi. D'où la mise en place d'un cruel système d'intolérance visant tout particulièrement les quakers, tantôt emprisonnés, tantôt bannis, et parfois même pendus pour avoir enfreint l'ordre de bannissement[52]. Les atrocités commises contre les sorcières de Salem, en 1692, illustrent mieux que tout autre exemple les conséquences de cet insatiable esprit de vertige qui nourrit le fanatisme des puritains :

> Trois citoyens qu'on nomme au hasard, sont mis en prison, accusés de sortilège, condamnés à être pendus, et leurs cadavres sont abandonnés aux bêtes féroces, aux oiseaux de proie. Peu de jours après, seize personnes subirent le même sort [...]. La faiblesse de l'âge, les infirmités de la vieillesse, l'honneur du sexe, la dignité des places, la fortune, la vertu ; rien ne met à couvert d'un odieux soupçon, dans l'esprit d'un peuple obsédé par les fantômes de la superstition. On immole des enfants de dix ans ; on dépouille des jeunes filles ; on cherche sur tout leur corps avec une impudente curiosité, des marques de sorcellerie [...]. Au défaut de témoins, on emploie les tortures ; et les bourreaux dictent eux-mêmes les aveux qu'ils veulent obtenir [...]. Les spectres, les visions, la terreur et la consternation, multiplient ces prodiges de folies et d'horreur. Les prisons se remplissent, les gibets restent toujours dressés. Tous les citoyens sont plongés dans une morne épouvante. Les plus sages s'éloignent, en gémissant, d'une terre maudite, ensanglantée ; et ceux qui y restent, ne lui demandent qu'un tombeau[53].

L'abbé Raynal reconnaît cependant qu'un tel excès d'enthousiasme finit par disparaître, tout en affirmant que les puritains de Nouvelle-Angleterre, au moment même où il écrit, restent à jamais marqués par la férocité du fanatisme de leurs ancêtres[54]. D'autres auteurs, comme La Rochefoucauld-Liancourt, s'étonnent encore, en 1798, de la sévérité des lois votées par un État de Nouvelle-Angleterre comme le Connecticut. Ces lois, en effet, défendent tout amusement le dimanche ; elles sanctionnent les courses de chevaux et imposent une amende de soixante-quinze dollars à « tout homme ou femme qui prend les habits d'un sexe qui n'est pas le sien[55] ». Elles punissent, enfin, l'adultère de coups de fouet administrés publiquement et d'une marque au fer rouge sur le visage[56]. Ces mêmes lois, précise La Rochefoucauld, protègent théoriquement la liberté de conscience. Mais à la vérité il n'en est rien, et le « presbytérianisme y règne encore avec toute sa dureté, tout son despotisme, toute son intolérance[57] ». Pour nos observateurs français, l'intolérance et le fanatisme religieux sont bien les grandes marques de l'Amérique du XVIIe siècle.

Certes, admet Raynal, le fanatisme s'est finalement bel et bien éteint au XVIIIe siècle, mais on en trouve toujours des traces dans « les sévérités outrées » de la législation des États de Nouvelle-Angleterre[58]. S'il y a bien quelque part un système de tolérance, c'est ailleurs qu'il faut le trouver : dans les Carolines ou encore dans les États du milieu, le New York, le New Jersey, la Pennsylvanie et le Maryland.

*

À la veille de la Révolution française, la mode n'est plus à la description du fanatisme, des mœurs austères ou des atrocités des puritains. On admet que l'épidémie a été éradiquée et on lui cherche des circonstances atténuantes, à commencer par certaines causes physiologiques : le scorbut peut-être, le changement de climat, ou même les « vapeurs et les exhalaisons d'une terre nouvellement défrichée[59] ». Bien informé de la réalité du passé puritain, un voyageur avisé comme Chateaubriand n'hésite pas à manier, non sans détachement, une cruelle ironie à propos de ces soi-disant élus de Dieu, trahis par une Providence bien capricieuse. Guidant les premiers puritains vers le cap Cod, elle laissa en effet mourir de faim la plupart d'entre eux et permit, quelques mois plus tard, à leurs ennemis mortels, les catholiques, de débarquer dans la même province, suivis d'une curieuse « cargaison de graves fous » : les quakers. Les Modernes, ces « pauvres humains jouets de leurs propres folies », n'étaient-ils pas devenus des Barbares ?

À la tragédie des guerres de Religion de la vieille Europe succédait une autre histoire, transformée en farce sous les yeux étonnés des naturels du pays : « Que devait penser, se demande Chateaubriand, un Indien regardant tour à tour les étranges histrions de cette *grande farce tragicomique* que joue sans cesse la société ? » Le spectacle était manifestement étonnant : des puritains de Nouvelle-Angleterre persécutant des dissidents, au point même de « brûler leurs frères [...] pour l'amour du ciel » ; des quakers pacifistes, au point de se « laisser couper la gorge sans se défendre » ; des anglicans de Virginie, « persécuteurs en grandes robes », accompagnés de leurs esclaves noirs ; des catholiques, au Maryland, guidés par des « prêtres bigarrés, couverts de croix, de grimoires, et professant tolérance universelle »... Le spectacle était, à n'en pas douter, à la fois désolant et amusant pour notre observateur, « qui ne pouvait s'imaginer que ces gens-là venaient d'un même pays [...] la petite île d'Angleterre[60] ».

LA TOLÉRANCE RELIGIEUSE

Les puritains apparaissaient donc comme des Barbares dont le fanatisme demeurait incompatible avec la modernité d'un âge de Raison supposé acquis à la tolérance. Mieux valait de ce fait tourner la page pour décrire les progrès les plus récents du postpuritanisme américain. C'est dans ce cadre — la description d'une Amérique moderne, émancipée par l'influence de la philosophie des Lumières — que les encyclopédistes, les philosophes et les voyageurs découvrent une autre forme de l'exotisme américain : la tolérance religieuse. Voltaire, dans son *Traité sur la tolérance* (1763), constate, bien sûr, que les quakers de Pennsylvanie sont les plus pacifiques des hommes et il décrit avec étonnement l'extrême tolérance religieuse qui se pratique en Caroline, où il suffisait de réunir ensemble sept pères de famille pour établir une Église reconnue par la loi[61]. Partant de ces prémisses et nourri de nouveaux récits de voyage, Voltaire croit pouvoir généraliser, neuf ans plus tard, ses observations en affirmant que « dans toute l'Amérique anglaise, ce qui fait à peu près le quart du monde connu, la liberté entière de conscience est établie ; et pourvu qu'on y croie en Dieu, toute religion est bien reçue, moyennant quoi le commerce fleurit et la population augmente[62] ».

Le « cultivateur américain » Crèvecœur a laissé la description la plus précise et la plus enthousiaste de la tolérance américaine pluriethnique, plurinationale et multireligieuse. Il invite ainsi un compagnon de voyage à revivre la visite d'un comté rural de l'État de New York :

> L'établissement sur la droite vous frappa beaucoup. Vous me demandâtes à qui il appartenait. Je vous répondis, à un catholique : il se ressouvient encore de tout son catéchisme ; il croit comme de raison à la transsubstantiation [...]. Plus loin, à un mille de distance, demeure un bon allemand luthérien, qui adresse ses prières au même Dieu [...]. Il croit à la consubstantiation : son culte, quoique différent du premier, ne scandalise cependant pas le catholique, qui est un homme très charitable [...]. Un peu plus loin, sur la droite, est la maison d'un *Sécider* [dissident écossais], le plus enthousiaste des sectaires : son zèle est intérieurement chaud et amer ; mais séparé de son ancienne congrégation, depuis qu'il a quitté l'Écosse, il n'a plus d'églises où il pourrait cabaler, proposer des opinions nouvelles, mêler l'entêtement humain à la violence religieuse [...]. Plus loin est le moulin d'un quaker : c'est le pacificateur du canton ; ses bons avis et ses lumières ont été infiniment utiles à ses voisins[63]...

Pour Crèvecœur, la tolérance religieuse est une conséquence directe de l'immensité du territoire américain. La dispersion géographique des églises suffit à expliquer le phénomène. Voltaire, plus perspicace, propose un autre type d'explication. La tolérance américaine est d'abord, selon lui, l'expression d'un principe philosophique dont il expose la teneur dans son fameux *Traité*. Il constate que ce principe fut réellement mis en œuvre dans une région particulière de l'Amérique septentrionale — la Caroline — dont, nous dit l'auteur à juste titre, « le sage Locke fut le législateur[64] ». Mais la tolérance est bien plus qu'un principe ; c'est aussi un effet de la modernité économique anglaise transplantée aux États-Unis. Le meilleur lieu d'observation de la tolérance en action est la Bourse de Londres, dont Voltaire dresse un portrait mémorable :

> Entrez dans la Bourse de Londres, cette place plus respectable que bien des cours, vous y voyez rassemblés les députés de toutes les nations pour l'utilité des hommes ; là le juif, le mahométan et le chrétien traitent l'un avec l'autre comme s'ils étaient de la même religion, et ne donnent le nom d'infidèles qu'à ceux qui font banqueroute ; là le presbytérien se fie à l'anabaptiste, et l'anglican reçoit la promesse du quaker. Au sortir de ces pacifiques et libres assemblées, les uns vont à la synagogue, les autres vont boire, celui-ci va se faire baptiser dans une grande cuve au nom du Père par le Fils au Saint-Esprit ; celui-là fait couper le prépuce de son fils et fait marmotter sur l'enfant des paroles hébraïques qu'il n'entend point ; ces autres vont dans leur église attendre l'inspiration de Dieu leur chapeau sur la tête, et tous sont contents. S'il n'y avait en Angleterre qu'une religion, le despotisme serait à craindre ; s'il y en avait deux, elles se couperaient la gorge ; mais il y en a trente, et elles vivent en paix heureuses[65].

Cette vision très pragmatique du pluralisme religieux aura une influence certaine sur les travaux des délégués de la Convention de Philadelphie (les auteurs de la Constitution fédérale des États-Unis rédigée en 1787), dont le principal architecte, James Madison, aime à citer devant ses amis le dernier paragraphe de la *Sixième Lettre philosophique*[66]. Dans les 10e et 51e articles du *Fédéraliste*, Madison raisonne en véritable disciple de Voltaire lorsqu'il s'inquiète du danger que représente pour un nouvel État républicain la prolifération des factions politiques. La solution, pour Madison, consiste à transposer dans le champ politique ce qui existe déjà dans le champ religieux. Pour empêcher qu'une faction n'assoie sa domination en prétendant agir au nom de la volonté générale alors qu'elle ne représente au mieux qu'un intérêt particulier (qui peut certes être majoritaire), il est donc impératif qu'il y ait dans l'État une « multiplicité d'intérêts », comme il y a, en religion, une « multiplicité de sectes[67] ». Car moins les factions sont nombreuses, plus grand est le risque qu'elles ne portent atteinte aux droits de ceux qui ne partagent pas les idées de la majorité du moment. Le pluralisme politique est par conséquent le meilleur moyen de protéger les droits des minorités. Ce système, certes imparfait, permet à défaut d'atteindre directement la meilleure conception possible de l'intérêt général, de s'en rapprocher grâce au jeu des oppositions et des rivalités d'intérêts[68]. Le pluralisme religieux, cette réalité de l'Amérique du XVIIIe siècle, contenait ainsi en germe le principe même du pluralisme politique américain.

Pour Thomas Paine, le plus grand propagandiste anglais des idées américaines, l'explication était plus simple encore. Elle tenait au principe d'égalité sur lequel reposait, à l'en croire, toute l'architecture du gouvernement américain. Comment, en effet, des hommes appartenant à des nations distinctes, parlant des langues différentes, attachés à des cultes rivaux, pouvaient-ils s'entendre ? Un traditionaliste comme Burke se serait « mis l'esprit à la torture » pour trouver un principe commun de gouvernement pour un tel peuple[69]. Paine, le grand contradicteur de Burke, propose une explication empirique et rationnelle. La tolérance religieuse, si frappante pour l'observateur étranger à la fin du XVIIIe siècle, était le produit de deux phénomènes complémentaires, l'un social, l'autre politique. D'une part, l'expérience difficile et éprouvante de la colonisation d'un « désert », qui poussa les premiers immigrés à coopérer entre eux, malgré leurs divergences religieuses. D'autre part, les effets directs des institutions politiques d'un pays, qui offraient à grande échelle le spectacle de ce qu'avait été Athènes « en miniature[70] ». C'est pourquoi, affirmait Tom Paine, la secte la plus importante du pays, celle des presbytériens, n'a pu conserver longtemps son statut d'Église officielle. En démocratie, concluait-il, « il n'y a point de secte privilégiée, et tous les hommes sont également citoyens[71] ». Le régime démocratique américain mettait donc fin au monopole religieux des successeurs des premiers puritains.

*

La religion aux États-Unis, pour les Français du temps des Lumières, est bien un sujet d'étonnement, une préoccupation nouvelle, inséparable de la modernité et de l'idée de progrès. Les quakers semblent incarner à leurs yeux une certaine fin du religieux : une religion désenchantée, privée de hiérarchie, vidée de toute substance sacramentelle. C'est, on l'a vu, la « religion sans prêtres » tant admirée par Voltaire et ses disciples. À l'inverse, la religion des Sauvages offre l'exemple d'une religion des Anciens, acclimatée aux conditions particulières de la nature du Nouveau Monde. Entre ces deux extrêmes se situe l'archaïsme des puritains dont le fanatisme attesté évoque une autre figure rhétorique de l'histoire : la barbarie. Si les puritains suscitent l'admiration pour leur force de caractère et la pureté de leurs mœurs, c'est néanmoins leur fanatisme qui retient le plus l'attention et les déconsidère. Un tel fanatisme effraie parce qu'il est systématique et universel : il vise aussi bien ceux qui pensent différemment, condamnés alors à l'exil, que les Indiens d'Amérique poussés dans leurs derniers retranchements. Mais ce fanatisme si décrié et si contraire à l'idéal des Lumières est observé et jugé dans la durée. Or il évolue : le régime puritain bascule insensiblement vers un régime de tolérance qui va se généraliser à la fin du XVIIIe siècle et devenir autrement vigoureux que celui qui existe çà et là dans la vieille Europe.

La tolérance n'est pas seulement bénéfique sur le plan moral, elle a aussi des conséquences matérielles, et c'est bien ce qui inquiète les partisans de la modernité religieuse. Car elle facilite le commerce dont usent et abusent les quakers de Philadelphie, préfigurant en cela, aux yeux des romantiques, la montée en puissance d'une nouvelle forme de vice, ignorée dans les vieilles sociétés aristocratiques : « l'immoralité mercantile », pour reprendre l'expression de Chateaubriand. Cette critique tardive des effets de la modernité religieuse annonce, à son tour, un tournant historiographique pleinement assumé par les grands historiens du XIXe siècle : la réhabilitation du puritanisme, au nom d'une nouvelle conception religieuse de la démocratie.

Chapitre II

LA RÉHABILITATION DES PURITAINS

Au XVIIIe siècle, des philosophes comme Voltaire, Diderot, ou Raynal, des érudits, des essayistes ou des voyageurs comme Démeunier, Brissot, Volney et La Rochefoucauld-Liancourt étaient des sceptiques, on l'a vu, souvent accusés de déisme ou d'athéisme par leurs adversaires. Dans l'esprit des Lumières, la religion tenait une place toute négative, car elle était perçue comme un obstacle au progrès de l'humanité. Laissée à elle-même, la religion ne pouvait conduire qu'à l'anarchie et aux désordres sanglants des guerres de Religion. Son seul ressort était une lutte épuisante entre la superstition (le catholicisme) et l'enthousiasme (les religions issues de la Réforme).

Sans une société civile pacifiée par l'introduction de mœurs nouvelles, sans le développement décisif du commerce et de l'industrie, sans institutions politiques capables de faire respecter un régime de tolérance, l'idéal de progrès se trouvait compromis. Montesquieu avait montré la voie dans l'*Esprit des lois* : les sources d'une modernité politique, plus vertueuse encore et plus efficace que celle des anciens Romains, résidaient dans l'évolution complémentaire des lois et des mœurs adoucies par les effets modérateurs du commerce. D'autres auteurs tentèrent d'établir un lien entre cette modernité et la religion réformée. Une nouvelle histoire politique et morale voyait le jour, centrée sur les effets réels ou supposés d'un singulier esprit du protestantisme.

LES PURITAINS : DE ROBERTSON À TOCQUEVILLE

La nouvelle historiographie des Lumières atteignit son apogée avec l'œuvre considérable des historiens et des philosophes écossais : David Hume, William Robertson, Adam Smith et Adam Ferguson, tous influencés, à leur façon, par Montesquieu et Voltaire. La monumentale *Histoire du règne de l'empereur Charles V* (1769) de William Robertson est l'une des premières histoires systématiques de l'Europe. Son auteur était bien, selon l'expression de Pocock, un « moderniste », dont l'*Essai sur les progrès de la société en Europe* anticipait sur les travaux de Marx et de Braudel[1]. Pour Robertson, en effet, l'avènement d'une société moderne était inséparable du progrès du commerce, intimement lié au développement des villes et au remplacement d'une aristocratie féodale, guerrière, héroïque et licencieuse par une bourgeoisie urbaine, policée, austère dans sa morale, calculatrice et prudente avec son épargne.

Robertson nous intéresse tout particulièrement

pour son *History of America*, publiée en 1777 et traduite en français l'année suivante, qui transposait au Nouveau Monde une méthode historique d'abord conçue pour expliquer les progrès économiques et sociaux de la vieille Europe[2]. Critique virulent des interprétations monocausales de l'histoire contemporaine, Robertson dénonçait les Buffon et autres de Pauw en raison de l'importance exagérée qu'ils accordaient au climat et à d'autres phénomènes physiques pour démontrer la prétendue dégénérescence des Sauvages d'Amérique du Nord et leurs supposées « faiblesse de corps » et « froideur d'âme ». C'était oublier, selon Robertson, l'influence des causes morales et politiques, tout à fait déterminantes pour expliquer l'aptitude au travail, les relations entre les sexes ou l'organisation politique des peuples autochtones. Dans la dernière partie de son *Histoire de l'Amérique*, qui paraîtra à titre posthume en 1796 à partir des notes recueillies par son fils, l'historien écossais spéculait sur la nature et les effets politiques des premières colonies anglaises d'Amérique septentrionale. Il dressait un tableau particulièrement sévère des mœurs des premiers colons de Jamestown en Virginie (1609-1610), en qui il voyait des « aventuriers sans fortune », des « enfants de famille dérangés » ou encore de « mauvais sujets », chassés de leur patrie par une société « trop heureuse de les rejeter de son sein comme une peste[3] ». Inaptes au travail, poursuivant des richesses chimériques (des mines d'or introuvables), incapables de coopérer entre eux ou de trouver des moyens de subsistance, les cinq cents colons de Jamestown furent rapidement réduits, en moins de six mois, à soixante survivants affamés, « contraints de manger, non seulement les racines et les baies les plus nauséabondes et les plus malsaines, mais à se nourrir [...] même des corps de leurs compagnons qui succombaient à tant de misère[4] ». L'état social créé par ces premiers immigrés n'était qu'une « horrible anarchie », indigne d'un peuple moderne ; une régression de la civilisation vers la barbarie.

Chez les colons de la Nouvelle-Angleterre, au contraire, Robertson découvrait une mentalité singulière, sans commune mesure avec celle des aventuriers de Virginie. Qu'est-ce qui avait pu inciter des Anglais, aisés pour la plupart, à quitter le sol de leur patrie pour « braver les intempéries d'un climat auquel ils ne sont pas accoutumés, et à se résigner aux travaux pénibles et nécessaires pour rendre habitable un pays sans culture, couvert d'épaisses forêts ou occupés par des peuplades de sauvages féroces[5] » ? Dans sa réponse, Robertson procède par élimination : ce n'était pas le service de la nation qui les poussait à agir ainsi, ni même l'appât du gain. Il fallait un principe autrement puissant pour transformer des hommes en entrepreneurs malgré eux, capables de braver tous les dangers qui avaient fait échouer les premiers colons de Jamestown. Ce principe, Robertson le définit comme « une sorte d'esprit » qui est, en fait, l'esprit de zèle et d'innovation propre au puritanisme et, disons-le plus simplement encore, l'*esprit puritain*. Robertson est ainsi le premier historien des Lumières qui entreprend de réhabiliter les puritains pour en faire autre chose que de simples fanatiques : des colons capables de réussir leur entreprise, malgré les obstacles, et dont l'*esprit* confère un véritable « caractère » au peuple de la Nouvelle-Angleterre, ainsi qu'une « teinte particulière » aux institutions civiles et religieuses des colonies.

Et pourtant, Robertson n'ignorait rien des excès des puritains : l'intolérance qu'on leur prêtait, la persécution d'autres non-conformistes, quakers ou baptistes, la cruauté d'un code pénal fondé sur l'Ancien Testament, etc. Mais le point décisif reposait, selon lui, sur l'indéniable réussite économique et politique des établissements puritains, et sur cet exceptionnel esprit d'entraide qui permettait à des enthousiastes d'affronter tous les dangers pour mieux propager leur doctrine[6]. C'est bien chez les pèlerins, des brownistes[7] d'abord réfugiés en Hollande puis installés en Amérique du Nord, que se déploya avec le plus de succès cette ébauche de la démocratie moderne : « l'esprit niveleur du fanatisme », abolissant toute hiérarchie religieuse au nom d'un retour au christianisme primitif. Les ministres du culte étaient choisis par la communauté des laïques et les fidèles disposaient, chacun, d'une part égale de pouvoir[8]. L'intrinsèque démocratie de ce nouvel ordre ecclésiastique devait avoir un impact décisif sur les institutions politiques de la nouvelle Plymouth. Celles-ci, en effet, reposaient sur l'idée d'une égalité naturelle entre les hommes : tout homme libre, membre de l'Église, faisait automatiquement partie du Corps législatif suprême[9]. Plus tard, à la fin des années

1620, le même esprit d'innovation devait conduire les puritains à outrepasser les droits que leur avait accordés la monarchie britannique par une nouvelle charte politique[10]. « Accoutumés à rejeter la doctrine et les usages de l'Église établie, ils se trouvaient disposés à se soustraire de même aux formes anciennes de gouvernement[11]. » À peine débarqués en Nouvelle-Angleterre, les puritains ignorèrent le contenu de la Charte pour se proclamer individus libres, réunis en société selon les seuls principes du droit naturel — ce qui leur donnait la liberté de choisir la « forme de gouvernement » qui leur convenait le mieux et les lois qu'ils jugeaient « les plus propres à assurer leur bonheur ». La démarche était manifestement illégale, mais Charles Ier, trop content d'écarter de son royaume des hommes si turbulents, se résigna, finalement, à « dissimuler l'irrégularité d'une mesure qui facilitait leur éloignement[12] ». L'habitude était prise : les Américains n'hésitaient pas à défier le pouvoir royal lorsqu'il était contraire à leurs intérêts et, surtout, ils mettaient en place la première ébauche d'un régime de souveraineté populaire.

L'esprit rebelle des puritains contenait donc en germe les conditions politiques d'une guerre d'Indépendance dont Robertson n'eut le loisir d'observer que les prémisses. Tout à la fois prudent et prophétique, l'historien écossais affirmait que « de quelque manière que cette malheureuse querelle se termine, on verra naître dans l'Amérique septentrionale un *nouvel ordre de choses*[13] ».

*

Tocqueville, dans la première *Démocratie en Amérique*, publiée en 1835, réinvente et développe à sa manière l'argument défendu par le grand historien écossais[14]. Le Français est en effet le premier penseur moderne à donner un contenu explicite au nouvel ordre des choses anticipé par Robertson. Comme la plupart des philosophes et des historiens des Lumières, et contrairement à Joseph de Maistre pour qui l'Amérique n'était qu'un « enfant au maillot » dont on savait trop peu de choses pour en tirer un quelconque enseignement, Tocqueville est convaincu que le *caractère* d'une nation est inscrit en germe dans ses origines : « L'homme est pour ainsi dire tout entier dans les langes de son berceau[15]. » La démarche de Tocqueville consiste donc à partir du présent pour remonter en arrière, aussi loin que possible, dans l'histoire de l'Amérique, pour y trouver la trace d'un véritable projet de société. D'où sa thèse du « point de départ » de la modernité américaine.

Où et comment situer une telle origine fondatrice ? Tocqueville, dans un premier temps, respecte la chronologie historique en notant que la Virginie est bien la première colonie anglaise où s'installèrent des colons, dès 1607. Ces émigrants, il en convient comme ses prédécesseurs anglo-écossais, n'avaient pas grande réputation. Ils n'étaient que des « gens sans ressources et sans conduite », des arrivistes sans foi ni loi, une « petite troupe d'aventuriers » cherchant désespérément de l'or comme de modernes conquistadors. L'expérience malheureuse de ces colons socialement proches des « classes inférieures d'Angleterre », associée à l'introduction rapide d'une main-d'œuvre d'esclaves, « devait exercer une immense influence sur le caractère, les lois et l'avenir tout entier du Sud ». Mais là n'est pas le véritable point de départ de ce qui forme « les bases de la théorie sociale des États-Unis ». Ces fondements, Tocqueville les trouvera ailleurs et plus tard dans la colonisation par les puritains de la Nouvelle-Angleterre. Ces derniers, à l'encontre de leurs prédécesseurs de Virginie, n'étaient pas issus des classes inférieures de la mère patrie ; ils n'étaient pas non plus de riches propriétaires, comme ces Anglais qui colonisèrent la Virginie à la fin du XVIIe siècle. « Ni pauvres ni riches », ils appartenaient « aux classes aisées » et, surtout, ils se distinguaient de tous les autres colons par leur démarche intellectuelle. Ils poursuivaient, en effet, une idée qui ne renvoyait ni à la recherche d'un intérêt matériel ni même au désir d'améliorer leur situation sociale, mais bien plutôt à une singulière aventure de l'esprit : faire triompher la doctrine religieuse des niveleurs, dont les objectifs dépassaient le domaine étroit et convenu de la religion, pour se combiner « en plusieurs points avec les théories démocratiques et républicaines les plus absolues ». Véritables fondateurs d'un nouvel ordre des choses, les pèlerins, d'après Tocqueville, « transportaient en quelque sorte la démocratie au sein de la démocratie[16] ». C'est-à-dire qu'ils étaient doublement démocrates, de par leur condition sociale et parce qu'ils professaient des idées démocratiques.

Se démarquant des interprétations avancées par

les grands voyageurs français de la fin du XVIIIe siècle ou des jérémiades de Chateaubriand, ironique et moqueur à l'égard des colons de la Nouvelle-Angleterre, Tocqueville réhabilite l'aventure des puritains en soulignant la grandeur de leur « besoin purement intellectuel[17] ». Il utilise à bon escient les mêmes sources historiques que William Robertson[18]... Et il en arrive à des conclusions identiques : les puritains ont bien établi, « sans discussion et en fait », le principe éminemment démocratique de la souveraineté du peuple. « Libres de tous préjugés politiques », ils vivaient la démocratie comme des Anciens. Ainsi, dans les premières communes du Connecticut, l'ensemble des citoyens disposaient du droit de vote. L'égalité sociale était « presque parfaite » et c'est bien « sur la place publique et dans le sein de l'assemblée générale des citoyens que se trait[ai]ent, *comme à Athènes*, les affaires qui touch[ai]ent à l'intérêt de tous ». Ces « ardents sectaires », ces « novateurs exaltés » avaient réussi à « fixer » la démocratie, le plus naturellement du monde, parce que leurs idées religieuses étaient inséparables de leurs idées politiques. Le *point de départ* repéré par Tocqueville n'est donc pas inscrit dans le temps ni dans l'espace ; c'est un point de départ théorique, le « triomphe d'une idée », ou plutôt l'enchevêtrement merveilleux de deux idées jusque-là réputées antinomiques : l'« esprit de religion » et l'« esprit de liberté[19] ».

La démocratie, Tocqueville en convient, n'est pas sans danger et les premiers puritains s'imposèrent à eux-mêmes des « lois bizarres ou tyranniques », interdisant par exemple l'usage du tabac, le port des cheveux longs, et réprimant sévèrement (au moins en théorie) le blasphème, la sorcellerie, l'adultère, le « simple commerce entre gens non mariés », ou encore la paresse, l'ivrognerie et le refus d'assister au service du dimanche[20].

*

Une erreur fréquente — que Tocqueville ne commet pas, comme je le montrerai plus tard — consiste à confondre la liberté politique avec la liberté religieuse et à se représenter les puritains comme des partisans convaincus de la liberté religieuse. Cette erreur, d'après l'historien John Murrin, est partie intégrante de l'un des plus vieux mythes américains, selon lequel les premiers colons de la Nouvelle-Angleterre fuyaient les persécutions religieuses de la métropole pour établir en Amérique du Nord un régime de liberté religieuse. Un tel mythe ne résiste pas à l'observation, puisque les puritains n'avaient qu'un seul intérêt primordial : installer dans la durée une véritable orthodoxie religieuse. Ils réussirent brillamment en Nouvelle-Angleterre, malgré quelques conflits célèbres qui les opposèrent aux partisans d'autres orthodoxies religieuses, comme Anne Hutchinson et Roger Williams, bientôt excommuniés et chassés de la colonie. Des lois punitives, des arrestations et des condamnations, quelques exécutions aussi servaient à terroriser les *dissenters*, quakers et baptistes pour la plupart, et à précipiter leur éloignement vers d'autres États plus tolérants, comme la Pennsylvanie ou le New York.

De même, les États de la baie du Chesapeake, le Maryland et la Virginie, furent rapidement dominés par une autre orthodoxie religieuse, introduite plus tardivement, mais influente parce que généreusement financée par la mère patrie : l'Église anglicane. En 1743, près des deux tiers des habitants de la Nouvelle-Angleterre et de la région du Chesapeake restaient soumis aux contraintes d'un établissement religieux — le congrégationalisme d'un côté, l'anglicanisme de l'autre. En aucun cas ne bénéficiaient-ils d'une vraie liberté de culte. En fait, rien ne permettait à cette époque d'imaginer les progrès des Lumières. L'institutionnalisation de la liberté religieuse ne sera rendue possible que bien plus tard, avec l'adoption du premier article du *Bill of Rights*, ratifié en 1791[21]. Un observateur bien informé aurait eu les plus grandes difficultés à repérer un mouvement d'opinion favorable au libre exercice de tous les cultes ou à l'instauration d'une véritable séparation de l'Église et de l'État[22].

Le manque de liberté religieuse n'a pas empêché l'éclosion d'une liberté politique sans précédent. Cette liberté, les premiers pèlerins l'avaient fondée sur un pacte solennel (*covenant* ou *compact*), approuvé par eux sous le regard et avec le consentement, croyaient-ils, de Dieu lui-même. Le plus célèbre des *covenants* est celui que signèrent les pèlerins du *Mayflower* à la fin d'une traversée mouvementée de l'Atlantique, qui devait les mener, non pas en Virginie comme il avait été initialement prévu, mais dans la rade du cap Cod. Redécouvert par des historiens romantiques, passionnés par l'histoire des origines, le *Mayflower compact* fut souvent décrit comme un acte de souveraineté politique, une ébauche de Constitution conçue pour une colonie destinée à un avenir radieux. En voici le texte complet :

> Au nom de Dieu, Amen. Nous soussignés, sujets loyaux de notre vénéré souverain, Notre Seigneur et Roi Jacques et par la grâce de Dieu, roi de Grande-Bretagne, de France et d'Irlande, défenseur de la foi, etc., ayant entrepris pour la gloire de Dieu, le progrès de la foi chrétienne et l'honneur de notre roi et de notre patrie, un voyage, afin de fonder la première colonie dans la région septentrionale de la Virginie, *nous formons solennellement et mutuellement*, par ces présentes, *en présence de Dieu et les uns des autres, un covenant et nous nous associons ensemble en un corps politique et civil*, pour notre meilleure organisation et conservation possible et pour la poursuite des fins susmentionnées ; et en vertu de cet acte nous décréterons, établirons et formerons, de temps à autre, telles lois, ordonnances, actes, constitutions et emplois, *justes et équitables*, qu'on jugera plus convenables *pour le bien général de la colonie*. Nous promettons toute la soumission et obéissance légitime à ces dispositions (11 novembre 1620)[23].

Mais il faut bien comprendre que le pacte fondateur de la première communauté protestante de Plymouth, en qui Tocqueville voit un « contrat social en bonne forme tel que Rousseau l'a rêvé dans le siècle suivant[24] », n'était que la suite, civile, d'autres pactes antérieurs, de nature exclusivement religieuse, conclus au sein des congrégations dont étaient issus les pèlerins. Le premier de ces pactes est sans doute celui qu'avaient signé à Leyde, en 1609, les membres d'une petite communauté de séparatistes anglais exilés en Hollande. Parmi eux, trente-cinq volontaires retournèrent en Angleterre pour y rejoindre d'autres séparatistes, vendre leurs propriétés et devenir les associés et les actionnaires de la Compagnie de Virginie, qui leur offrait la possibilité de coloniser certains territoires d'Amérique du Nord. Ces premiers puritains, les fameux Pères pèlerins (*Pilgrim Fathers*) quittèrent l'Angleterre à bord du *Mayflower* le 16 septembre 1620 pour arriver au cap Cod le 9 novembre, avant de s'installer définitivement dans le port de Plymouth un mois plus tard. Leur contrat social, le *Mayflower compact*, succédait à d'autres pactes religieux (*covenants*) que je qualifierai de pactes primitifs.

Explicites ou implicites, les premiers *church covenants* signés par les disciples de Robert Browne prônaient une coupure radicale avec l'Église d'Angleterre (d'où leur nom de « séparatistes » ou encore de « brownistes »). Un *covenant* était l'acte consensuel et volontaire par lequel une communauté de fidèles choisissait de se constituer en une Église « vraie ». Une telle Église, contrairement à la tradition anglicane, ne pouvait être créée par une autorité ecclésiastique déjà établie, par décret ou par un acte du Parlement. C'était une décision locale, autonome, réalisée par des individus qui pactisaient ensemble afin de former une congrégation souveraine, seule capable de choisir et d'ordonner ses propres ministres du culte. Loin d'être universel et inclusif, le pacte primitif des premières églises congrégationalistes était exclusif : il n'avait de valeur que pour des croyants confirmés.

Comment juger alors de l'authenticité ou de la sainteté des croyances des membres d'une nouvelle Église congrégationaliste ? La question était difficile et les réponses variables, même si l'objectif recherché restait le même : rapprocher autant que faire se peut l'Église visible de la communauté des fidèles de l'Église invisible des élus, c'est-à-dire augmenter la probabilité — sans aucune certitude en la matière, certes — que la nouvelle congrégation soit composée de « Saints[25] ». Robert Browne décrivait de la sorte le pacte primitif, préalable à la constitution de l'église de Norwich, en Angleterre :

> Un pacte (*covenant*) fut ainsi convenu [...]. [Les futurs membres de l'église] donnèrent leur accord à certains éléments clés [de la doctrine] prouvés par les Écritures, éléments qu'ils avaient été incités à mémoriser et ils proclamèrent chacun leur agrément, en disant : à cela nous donnons notre consentement. Ils consentirent à se joindre au Seigneur pour former tout ensemble un pacte (*covenant*) et une communauté (*fellowship*) et ils s'engagèrent à préserver cet accord en le soumettant à Ses lois et à Son gouvernement. Ils furent ainsi en mesure d'échapper complètement à tous les désordres et tous les vices antérieurement mentionnés[26].

Dans la logique séparatiste de Browne, l'Église d'Angleterre était tout sauf une église, car elle rassemblait un groupe hétéroclite d'hommes pieux et d'impies, de chrétiens régénérés et de mécréants. Poussé à l'extrême, le séparatisme conduisait à dénoncer l'Autre, les Autres, protestants ou non, en des termes d'une rare violence. Ils n'étaient que des « chiens ou des sorciers, des débauchés, des meurtriers et des idolâtres » dont l'irréligion se nourrissait tantôt « d'athéisme et de machiavélisme », tantôt « d'idolâtrie publique, de blasphèmes, de jurons, de mensonges, de vols, d'homicide et de prostitution[27] ».

Le pacte d'alliance avec Dieu décrit par Browne était relativement peu exigeant. Il ne faisait qu'énumérer les éléments didactiques de la profession de foi des fidèles. Aucune preuve n'était exigée de l'existence intime d'une foi authentique touchée par la grâce. Pour les premiers séparatistes, la présence chez les membres de la congrégation de la foi salvatrice n'était pas discernable. Pur don de Dieu, elle ne pouvait être connue que de Lui, et prétendre autrement eût été contrevenir au principe même de la prédestination[28]. Cependant, le calvinisme des puritains ne formait pas un système fermé ou prédéterminé. Les voies du Seigneur étaient certes impénétrables, mais il était permis au croyant de « soupçonner des indices virtuels de son élection[29] » à partir d'une pratique de la foi affirmée et durable, et par la manifestation d'une vie professionnelle réussie et conforme à sa vocation.

On sait peu de chose du pacte primitif conclu par les pèlerins originaires de la communauté séparatiste de Leyde, sinon qu'il reproduisait, très probablement, la démarche inventée par Robert Browne. Leur Église était une « compagnie de croyants » et leur foi, attestée par une confession publique et un comportement exemplaire, se résumait, d'après l'historien Edmund Morgan, à une « simple croyance aux vérités du christianisme ». D'autres pactes d'alliance, conclus plus tard en Nouvelle-Angleterre par d'autres communautés puritaines, poussaient jusqu'à ses plus extrêmes limites la recherche des signes extérieurs d'une élection probable. Ainsi, les « pactisés » des nouvelles églises de la colonie de la baie du Massachusetts devaient faire état de leur long cheminement vers un état de grâce et de sanctification, en explicitant, tour à tour, leurs doutes, leurs péchés, la sincérité de leur foi, leur bonne connaissance des Saintes Écritures, leur soumission et leur réceptivité aux volontés de Dieu... Aucune certitude n'était permise ; en fait, la meilleure preuve d'être reconnu comme un élu reposait sur l'incertitude même de son statut électif[30]. L'important, pour l'admission dans une communauté de « Saints », était de convaincre ses pairs que l'on avait respecté les termes du *covenant* conclu avec eux sous les auspices de la Providence, en proclamant publiquement sa foi et en fournissant mille détails sur les étapes d'une laborieuse sanctification.

Les puritains de la Nouvelle-Angleterre firent donc preuve d'une originalité certaine en rendant plus complexe l'art de la contractualisation religieuse. Leurs *covenants* n'étaient plus de modestes attestations de foi, selon une vieille pratique anglo-puritaine d'abord décrite par Robert Browne, mais d'interminables narrations critiques, soumises à l'écoute inquisitrice de ceux-là mêmes qui s'imaginaient être des élus, malgré leurs doutes — signe même de leur élection.

Aux pactes primitifs de nature exclusivement religieuse succédèrent des contrats politiques instituant des régimes de souveraineté, dont le prototype est le *Mayflower compact*. Ces derniers *covenants* correspondent bien au déploiement de cet esprit de liberté qui étonnait tellement Tocqueville et qu'il avait pris soin de distinguer de cet autre trait essentiel du caractère américain : l'esprit de religion. L'esprit de liberté des puritains était pratiquement sans limites puisqu'il leur permettait de « faire sans crainte tout ce qui est juste et bon », selon les propos du gouverneur Winthrop rapportés par Tocqueville[31]. D'où ce goût marqué pour l'innovation politique, et cette exceptionnelle « intelligence gouvernementale[32] » touchant à des domaines aussi variés que la souveraineté populaire, l'éducation du plus grand nombre et l'amélioration du sort des pauvres. Certains émigrants, précise encore Tocqueville, n'hésitèrent pas à violer les textes fondateurs de leurs colonies, pour affirmer leur souveraineté, en nommant par exemple leurs dirigeants politiques, en rédigeant leurs règlements de police et en décidant même des questions de guerre et de paix. Bref, comme les grands législateurs de l'Antiquité, ils se donnaient des lois « comme s'ils n'eussent relevé que de Dieu seul ».

La vie politique était donc intense : « réelle, active, toute démocratique et républicaine[33] ». Et cette démocratie des Modernes, réinventée sur le sol de la Nouvelle-Angleterre, rejoignait les plus grands mythes de l'Antiquité, puisqu'elle « s'échappait toute grande et tout armée du milieu de la vieille société féodale[34] ». Les Américains, à leur façon, avaient ressuscité Athéna, la déesse de la Liberté, sortie les armes à la main de la tête de Jupiter.

LES *PILGRIM FATHERS*, ENTRE MYTHE ET RÉALITÉ

La description idyllique du régime politique de la Nouvelle-Angleterre correspondait-elle aux réalités observables ? Le visiteur français ne prenait-il pas ses désirs pour des réalités, afin de justifier sa thèse du point de départ et de mieux marquer ainsi l'écart qui opposait la vieille Europe, quasi féodale, à la nouvelle Amérique, lieu d'expérimentation par excellence de la démocratie moderne ? Disons plutôt que Tocqueville exagérait, comme la plupart des historiens américains de l'époque, à commencer par le plus réputé d'entre eux, George Bancroft, le Michelet de la Révolution américaine.

Le pacte du Mayflower ne décrivait pas, en effet, la démocratie rêvée par Tocqueville. Ses signataires formaient un petit groupe de quarante et un hommes « libres » (dont dix-huit pèlerins et vingt et un « étrangers » sur un total de cent deux passagers embarqués — les femmes, les enfants, les serviteurs à gage étant exclus du groupe des signataires). Replacé dans son contexte, le *Mayflower compact* était un acte de circonstance, destiné à apaiser les velléités d'indépendance de certains passagers qui estimaient ne pas être tenus de rester en Nouvelle-Angleterre, le territoire initialement choisi par la compagnie de Virginie étant situé sur l'embouchure de l'Hudson. Le pacte liait entre eux les membres d'une colonie fort hétérogène puisqu'elle regroupait deux groupes distincts : des « Saints » qui pouvaient s'imaginer détenir la grâce salvatrice et des aventuriers dont les talents militaires, agricoles et autres devaient faciliter l'installation des pèlerins. Lorsque le pacte du Mayflower promet pour tous des lois justes et équitables (*just and equal laws*), il ne fait que garantir l'égalité de traitement entre pèlerins et aventuriers, pour éviter tout danger de mutinerie. Bien plus que l'acte fondateur d'une démocratie à venir, sans précédent dans les annales de l'humanité, le pacte du Mayflower représentait surtout le meilleur moyen de préserver la cohésion d'un groupe d'immigrants au moment même où il projetait de s'installer sur un sol ingrat, pour lequel il ne disposait d'aucun titre de propriété clairement établi[35].

Dix ans plus tard, en 1630, lorsque près d'un millier de puritains[36] débarquent en Amérique du Nord pour prendre possession des terres de la Compagnie de la baie du Massachusetts, le contrat politique qui les lie ensemble n'a rien non plus de particulièrement démocratique. Conformément à une charte royale qui définissait les pouvoirs de la Compagnie, seuls une dizaine de principaux actionnaires (*freemen*[37]) disposaient du droit de vote et pouvaient élire, en assemblée générale, un gouverneur et ses adjoints. John Winthrop, on vient de le voir, partageait pleinement cette conception étroitement aristocratique du pouvoir. Pour lui, le meilleur gouvernement possible était le gouvernement du plus petit nombre, car « les meilleurs et les plus sages sont toujours les moins nombreux[38] ». On était donc loin de ce que Tocqueville allait croire trouver en Nouvelle-Angleterre : « une démocratie telle que n'avait point osé la rêver l'Antiquité[39] ».

Cependant, certaines formes de « républicanisme avoué[40] » finirent par voir le jour, à l'initiative de Winthrop et de ses assistants. Ainsi, lors de l'assemblée générale du 19 octobre 1631, Winthrop décida d'élargir la base de l'électorat en ajoutant au petit nombre des actionnaires électeurs l'ensemble des habitants de sexe masculin de la colonie, soit une centaine de personnes. Ces électeurs pouvaient engager des mesures législatives et nommer les membres du conseil exécutif de la colonie. Mais cette expérience pratique de démocratie en action sera de courte durée, puisqu'une autre assemblée générale, réunie un an plus tard, devait corriger le tir en déclarant que seuls les membres de l'Église officiellement reconnue disposeront du droit de vote[41]. D'où les vives protestations de certaines « personnes recommandables » appartenant à d'autres Églises : en leur retirant le droit de vote, estimaient-elles, on leur refusait les droits fondamentaux des Anglais[42]. La province du Massachusetts, à en croire John Marshall, *Chief justice* de la

Cour suprême (de 1801 à 1835) et auteur d'une célèbre *Vie de George Washington*, était moins démocratique, à l'époque puritaine, que la mère patrie : « L'obstination du Massachusetts à n'accorder les privilèges des hommes libres (*freemen*) qu'à ceux qui avaient, en matière de religion, adopté les opinions du plus grand nombre, ne pouvait qu'enfanter perpétuellement des troubles[43]. »

En somme, la révolution politique des puritains était plutôt modeste puisque, selon la remarque de Bancroft, on passait, en l'espace d'un an, d'un régime d'aristocratie élective à un gouvernement théocratique[44]. Le changement était néanmoins réel : les *freemen* n'étaient plus seulement des riches, c'est-à-dire des actionnaires ou des propriétaires des terres de la Compagnie de la baie du Massachusetts, c'étaient aussi de simples colons sans fortune, n'apportant avec eux que la sincérité de leur foi. Ainsi une simple entreprise commerciale se transforma, insensiblement, en une petite république de croyants[45].

À partir de 1634, les *freemen* cessèrent de participer directement aux décisions de l'assemblée générale de la colonie ; ils se faisaient représenter par des députés élus qui disposaient, seuls, du droit de nommer le gouverneur et ses adjoints, et de voter les lois nécessaires au gouvernement de la colonie. Ce nouveau régime représentatif constituait-il une théocratie au plein sens du terme ? Oui, si théocratie signifie le gouvernement des opinions : les *dissenters* n'étaient pas tolérés en Nouvelle-Angleterre. Non, si par théocratie on entend le gouvernement des prêtres : les ministres du culte n'avaient pas voix au chapitre ; il leur était interdit, à l'époque de Winthrop, de poser leur candidature aux élections et d'exercer la moindre responsabilité politique ou civile[46].

Autant dire que les puritains de la Nouvelle-Angleterre n'ont inventé ni la république, ni la démocratie, ni le principe de souveraineté populaire, car leur définition du peuple restait trop restrictive, trop imbue de convictions religieuses pour être tout à fait convaincante. Leur grande originalité tenait à leurs capacités d'innovation et d'expérimentation. « Sous leur main, écrit Tocqueville, les lois et les institutions humaines semblent choses malléables qui peuvent se tourner et se combiner à volonté[47] » ; ce qui n'empêchera pas, quelque quarante ans plus tard, une prise de contrôle des colonies puritaines par la métropole. D'ailleurs, jamais les puritains d'Amérique n'ont remis en cause l'autorité du souverain anglais. Leur pouvoir existait par défaut, jusqu'à ce que des chartes royales, imposées par la mère patrie, clarifient la situation. On ne saurait donc soutenir que les grands principes de la Déclaration d'indépendance de 1776 ou de la Constitution fédérale de 1787 étaient déjà en germe dans l'expérience politique des premiers puritains. Leur *esprit de liberté,* bien réel et affirmé avec vigueur, n'aura représenté qu'un moment éphémère de l'histoire de la Nouvelle-Angleterre.

UNE « NOUVELLE GRAMMAIRE » DE LA LIBERTÉ

La véritable souveraineté populaire ne se manifestera en Amérique qu'après 1776, avec la création de treize républiques indépendantes et l'adoption de conventions constitutionnelles créant de nouvelles règles politiques bientôt ratifiées par les habitants des *town meetings* réunis pour l'occasion en assemblées électorales. C'est ainsi qu'en juin 1779 la législature du Massachusetts appela tous les hommes âgés de plus de vingt et un ans à former une convention pour adopter les articles d'une nouvelle constitution qui devait être ensuite ratifiée par les deux tiers des mêmes électeurs[48]. Ces nouvelles pratiques politiques révélaient, selon Thomas Paine, l'éclosion d'une « nouvelle grammaire » de la liberté : les constitutions des nouveaux États américains étaient « pour la liberté ce qu'une grammaire est pour les langues[49] ».

Cette nouvelle grammaire était fondée sur des faits aisément observables, touchant à l'origine même du pouvoir politique. Tout est simple en Amérique, observe Paine : « Nous n'avons pas besoin d'aller en quête d'informations dans les plaines obscures de l'Antiquité, ni d'hasarder des conjectures. Nous sommes tout à coup à portée de voir le gouvernement commencer, comme si nous avions vécu dans le commencement des siècles. Le véritable livre, non pas de l'histoire, mais des faits, est immédiatement devant nous, sans être altéré par l'artifice ou par les erreurs de la tradition[50]. »

Point de mythologie puritaine dans le raisonnement de Paine. Car s'il y eut bien une « Bible » à l'origine de chacun des treize États américains, il s'agissait d'un acte politique, d'un artifice produit par les délégués du peuple réunis en convention constitutionnelle, comme dans le cas de la Pennsylvanie en 1776, analysé en détail par l'essayiste anglais.

Comment fonctionnait cette nouvelle grammaire des libertés ? Tom Paine en donne une description saisissante de réalisme dans la seconde partie des *Droits de l'homme*, publiée en 1792 et dédiée à La Fayette :

> On voit ici des procédés réguliers. — Un gouvernement qui sort d'une constitution formée par le peuple dans son caractère originaire, et cette constitution servant non seulement d'autorité, mais de loi, de contrôle au gouvernement ; elle devient la *bible politique* de l'État. À peine se trouva-t-il une famille qui n'en fît pas l'emplette. Chaque membre du gouvernement en avait un exemplaire, et rien n'était plus commun, lorsqu'il s'élevait quelque débat sur le principe d'un bill ou sur l'étendue d'aucune espèce d'autorité, que de voir les membres tirer leur constitution de leur poche, et lire le chapitre qui avait rapport à la matière en question[51].

Pour la génération des Pères fondateurs, comme l'attestent les écrits de Tom Paine, la liberté politique n'était pas l'invention des Anciens — les puritains en l'occurrence. C'était, au plein sens du terme, une liberté des Modernes, que l'on pouvait dater précisément de 1776, au début de la guerre d'Indépendance. Une telle liberté résultait des progrès de la raison naturelle, selon laquelle, comme l'a bien signifié Hamilton dans le 22e *Fédéraliste*, la fabrique d'un empire de la taille des États-Unis ne pouvait être fondée que sur la plus robuste des fondations : « le consentement du peuple [...] cette fontaine originelle de toute autorité légitime[52] ».

À la fin du XVIIIe siècle, la pensée politique américaine s'inscrit donc pleinement dans l'esprit des Lumières. L'influence de la tradition des *radical whigs* anglais est encore vivace, ainsi qu'une certaine culture humaniste, nourrie des lectures de Cicéron, de Tite-Live, de Plutarque et de Polybe. *Le Fédéraliste*, le plus influent des écrits politiques de l'époque, mentionne volontiers Plutarque, Montesquieu, Grotius, Locke, Hume et Mably et néglige complètement les récits, pourtant connus et disponibles, des puritains. Les progrès de la philosophie, du déisme et de la raison ont fini par occulter les vieilles chimères du puritanisme. La Constitution fédérale de 1787, ratifiée par la majorité requise de neuf États, le 21 juin 1788, sera bien, comme je le montrerai plus loin, une fille des Lumières : une constitution sans Dieu.

*

La redécouverte du puritanisme dans la première moitié du XIXe siècle est indissociable d'une critique en règle des excès de la philosophie des Lumières. Cette critique est particulièrement exacerbée lors des élections présidentielles de 1796. John Adams, le président élu cette année-là, résumait ainsi le sentiment politique de l'époque :

entre 1778 et 1785, les nations européennes semblaient « avancer lentement mais sûrement vers un état d'amélioration de la condition humaine concernant la religion, le pouvoir [politique], les domaines de la liberté, de l'égalité, de la fraternité, de la civilisation du savoir et de l'humanité ». Mais tout devait basculer avec les excès de la Terreur, qui projetèrent l'Europe en arrière pour « au moins un siècle sinon même plusieurs[53] ». De nombreux historiens et essayistes américains défendaient, bien sûr, ce genre d'argument, dénonçant avec véhémence les « principes insensés » des philosophes français qui précipitèrent la France dans l'expérience fatale du jacobinisme avec ses déplorables conséquences : l'abolition de la religion, la persécution des prêtres, l'interdiction de toute croyance, et, pis encore, l'adoration « d'une prostituée, substituée à Dieu sous le nom de *Raison*[54] ».

En France, la même critique n'est pas seulement l'apanage des partisans de la Contre-Révolution. Elle est aussi exprimée avec plus de finesse par un grand libéral comme Guizot. Déplorant à son tour l'échec de la Révolution française, Guizot proposait un ressourcement utile vers un passé injustement négligé. Les progrès considérables réalisés par l'esprit humain au cours du XVIIIe siècle, explique-t-il dans la 13e leçon de son *Histoire de la civilisation en Europe* (1828-1830), firent de ce siècle l'un des plus grands de l'histoire ; celui, sans doute, qui contribua le plus au progrès de l'humanité. Mais, ajoute Guizot, le cours de l'histoire a été perverti par certains excès de pouvoir, d'où ce résultat déplorable : l'esprit humain, « corrompu, égaré [...] a pris les faits établis, les idées anciennes, dans un dédain, dans une aversion illégitime ; aversion qui l'a conduit à l'erreur et à la tyrannie[55] ». On saisit ici la nouveauté d'une histoire philosophique qui donne à la tradition tout son dévolu, sans renier pour autant les acquis d'un passé encore proche. Guizot, comme Tocqueville qui suivit ses cours avec un vif intérêt, privilégiait la continuité historique et renouait ainsi avec une tradition jadis initiée par Burke et défendue par des libéraux comme Mme de Staël ou Benjamin Constant. Pour ces derniers, la Réforme était bien la source de tous les progrès humains ; elle conciliait religion et Lumières, et servait de fil conducteur pour expliquer les progrès de la civilisation européenne de Luther à la première phase de la Révolution française[56].

En dissociant religion et Lumières, le jacobinisme — et la première Restauration — interrompait momentanément cette belle continuité historique. Mais cette continuité, comme tous les faits généraux identifiés par l'historien, ne pouvait que resurgir à plus ou moins brève échéance, dans une France apaisée, bientôt capable de réaliser la grande synthèse entre tradition et révolution[57].

*

L'historiographie du premier tiers du XIXe siècle doutait du progrès des Lumières et tentait en conséquence de rétablir des lignes de continuité historique avec des époques méconnues et pourtant fondatrices. Les excès de la Révolution française, les extravagances du culte de la Raison, les méfaits des guerres napoléoniennes inclinaient à redécouvrir (et bien souvent à réinventer) des passés moyenâgeux. L'historiographie romantique redécouvrait ainsi les vertus de la religion, de l'irrationnel et du mysticisme, tout en mettant à l'honneur le culte des héros et des grands ancêtres germains, saxons ou gaulois.

Aux États-Unis, les historiens romantiques, qui avaient pour la plupart étudié en Europe, reproduisaient des tendances et des schémas de pensée similaires. Eux aussi, en redécouvrant leurs grands ancêtres — les premiers émigrants anglais —, réhabilitaient, par la même occasion, le puritanisme. Par chance, les passions démocratiques et républicaines des puritains permettaient aux historiens de réconcilier les progrès politiques des Lumières avec les anachronismes d'une religion d'enthousiastes et de fanatiques. En dédoublant l'esprit puritain en un « esprit de religion » et un « esprit de liberté », Tocqueville raisonnait comme son contemporain, George Bancroft, dont le premier volume de l'*Histoire des États-Unis* allait paraître en 1834, un an avant le premier volume de la *Démocratie en Amérique*. Tocqueville avait-il lu le manuscrit de Bancroft avant d'achever le sien ? A-t-il discuté avec lui ? Rien n'est moins sûr, même s'il devait plus tard correspondre avec l'historien américain. L'essentiel, pour nous, tient à la similitude des approches, puisées aux mêmes sources historiques.

Comme Tocqueville, Bancroft réhabilite les puritains, mais il est plus dithyrambique et pose les jalons d'un nouveau patriotisme américain fondé sur le culte des ancêtres. Certes, les puritains n'avaient pas, comme les héros de l'Antiquité, renversé des empires. Mais ils avaient fait mieux encore en répandant sur le sol d'un pays vierge « les semences des principes de la liberté républicaine et de l'indépendance nationale ». Et, convaincus de la force et de la justesse de leurs idéaux, ils avaient pu, par anticipation, se réjouir à l'idée « que leurs successeurs reconnaissants conserveraient le souvenir glorieux de leurs vertus[58] ».

Bancroft renversait ainsi les bases mêmes de l'historiographie américaine des Lumières : les inventeurs de la démocratie politique n'étaient plus les *Founding Fathers,* mais les *Pilgrims,* ces instruments privilégiés de la Providence qui oriente « le cours des choses vers un but que la prévoyance humaine n'a pas entrevu[59] ». Le moteur de l'histoire, cet « enchaînement mystérieux des événements » qui fait souvent jaillir « des plus faibles causes les événements les plus importants[60] », n'est plus, comme l'imaginaient Tom Paine ou les auteurs du *Fédéraliste,* la volonté humaine libérée du carcan des vieilles traditions politiques et religieuses. C'est bien plutôt le lent mouvement providentiel de la Réforme qui, détachant l'esprit humain du despotisme religieux, rendait possible la propagation des doctrines de liberté, d'un continent récemment découvert vers de lointains pays, plus neufs encore : le Chili, l'Oregon et le Liberia. Ces doctrines, dont la France des Lumières était une « ardente prosélyte », troublaient, par là même, l'ensemble des monarchies de la vieille Europe, tout en « excitant l'action irrésistible de l'esprit public depuis les côtes du Portugal jusqu'au palais des Czars[61] ».

On ne pouvait mieux décrire la marche inéluctable de l'humanité vers la démocratie. Pour Bancroft, comme pour Tocqueville, le point de départ puritain de la démocratie américaine n'est que le maillon d'une immense chaîne providentielle, mais qui n'a pas toutefois le même sens pour l'un et l'autre de ces auteurs. Bancroft, comme Guizot et Quinet avant lui, accorde une place centrale à la Réforme. Tocqueville, lui, en minimise la portée, non sans admettre que le protestantisme accélère la marche de l'égalité, puisqu'il rend les hommes « *également* en état de trouver le chemin du ciel[62] ». Mais il est clair que, pour Tocqueville, l'égalité des conditions, ce « fait générateur dont chaque fait particulier semblait descendre », est antérieur à la Réforme : il remonte aux croisades, aux « guerres des Anglais » (qui affaiblirent les nobles et entraînèrent le partage des grandes propriétés), à la création des communes (qui introduisait des institutions libres au cœur du régime féodal), à l'imprimerie (qui égalisait les conditions du savoir) et à la découverte des armes à feu, qui « égalis[ait] le vilain et le noble sur le champ de bataille[63] ».

Complexe et nuancée, la conception tocquevillienne de la Providence n'est pas marquée par le dogme d'une religion particulière. Elle résulte d'un processus historique aussi irrésistible que les « eaux du déluge », processus qui inspire à l'auteur selon son mot fameux une « sorte de terreur religieuse[64] ». Le providentialisme démocratique tocquevillien ne ferme pas l'avenir ; il ouvre au contraire une pluralité de possibles et requiert une constante vigilance, car il est impossible d'arrêter la marche de l'égalité : « Sachons donc, écrit Tocqueville, envisager l'avenir avec un œil ferme et ouvert. Au lieu de vouloir élever d'impuissantes digues, cherchons plutôt à bâtir l'arche sainte qui doit porter le genre humain sur cet océan sans rivage[65]. »

*

La sensibilité religieuse de Tocqueville, remarquable de la part d'un homme qui admet avoir brutalement perdu la foi à l'âge de seize ans[66], est inséparable d'une démarche philosophique qui se veut à la fois globale et objective, capable d'évaluer les processus humains en surplomb, comme Dieu lui-même dont « l'œil enveloppe nécessairement l'ensemble des choses ». Pour ce faire, Tocqueville n'hésite pas à abandonner ses préjugés aristocratiques pour mieux saisir le paradoxe d'une justice immanente qui rabaisse les plus grands afin de mieux élever les pauvres et les ignorants. Déplorant le spectacle de l'uniformité et de la médiocrité démocratiques, affligé à la vue de « cette foule innombrable composée d'êtres pareils, où rien ne s'élève ni ne s'abaisse », Tocqueville concède que, du point de vue du Créateur de l'univers, la prospérité du plus grand nombre exige la justice sociale, c'est-à-dire « le plus grand bien-être de tous ». Tocqueville se fait donc violence à lui-même en affirmant qu'il se range, tout compte fait, du côté de la Providence : « Ce qui me semble une décadence est donc à ses yeux un progrès ; ce qui me blesse lui agrée. L'égalité est moins élevée peut-être mais elle est plus juste, et sa justice fait sa grandeur et sa beauté. » Et il choisit d'intérioriser le raisonnement même de l'« Être tout puissant » en se mettant, carrément, à sa place : « Je m'efforce, écrit-il dans sa conclusion de la deuxième *Démocratie*, de pénétrer dans ce point de vue de Dieu, et c'est là que je cherche à considérer et à juger les choses humaines[67]. »

Historiens, philosophes et démiurges tout à la fois, Bancroft et Tocqueville n'ont donc pas cherché à réhabiliter les puritains de la même façon. Le premier cherchait à célébrer l'héroïsme des *Pilgrims* et inventait, de la sorte, un culte patriotique des ancêtres. Le second, moins élogieux, exagérait néanmoins lui aussi l'importance politique des puritains et de leurs *covenants*. Le point de départ tocquevillien était tout relatif ; il n'était que le moment américain d'un phénomène multiséculaire. Tocqueville n'a pas ignoré que la première colonisation nord-américaine était l'œuvre d'aventuriers établis en Virginie. Il aurait pu, à partir de cette expérience, considérer un autre point de départ, celui d'une tradition politique détachée de la religion, profondément inégalitaire, aristocratique dans ses valeurs, antidémocratique parce que favorable à l'esclavage. L'idée d'une double narration de l'histoire politique des États-Unis — puritaine et égalitaire d'un côté, anglicane et inégalitaire de l'autre — l'a sans doute tenté[68]. Elle aurait sans doute mieux expliqué le grand drame de la seconde moitié du XIXe siècle — la guerre de Sécession. Mais elle aurait aussi singulièrement compliqué la tâche d'un historien philosophe qui cherchait à innover en associant des phénomènes apparemment très différents : le puritanisme, la liberté religieuse et l'égalité politique et sociale d'un peuple en formation. Seule l'expérience politique et religieuse de la Nouvelle-Angleterre pouvait nourrir l'imagination fertile d'un auteur qui trouvait là de fortes impressions religieuses et croyait y « respire[r] un air d'Antiquité et une sorte de parfum biblique[69] ».

Chapitre III

RÉVEILS ÉVANGÉLIQUES

Nous avons, dans le chapitre précédent, mis en question le paradigme tocquevillien du point de départ puritain de la démocratie américaine. Faut-il pousser plus loin l'analyse pour contester l'idée même d'une Amérique-nation chrétienne, profondément marquée par les croyances de ses premiers colons, toutes chapelles confondues ? L'historiographie américaine des années 1990 nous y incite lorsqu'elle souligne que la notion même de nation américaine est une invention tardive, postérieure à l'élaboration d'institutions républicaines. Ces institutions furent imaginées par des élites politiques peu religieuses (sinon même irréligieuses) dont la seule préoccupation était de construire un avenir meilleur, une fois la rupture consommée avec l'Angleterre. Le passé colonial des États-Unis offrait à leurs yeux peu d'intérêt. Seule comptait la glorification d'un présent héroïque[1].

En revanche, les premiers colons — les pèlerins de la Nouvelle-Angleterre — avaient bien conscience d'appartenir à un vaste Empire britannique ; leur patriotisme, si tant est qu'il existât, était d'abord britannique. Les droits défendus par les Américains au tout début de la guerre d'Indépendance étaient, d'ailleurs, les *droits des Anglais* : droits de représentation (pas d'impôt sans représentation) ; droits à des procès équitables ; interdiction de tout emprisonnement arbitraire selon les vieux principes de l'*habeas corpus*... L'identité nationale américaine était alors une construction fragile issue de la guerre d'Indépendance, un artificialisme républicain de tradition classique, avec ses nouveaux héros — les Pères fondateurs —, un nouvel équilibre des pouvoirs, de nouvelles procédures de création politique (les conventions constitutionnelles) et un point culminant, la Constitution fédérale de 1787[2]. Il manquait à ce « toit constitutionnel », comme l'écrit John Murrin, le support de solides « murs nationaux[3] ». Ces murs furent peu à peu édifiés au cours du XIXe siècle par une nouvelle classe politique qui sut renforcer la démocratie américaine en incitant la grande masse des citoyens blancs, de sexe masculin, à participer à la vie politique de la nouvelle Union fédérale. Une telle démocratisation politique était inséparable d'une démocratisation religieuse, marquée par les immenses progrès de l'évangélisme dans l'Amérique profonde, jusqu'aux régions les plus éloignées d'une frontière en constante expansion. L'idée d'une nation chrétienne est un mythe tardif propagé par des historiens romantiques comme George Bancroft, des prédicateurs évangéliques en quête de conversions massives et des politiques prompts à condamner l'athéisme ou le supposé jacobinisme des partisans de Jefferson.

LES GRANDS RÉVEILS ÉVANGÉLIQUES

L'origine de l'évangélisme américain remonte au premier Grand Réveil (*Great Awakening*), initié en 1734 dans la petite ville de Northampton en Nouvelle-Angleterre par la prédication de Jonathan Edwards (1703-1758) et les visites répétées en Géorgie, en Pennsylvanie et en Nouvelle-Angleterre du plus brillant des évangéliques anglais, George Whitefield (1714-1770). Les sermons de Jonathan Edwards portaient sur deux thèmes principaux. Le premier, aux implications égalitaires, était que tout homme, même peu éduqué, disposait d'un sens spirituel plus aiguisé que « tout le savoir » des philosophes ou des chefs d'État. Ce « sixième sens » leur permettait de saisir la lumière spirituelle irradiant directement de Dieu et d'en apprécier l'« ineffable beauté ». Cette expérience de conversion mystique, qui affectait des centaines de paroissiens du jeune prédicateur, était supposée « toucher le fond de [leur] cœur », pour en changer la nature[4]. Le second thème privilégié par Jonathan Edwards, dans une série de sermons intitulée *A History of the Work of Redemption*, était le combat épique et multiséculaire opposant les forces du Christ à celles de Satan — combat auquel mettait fin la force rédemptrice de l'Évangile dont il fallait à tout prix diffuser le message, sans oublier sa dimension eschatologique : la défaite certaine de l'Antéchrist et l'avènement proche — prévu 1 260 années après le début de la papauté — du Royaume millénaire du Christ[5].

George Whitefield, quant à lui, avait perfectionné un nouveau type de prédication « méthodiste[6] », ouverte à tous, et généralement pratiquée en plein air, dans les lieux de rencontre public : les marchés, les parcs, les places publiques, les terrils de villes minières ou de grands pâturages mis à la disposition des foules. Whitefield cherchait à toucher avant tout les classes populaires. Il était, disait-on, capable de tenir en haleine pendant une journée entière jusqu'à trente mille fidèles au cœur des grandes villes anglaises. Utilisant les mêmes méthodes de prédication, au cours des sept visites qu'il organisa à partir de 1738 en Amérique du Nord, il y connut un franc succès. Whitefield jouait fortement sur les émotions de son auditoire. Il commençait tous ses sermons par la phrase rituelle : « Êtes-vous sauvé ? » Incapables de répondre par l'affirmative, troublés par la formule, envahis par un sentiment diffus de culpabilité, ses auditeurs étaient prêts du coup à subir le travail d'une prédication musclée. Whitefield avait l'habitude d'évoquer, d'abord, la face sombre d'une vie de tentations et de péchés, pour décrire, ensuite, les tourments de l'Enfer en des termes si saisissants que son auditoire en était réduit aux pleurs. Il insistait alors sur la nécessité d'une repentance sincère et terminait son prêche en rappelant les joies ineffables d'une nouvelle naissance (*new birth*) marquée par l'acceptation de la grâce de Dieu. Brillant orateur au charisme indéniable, Whitefield était un véritable entrepreneur de religion, qui sut transformer l'art de la prédication en une grandiose manifestation théâtrale. À ce titre, on peut le considérer comme l'ancêtre spirituel de ces grands brasseurs de foules qu'étaient Charles Finney au XIXe, ou Billy Sunday, Billy Graham, Robert Schuller, Pat Robertson, Jerry Falwell et Rick Warren à la fin du XXe siècle. Le télévangélisme et la prédication de masse au cœur de gigantesques *megachurches* ne sont à notre époque que des mises au goût du jour d'un art oratoire élaboré en Angleterre au milieu du XVIIIe siècle[7].

L'évangélisme de Whitefield a exercé une influence décisive sur les frères Wesley, fondateurs de l'Église méthodiste, qui comprirent comme lui (et comme de nombreux imitateurs baptistes) qu'une religion efficace, à l'époque de la première révolution industrielle, ne pouvait plus être une religion formelle, figée par la tradition et par une doctrine savante, inaccessible aux masses populaires. La foi nouvelle était une *religion du cœur*, fondée sur une expérience de conversion vécue à l'âge adulte. La conversion des frères Wesley est à cet égard exemplaire. Le dimanche de Pentecôte du 21 mai 1738, Charles Wesley ressentit subitement « une étrange palpitation du cœur » qui devait l'inciter à rédiger un hymne fameux :

> C'est à vous que je m'adresse : déshérités, prostituées, publicains et bandits ! Dieu vous entoure de ses bras pour vous réconforter. Seuls les pécheurs reçoivent Sa grâce. Des justes, Il n'a que faire. Il est venu pour trouver et sauver les âmes perdues[8].

Trois jours plus tard, John Wesley, son frère aîné, vécut une expérience comparable, lors d'une visite auprès de la communauté religieuse d'Aldersgate Street à Londres. C'est là que, quelques minutes après avoir entendu la lecture de la préface de Luther à l'Épître aux Romains, John Wesley connut sa véritable conversion qui marque, selon la tradition, l'origine même de la religion méthodiste :

> Je sentis mon cœur étrangement réchauffé (*I felt my heart strangely warmed*). J'avais, je le sentis, la confiance du Christ, le Christ seul pour le salut, et la conviction me fut donnée qu'il avait enlevé *mes* péchés, les *miens* et *m'*avait ainsi sauvé de la loi du péché et de la mort[9].

*

D'un point de vue doctrinal, les prédicateurs du premier Grand Réveil n'étaient pas tous des arminiens, c'est-à-dire des critiques de la doctrine calviniste de la prédestination. Jonathan Edwards et George Whitefield, par exemple, restaient proches du calvinisme en ce sens qu'ils ne croyaient pas que la grâce divine (et donc la possibilité du salut) était donnée à tous les hommes. Pour les frères Wesley, au contraire, la grâce salvatrice (*saving grace*) avait une portée universelle : elle s'appliquait à tous les hommes, même les plus dépravés, pour peu qu'ils aient reconnu leurs péchés. Il était donc impossible d'imaginer que Dieu, qui est amour, ait pu décider d'avance du sort de tous les hommes, en distinguant les élus des réprouvés. À moins de souscrire à ce que les frères Wesley appelaient les « horribles décrets » du calvinisme[10]. Leur message était d'une autre nature. C'était un message d'amour, régulièrement répété dans *The Arminian Magazine*, publié par John Wesley à partir de 1778. Le raisonnement était d'une logique implacable : puisque Dieu est amour et que cet amour est universel, « il en résulte, nécessairement, que Dieu a bien l'intention de sauver l'univers entier[11] ». L'expérience vécue d'une nouvelle naissance était la démonstration d'un dialogue possible entre Dieu et ses créatures. Pour le prédicateur évangélique, il suffisait de stimuler l'imagination des fidèles en leur montrant l'éventualité d'un tel échange salvateur, ce que s'empressèrent de faire les missionnaires méthodistes envoyés en Amérique du Nord à partir de 1771[12]...

*

Le renouveau évangélique du début du XIXe siècle, quelles que soient les innombrables dénominations auxquelles il renvoie, prend tout son sens lorsqu'il est situé dans son contexte : la démocratisation de la religion aux États-Unis[13]. Cette démocratisation avait une conséquence immédiate, trop souvent négligée par les historiens du XIXe siècle : le rejet de l'orthodoxie des grandes Églises établies, et surtout la remise en cause du principe même de la prédestination, si cher aux puritains et à leurs héritiers directs. C'est bien cette particularité théologique qui rend si complexe l'histoire des rapports entre religion et politique aux États-Unis —

histoire faite de ruptures et de continuité, de pureté doctrinale et d'accommodations politiques, de consolidation et de fragmentation institutionnelles, de luttes religieuses et de grands mouvements œcuméniques, d'orthodoxies rigides et de renouveaux charismatiques.

De toutes les formes contemporaines de religiosité américaine, l'évangélisme est sans doute la plus mal connue. La multiplication des Églises et des sectes prête en effet à confusion et les dirigeants américains qui s'affichent « chrétiens régénérés » (*born again christians*), comme le président George W. Bush, sont souvent pris pour des puritains ou des fondamentalistes. Or ils ne sont ni l'un ni l'autre. L'évangélisme aux États-Unis n'est pas une forme apaisée et démocratisée du puritanisme, ni l'expression radicale d'un nouveau millénarisme. Il ne représente pas non plus un phénomène marginal. Et il mérite mieux que la risée des observateurs français, si facilement exprimée dans les récits de voyage du duc de La Rochefoucauld-Liancourt, de la marquise de La Tour du Pin et de son homologue anglais, Fanny Trollope, que nous évoquerons plus loin.

Solidement ancré dans le paysage américain à partir du milieu du XIXe siècle, scandé par des cycles de réveils exubérants, l'évangélisme est devenu la forme la plus courante et la plus banale du protestantisme américain.

> Les réveils, écrit en 1844 le révérend Goodrich, docteur en théologie et professeur au collège de Yale à New Haven, font maintenant partie de l'es-

> sence de notre système religieux. Chaque année voit les siens, quoiqu'il y ait des temps où ils se manifestent avec plus d'éclat et de puissance. L'universalité des chrétiens évangéliques y ont [*sic*] une confiance entière. Ils varient d'opinion sur la meilleure manière de les provoquer et de les conduire ; mais tous les envisagent comme un bienfait inestimable. S'opposer à un réveil, en tant que réveil, serait envisagé par eux comme un acte d'opposition à la religion elle-même[14].

Le succès de ces réveils à répétition peut être précisément mesuré. On a estimé ainsi qu'en 1850 les temples méthodistes et baptistes étaient trois fois plus nombreux que les lieux de culte des vieilles communautés congrégationaliste, presbytérienne et épiscopalienne. Mais le nombre des édifices religieux est trompeur, car il ne traduit pas la portée réelle d'une vague d'enthousiasme capable de fonctionner en dehors de toute enceinte religieuse, grâce à la pratique nouvelle des assemblées de plein air (*camp meetings*), réunissant autour d'un prédicateur itinérant des milliers de fidèles pendant un ou plusieurs jours. Les progrès de l'évangélisme se mesurent donc en hommes plus qu'en lieux de culte. En 1850 encore, le nombre des prédicateurs méthodistes est dix fois supérieur à celui des ministres congrégationalistes ; les *Freewill Baptists*, une petite secte du mouvement baptiste, forment autant de ministres que l'Église épiscopalienne et, par ailleurs, les Églises chrétiennes et les Disciples du Christ produisent autant de prédicateurs que l'Église presbytérienne. Une récente enquête conduit à estimer qu'environ dix millions d'Américains (soit 40 % de la population totale) ont été sensibilisés par le renouveau évangélique[15]. En pleine expansion, les églises baptistes comptent, en 1813, 2 633 lieux de culte, 2 142 prédicateurs et 204 185 fidèles, soit dix fois plus qu'au début de la Révolution américaine. En 1840, la plus dynamique des églises évangéliques, l'Église méthodiste, compte à elle seule près d'un million de fidèles et 9 752 prédicateurs, soit presque autant que le nombre total de postiers actifs sur le territoire de l'Union[16]. On assiste donc à un raz de marée qui mérite explication, d'autant qu'il a été extraordinairement sous-estimé par les observateurs français présents en Amérique à cette époque.

L'évangélisme peut d'abord être compris comme la conséquence d'une révolution des mœurs : l'accès au religieux de ceux qui n'étaient pas reconnus comme des « Saints ». Les gens du peuple, les *commoners*, n'acceptaient plus l'arrogance et les prétentions aristocratiques des *gentlemen*. La démocratisation de la vie politique, la multiplication des journaux bon marché, ouverts à tous les points de vue, la grande mobilité des emplois et les progrès rapides de la conquête de l'Ouest mettaient fin au contrôle social des petites communautés urbaines. Les hommes étaient libres de changer d'emploi, de lieu de travail et de religion. Ils avaient pleinement conscience, depuis la Déclaration d'indépendance, d'avoir été « créés égaux entre eux », et ils ne voyaient pas, selon les propos du prédicateur méthodiste « Crazy » Lorenzo Dow, pourquoi ils ne disposeraient pas du « droit de penser, de juger, et d'agir pour eux-mêmes » en matière de religion. La mode était donc à la dénonciation des élites religieuses traditionnelles, souvent comparées aux scribes et aux pharisiens du Nouveau Testament. Les plus radicaux des républicains de Boston, comme Benjamin Austin, conseillaient aux artisans et aux petits cultivateurs du Massachusetts d'abandonner tout respect pour ces « avocats » et ces « prêtres » qui méprisaient la dignité du peuple et menaçaient la liberté d'expression, sinon même la liberté de conscience[17].

*

Le populisme du second Grand Réveil est indéniable : fortement marqué par la rhétorique républicaine d'un Paine ou d'un Jefferson, ce renouveau évangélique entraînait, nécessairement, le rejet de toute hiérarchie et de toute orthodoxie religieuse. Il facilitait aussi la remise en cause de certaines vérités religieuses, trop aisément données pour acquises. Les évangéliques, on l'a vu, ne croient pas à la prédestination. Ou, plutôt, ils postulent que *tous* les hommes, sans exception, peuvent être sauvés pour peu que leur vie adulte soit marquée par un moment de conversion capable d'effacer toutes les anxiétés du vieux calvinisme professé par leurs pères (ou par eux-mêmes dans leur jeunesse).

L'expérience d'une conversion subite était suffisante pour asseoir une foi inébranlable, détachée des vieux préceptes, des pénibles déclarations de foi, des laborieuses récitations de credo devant un parterre d'autorités ecclésiastiques patentées. Tout devenait désormais simple, limpide, aveuglant de vérité, comme l'illustrent les propos d'un certain Henry Alline, élevé dans la plus stricte orthodoxie calviniste mais prêt à rompre avec ses racines religieuses pour rejoindre une Église baptiste. Transportée par un amour divin, son âme, disait-il, « avait été envahie d'une extase divine, chassant tous les doutes, toutes les peurs, ou toutes les pensées morbides[18] ». Un certain Abbott, fermier de son état, de confession presbytérienne, rejetait de la même façon le calvinisme de son adolescence, lors d'un moment héroïque de conversion au méthodisme : « Pourquoi devrais-je douter, s'exclamait-il, le Christ n'est-il pas suffisant ? N'est-il point capable ? Son sang n'a-t-il pas été répandu pour moi ? C'est alors que je me mis debout pour crier : aucun démon en enfer, aucun partisan de la prédestination sur terre ne me fera douter, car je savais que j'étais converti et j'étais, en cet instant, transporté par la joie d'une extase immense et indicible. » Un autre converti exprimait le même étonnement et la même joyeuse exubérance lorsqu'un prédicateur méthodiste lui exposa la fausseté d'un système de prédestination aussi injuste qu'arbitraire dans sa mystérieuse sélection des élus : « Quoi donc, je peux être sauvé ! Alors qu'on m'avait enseigné que seule une partie de la race [humaine] serait sauvée ! Mais si cet homme dit vrai, tous les hommes peuvent être sauvés[19] ! »

Les passions évangéliques du XIXe siècle doivent ainsi être comprises comme l'expression d'une *ré-*

volte anticalviniste, comme l'a admirablement démontré Nathan Hatch dans son ouvrage consacré à la démocratisation du christianisme américain. Ces passions furent propagées par des églises aujourd'hui prospères — comme les Églises baptiste, méthodiste, unitairienne — et par une multitude de sectes éphémères aux noms étranges de disciples du Christ, d'universalistes, de *Christian Connection*, de rappistes, de « Trembleurs » (ou *Shakers*), d'adventistes, de tunkers, de swedenborgiens[20]..., sans oublier l'évangélisme très particulier des lecteurs du *Book of Mormons*, transcrit sur des plaquettes d'or prétendument découvertes par un prophète américain, Joseph Smith Jr., en 1827[21].

La prédication évangélique du second Grand Réveil, sous les apparences d'une grande cacophonie institutionnelle, énonçait des vérités simples qui garantissaient son succès et son ancrage dans la durée. Il offrait une expérience sans précédent de « démocratisation par le bas » du religieux : des prédicateurs itinérants, peu ou mal formés, mettaient l'accent sur la spontanéité, les chants, la danse, les transes, la confession publique, les cris de joie ou la glossolalie. Le grand ferment politique de l'époque des Lumières, les désordres de la Révolution américaine avaient affaibli les vieilles hiérarchies politiques et religieuses. Aucun pouvoir civil ou religieux ne se trouvait dorénavant en mesure de censurer les expériences religieuses imaginées par une nouvelle génération de prédicateurs ambulants.

La concurrence était vive entre les nouveaux entrepreneurs de religion, d'autant qu'aucun synode, aucun évêque, aucune école centrale de théologie n'était là pour mettre de l'ordre dans l'explosion des vocations, la diversité des prédications, la fluidité des croyances. Chaque Église nouvelle avait ses héros, comme Elias Smith, Barton Stone et Alexander Campbell, les fondateurs de la Christian Connection et de l'Église des disciples du Christ ; Francis Asbury, Lorenzo Dow, Charles Finney, les grands réformateurs évangéliques de l'Église méthodiste ; John Leland, le plus dynamique des prédicateurs baptistes ; Richard Allen, le fondateur de l'Église méthodiste africaine ; William Miller, le fondateur de l'Église des adventistes ; Brigham Young, le plus influent des « mormonistes[22] » au sein de l'Église des Saints du dernier jour, etc.

L'idée centrale de cette période de renouveau religieux était que la foi n'avait plus à être réglementée : l'enthousiasme, orienté il est vrai par les prédicateurs, remplaçait les credo formalisés, les rituels ou les commentaires propres à une théologie savante. Une simple connaissance de la Bible, sans la médiation d'un interprète reconnu ou certifié par des autorités religieuses, était considérée comme suffisante. *Sola scriptura* était bien le leitmotiv de l'époque et tout ce qui relevait d'une exégèse fondée sur la connaissance des langues de la Bible, une lecture rationnelle et critique de l'Ancien et du Nouveau Testament, se voyait relégué dans le grenier des vieilleries d'un âge prédémocratique. La multiplication d'expériences mystiques — la transe, l'extase et le tremblement —, l'attachement passionné aux textes de l'Apocalypse, le ressassement littéral de passages bibliques présentés comme des vérités absolues, telles furent les formes nouvelles d'un éclectisme religieux sans précédent dans l'histoire de l'Amérique.

« UN FROMAGE POUR JEFFERSON »

Bien plus qu'à l'époque des puritains, l'*esprit de liberté* était désormais jugé inséparable de l'*esprit de religion*. Ainsi Barton Stone, un ancien prédicateur presbytérien et l'un des initiateurs du *Cane Ridge Revival* du Kentucky, dénonçait-il avec véhémence toutes les Églises officielles au nom de l'« Évangile de la liberté » et n'acceptait qu'un seul nom pour sa dénomination, celui de « chrétien ». Sa rupture avec l'Église presbytérienne était vécue par lui comme une véritable déclaration d'indépendance et il se prétendait tellement imbu de l'esprit de liberté que la seule mention du nom d'un Anglais ou d'un tory lui faisait, disait-il, « monter le sang à la tête[23] ».

Jefferson, malgré son déisme et son irréligion, restait la grande référence politique des nouveaux prédicateurs évangéliques, en partie parce qu'il avait été le rédacteur de la Déclaration d'indépendance et, surtout, parce qu'il avait pris la défense des baptistes de Virginie contre l'Église officielle de l'État, l'Église anglicane. Son projet de loi pour établir la liberté religieuse en Virginie, adopté en 1786, lui valut l'immense reconnaissance des prédicateurs évangéliques en lutte contre les églises établies (*established churches*), au-delà même des frontières de la Virginie[24]. À titre d'exemple, la petite communauté baptiste de Cheshire dans le Massachusetts — un État dominé par les fédéralistes, favorables à John Adams et partisans du maintien d'une Église officielle — décida de célébrer avec éclat la victoire de Jefferson contre John Adams lors des élections présidentielles de 1800. Dans cette intention, des fermiers baptistes se réunirent pour fabriquer un gargantuesque fromage de 600 kg avec le lait de 900 vaches « républicaines » (les « républicains » étaient alors des partisans de Jefferson), destiné au nouvel occupant de la Maison-Blanche. Le voyage du bien nommé *Mammoth Cheese*, transporté sur un chariot tiré par un attelage de six chevaux, prit plus d'un mois et fut délivré, comme prévu, à son illustre destinataire, le matin du 1er janvier 1802[25]. Pour Jefferson, la récompense était de taille, puisqu'elle couronnait des années d'effort en faveur de la liberté religieuse. Elle démontrait aussi que Jefferson n'était pas le dangereux athéiste, trop souvent décrié par ses adversaires politiques lors de la campagne présidentielle de 1800. Il était l'ami des religions, et en particulier des religions minoritaires et opprimées.

Ce témoignage de sympathie mit fin, une fois pour toutes, à la vicieuse propagande des partisans de John Adams, qui n'avaient pas hésité à accuser le grand patriote de toutes les impiétés possibles et imaginables... Ainsi, Timothy Dwight, le président de Yale College, réputé pour la qualité de ses prédications congrégationalistes, avait mis en garde ses compatriotes contre la candidature d'un homme qui, s'il venait à être élu, ne manquerait pas d'instaurer un « régime jacobin », avec ces épouvantables conséquences : « la Bible en flammes sur un bûcher, les vaisseaux du repas sacramentel transportés sur un âne lors d'une procession publique, et nos enfants [...] hurlant des moqueries contre Dieu... [précipitant ainsi] la ruine de la religion et le dépérissement de leurs âmes[26] ». Les éditeurs d'un journal fédéraliste de Hudson allaient plus loin encore lorsqu'ils prédisaient que l'élection de l'« infidèle Jefferson » provoquerait très certainement la mort de la religion, car « une infâme prostituée, nommée Déesse de la Raison, présiderait bientôt aux destinées des autels, jusqu'à présent dédiés à l'adoration du Très-Haut[27] ». La grande question, selon un autre journal fédéraliste, *The Gazette of the United States*, était : « Faut-il continuer de prêter allégeance *à Dieu et à un président religieux* [John Adams, le président sortant], ou se déclarer en toute impiété *pour Jefferson et pas de Dieu*[28] ? »

La majorité des électeurs avait choisi : Jefferson serait le successeur de John Adams, et cette victoire était due, en grande partie, à l'apport des voix du petit peuple évangélique qui s'estimait brimé par les élites fédéralistes, proches des Églises ou des communions établies.

*

Ces combats héroïques entre la religion et l'irréligion, les Églises établies et les nouvelles sectes de *born again christians* furent bientôt oubliés avec les progrès de l'évangélisme, dominant à partir des années 1840 dans les États dits « du milieu », dans les États du Sud et les nouveaux territoires de l'Ouest. Les sectes étaient devenues des églises avec pignon sur rue. Mais cela n'empêcha pas les visiteurs européens de décrire avec force détails ces pratiques religieuses, si différentes de celles qu'ils connaissaient dans leurs pays d'origine, et si contraires aux hiérarchies et aux rituels de l'Église catholique, en France, ou de l'Église anglicane, en Angleterre.

Contemporaine de Talleyrand et du duc de La Rochefoucauld-Liancourt et, comme eux, émigrée en Amérique après la chute de la royauté, la marquise de La Tour du Pin acheta avec son mari Frédéric-Séraphin, comte de La Tour du Pin, une petite ferme près d'Albany dans l'État de New York, où ils allaient vivre heureux de 1794 à 1796. Ce séjour leur donna l'occasion de s'aventurer dans les forêts pour y rencontrer, comme Chateaubriand, des Sauvages et des Trembleurs installés dans une grande ferme isolée. Invitée par les Trembleurs à pénétrer au fond d'une grande salle, la marquise y découvrit, avec étonnement, un joli plancher sur lequel étaient dessinées « des lignes représentées par des clous de cuivre, brillants de propreté, et dont les têtes se touchaient à fleur de bois[29] ». À quel usage pouvait servir ce curieux dispositif ? Elle entend un son de cloche, des portes s'ouvrent, cinquante jeunes filles entrent d'un côté de la salle, cinquante jeunes hommes, de l'autre. « Je remarquai alors que les femmes se tenaient debout sur les lignes de clous, en observant de ne pas les dépasser avec la pointe des pieds. Elles restèrent immobiles jusqu'au moment où la femme assise dans un fauteuil poussa une sorte de gémissement ou de hurlement qui n'était ni une parole ni un chant. Toutes changèrent de place, et je crus comprendre que le cri étouffé que j'avais entendu devait représenter un commandement. Après plusieurs évolutions, on s'arrêta, et la vieille femme marmotta encore une longue suite de paroles dans une langue tout à fait inintelligible, mais à laquelle se mêlaient, me semble-t-il, quelques mots anglais. Après quoi la sortie se fit dans le même ordre qu'à l'entrée[30]. »

L'intérêt de cet extrait du journal de la marquise tient dans sa juxtaposition avec un autre passage consacré à la rencontre avec des *squaws*. L'exotisme ne se trouve pas là où on l'attendrait. Les Indiens, en effet, lui paraissent des êtres parfaitement rationnels puisqu'ils parlent assez bien l'anglais et se livrent à des échanges commerciaux qu'aurait approuvés Ricardo : des paniers tressés contre une « jatte de lait de beurre[31] ». Les Trembleurs, au contraire, bien qu'ils soient tous des colons d'origine anglaise, symbolisent un retour à un état de barbarie qui crée une distance, un mystère et un malaise entre l'observateur et l'observé. Leurs mouvements sont incompréhensibles, guidés par des lignes tracées sur le sol comme autant de signes cabalistiques ; leur langage, inarticulé, est inintelligible ; leur hospitalité, contrairement à celle des Indiens, est si peu chaleureuse qu'il vaut mieux s'éloigner au plus vite de ce curieux groupe de sectateurs.

Le vrai sauvage de l'histoire, paradoxalement, est un visiteur célèbre, le duc de La Rochefoucauld-

Liancourt, qui séjourna chez la marquise et fut invité à rencontrer des notables de la ville d'Albany. Sa fruste apparence choqua cependant son hôtesse, qui cultivait toujours une certaine élégance à la française. « Ce fut à moi [...] de m'écrier, lançait la marquise, que pour rien au monde je ne le mènerais chez Mmes Renslaër et Schuyler, s'il ne faisait pas lui-même une peu de toilette. En effet, avec ses vêtements couverts de boue, de poussière, déchirés en plusieurs endroits, il avait l'air d'un naufragé échappé aux pirates, et personne n'aurait pu se douter que sous cet accoutrement bizarre se cachait un premier gentilhomme de la Chambre[32]. » Le duc de Liancourt fit, manifestement, tout son possible pour améliorer son apparence. Mais le résultat laissait toujours à désirer aux yeux de l'exigeante marquise : « Je lui reprochai, amèrement, une pièce au genou ornant un pantalon de nankin, apporté sans doute d'Europe tant il était usé par le blanchissage[33]. » Les Indiens, au moins, avaient le sens de la parure et ils faisaient ce qu'on attendait d'eux en revêtant « des restes de fleurs artificielles, des plumes, des bouts de ruban, des grains de verre soufflé » que leur distribuait généreusement la marquise[34].

*

L'immense succès d'un autre récit de voyage, les *Domestic Manners of the Americans*, publiées à Londres en 1832, et traduit peu après en France sous le titre de *Mœurs des Américains*, mérite lui aussi qu'on s'y arrête. L'auteur, Fanny Trollope, fille d'un curé anglican, était l'épouse d'un avocat fort bien éduqué, mais impécunieux qui avait tenté de faire fortune aux États-Unis en créant un magasin de nouveautés anglaises dans la ville de Cincinnati. L'aventure échoua, mais les carnets de voyage de Fanny Trollope, rédigés entre 1827 et 1831, allaient connaître un grand retentissement. Ils apportèrent la célébrité à son auteur et devaient sans doute encourager la carrière littéraire de son quatrième fils, Anthony. Le témoignage de Fanny Trollope est important car il recoupe, avec sa sensibilité propre, celui de Tocqueville et de Gustave de Beaumont à la même époque.

Fanny Trollope constate, d'abord, comme de nombreux autres visiteurs européens, que « la population des États-Unis est, pour ainsi dire, partagée en une multitude infinie de factions religieuses », dont elle dresse l'inventaire. Elle observe que ces congrégations, souvent dirigées par des intrigants, se distinguent par des « pratiques bizarres », dont les excès exposent « à un même mépris commun les cérémonies et les pratiques de toutes ». De ces caractéristiques fâcheuses, elle retient qu'un pays comme l'Angleterre, fondé sur un régime d'Église établie, n'offre que des avantages, tout en notant la supériorité relative du catholicisme américain, « exempt de cette fureur de division et de subdivision qui remplit toutes les sectes[35] ». Poursuivant son enquête, elle cherche, bien sûr, à participer à la grande innovation religieuse de l'époque : le *camp meeting*. Ses vœux sont exaucés lorsque des amis anglais l'entraînent dans « un lieu sauvage et écarté » situé au cœur d'une forêt de l'Indiana. Elle y découvre alors « quatre échafaudages gigantesques, construits en forme d'autels [...] recouverts d'une couche épaisse de terre, sur laquelle brûlaient d'immenses feux de bois de pin. Sur un des côtés, on voyait une informe estrade préparée pour recevoir les prédicateurs. Il y en avait quinze à la tête de ce *meeting* [...]. Ils se succédaient sans interruption sur cette estrade, et y prêchaient jour et nuit depuis le mardi jusqu'au samedi[36] ». À minuit, le jour de sa visite, Fanny Trollope se trouve en bas des tréteaux, parmi deux mille fidèles, pour y entendre l'un des prédicateurs. « Il débuta, selon l'usage des méthodistes, par s'étendre sur la dépravation profonde de l'homme quand il sort des mains du créateur, et sur sa parfaite sanctification quand il a assez longtemps et assez vigoureusement lutté avec le Seigneur pour s'emparer de lui, etc., etc. Les cris *Amen ! Amen ! Jésus ! Jésus ! Gloire ! Gloire !* exprimaient à chaque instant l'admiration de l'auditoire[37]. » La « beauté solennelle » de ce premier moment de recueillement ne sera que de courte durée. Une fois son prêche achevé, le prédicateur convie les « pécheurs inquiets » à le rejoindre, lui et ses frères, au pied de l'estrade. Des chants jaillissent, provoquant une vive émotion collective :

> Cette multitude de voix s'élevant harmonieusement au milieu de la nuit et du sein de ces éternelles forêts ; ces visages de jeunes femmes rendus plus pâles et plus beaux par les rayons de la lune ; ces sombres figures des prêtres s'agitant

> au milieu du cercle, et ces obscures clartés jetées dans les profondeurs de la forêt par la flamme des bûchers, produisaient un effet sublime et mystérieux qui ne s'effaçera point de ma mémoire. Mais au moment même où je commençais à en jouir, la scène changea de nature, et le sentiment religieux que j'éprouvais fit place à l'horreur et au dégoût [...]. Bientôt je n'eus plus sous les yeux qu'une horrible confusion de têtes, de jambes s'agitant pêle-mêle sur le sol. Telle était la violence de ces mouvements que je craignais à chaque instant quelque accident sérieux. Mais comment décrire les sons qui sortaient de cet amas de créatures humaines ; aucun mot, aucune langue ne saurait les rendre : hoquets hystériques, sanglots convulsifs, sourds gémissements, cris inarticulés, aigus, rapides, tout se confondait et se distinguait pourtant dans ce bruit affreux. J'étais malade d'horreur[38].

Les frayeurs de Fanny Trollope et son ironie mordante expliquent le succès de son journal. D'autant qu'elle flattait le sentiment de supériorité de ses lecteurs cultivés, qui savaient, eux, contrôler leurs émotions et souscrivaient à des formes de religiosité autrement discrètes et maîtrisées. Reste qu'elle ne réussissait pas à interpréter les raisons de l'enthousiasme des sectateurs de l'Amérique.

*

Le saint-simonien Michel Chevalier, un contemporain de Trollope et de Tocqueville, fait partie de ces très rares Européens qui expriment de la sympathie pour l'évangélisme américain tout en mesurant ses effets politiques et sociaux. « Les États-Unis, écrit-il dans ses *Lettres sur l'Amérique du Nord*, ont innové en religion comme en politique[39]. » La pratique généralisée des *revivals*, remarque-t-il, souligne l'écart qui sépare la religiosité américaine de ses manifestations européennes. En Amérique, en effet, tout est plus démocratique, à commencer par la religion : les ministres du culte sont nommés et révoqués par les fidèles, et les pesantes hiérarchies épiscopales sont remplacées par des structures légères qui donnent une place importante aux laïcs. L'invention par les méthodistes du système des « prêtres voyageurs » — réputés pour la fougue de leurs activités prosélytes et la théâtralité de leurs *camp meetings* — est particulièrement bien adaptée à une société de pionniers, en constante expansion. Cela permet de comprendre, observe Chevalier, pourquoi les Églises traditionnelles, épiscopalienne ou congrégationaliste, sont en perte de vitesse par rapport aux nouvelles « sectes » des méthodistes et des baptistes, désormais majoritaires[40].

Plutôt que de se contenter de décrire un grand *revival*, comme Trollope ou La Tour du Pin, Michel Chevalier entreprend un véritable travail de sociologie comparée lorsqu'il juxtapose les manifestations politiques du nouveau parti démocrate et les *revivals* organisés par des prédicateurs méthodistes. Cultivant le paradoxe, il démontre que le politique, dans ses aspects les plus visibles, reste indissociable du religieux et que le religieux, sous la forme ritualisée du *camp meeting*, est en fait l'expression même d'une démocratie moderne en action[41]. Au lendemain de la victoire électorale des partisans d'Andrew Jackson à New York, Chevalier voit défiler devant lui une immense « procession » de démocrates,

> [qui] marchaient en bon ordre aux flambeaux ; il y avait des lumières plus que je n'en vis en aucune fête religieuse [...]. Sur les unes étaient inscrits les noms des confréries démocratiques, *jeunes démocrates* du 9e ou du 11e *ward* (quartier) ; les autres étaient couverts d'imprécations contre la Banque des États-Unis [...]. Puis il y avait des portraits du général Jackson à pied et à cheval [qui] se mêlaient à une masse d'emblèmes de tous les goûts et de toutes les couleurs. Dans le nombre figurait un aigle [...] porté par un robuste matelot, plus satisfait que ne le fut jamais échevin admis à tenir l'un des cordons du dais, dans une cérémonie catholique[42].

Et pourtant, insiste Chevalier, ces « cérémonies constitutionnelles » sont très inférieures aux *revivals*, parce que la moitié seulement des citoyens y sont admis. Les femmes en sont exclues (elles ne possèdent pas encore le droit de vote) et le résultat ne peut qu'être décevant : « Toute fête où les femmes ne figurent point n'est qu'une demi-fête. » L'organisation des *camp meetings*, en revanche, est profondément démocratique, puisque les femmes y tiennent le même rôle que les hommes : « Elles y sont actrices au même rang que les plus fougueux prêcheurs. C'est pour cela que la démocratie américaine y accourt » et qu'une majorité d'Américains s'est aujourd'hui convertie au baptisme ou au méthodisme[43]. Enlevez la femme, et la religion perdrait tout son pouvoir de séduction :

> Des *camp-meetings*, enlevez le *banc d'anxiété*, faites disparaître ces femmes qui palpitent, crient et se roulent à terre, s'accrochent, pâles et échevelées, l'œil hagard, aux ministres qui leur soufflent l'esprit saint, ou celles qui saisissent au passage, à la porte des tentes, le pécheur endurci afin de l'attendrir ; vainement la scène se passera au milieu d'une forêt majestueuse, pendant une belle soirée d'été, sous un ciel qui ne craint pas la comparaison avec celui de la Grèce ; vainement vous serez entouré de tentes et de chariots nombreux qui vous rappelleront le train d'Israël à la sortie de l'Égypte ; vainement les feux allumés au loin, entre les arbres, vous montreront les prêcheurs debout, gesticulant au-dessus de la foule ; vainement l'écho des bois vous renverra les éclats de leurs voix retentissantes ; ce sera un spectacle dont vous serez rassasié au bout d'une heure ; tandis que les *camp-meetings*, tels qu'ils sont, ont le don de retenir les populations de l'Ouest pendant de longues semaines. On en a vu qui duraient un mois entier[44].

On ne pouvait mieux faire l'apologie de la démocratie jacksonienne[45], étant bien entendu que c'est la fête collective, sous toutes ses formes, politique et religieuse, avec « ses plaisirs, son art, sa poésie enfin », qui construit, littéralement, le caractère d'une grande nation et supplée au défaut de passé d'un si jeune pays. La religion évangélique, dans cette perspective, est éminemment démocratique, car elle crée de l'idéal et du lien social là où ils n'existaient pas. C'est pourquoi le message de Michel Chevalier est résolument optimiste quant à l'avenir des États-Unis — les tendances observées ne pouvant, à son avis, que s'amplifier. La supériorité de la démocratie américaine tient à ses capacités d'enthousiasme et d'imagination, à l'encontre de ce qui se passe alors en France : « L'imagination est traitée comme la folle du logis. Les nobles sentiments, l'enthousiasme, l'exaltation chevaleresque, ce qui fit la gloire de notre France [...] tout cela est dédaigné, est bafoué. Les fêtes publiques et les cérémonies populaires sont devenues la risée des esprits forts. Nous faisons des efforts inouïs pour nous amaigrir l'esprit et le cœur, conformément aux prescriptions des *Sangrados* de la religion et de la politique[46]. » Le drame de la France contemporaine, poursuit l'auteur, est son irréligion héritée des Lumières. Certes, la philosophie du XVIIIe siècle a fonctionné comme un nouveau protestantisme, puisqu'elle a introduit en France une véritable liberté de l'esprit. Mais, conclut Michel Chevalier, le « protestantisme » des philosophes est inférieur au protestantisme anglo-américain. Le premier est éphémère car élitiste et inaccessible au petit peuple. Le second est solide et durable, parce qu'il repose sur la psychologie du peuple. La grande force de la démocratie américaine tiendrait donc à une singulière philosophie du cœur mobilisant tous les citoyens, hommes et femmes réunis. En France, insiste Chevalier, le régime parlementaire ne stimule pas l'imagination ; il ne crée pas d'émotions. Il y a bien des cérémonies et des fêtes, « mais cela respire un parfum de procès-verbal dont nos sens sont révoltés[47] ».

TOCQUEVILLE ET L'ÉVANGÉLISME AMÉRICAIN

Moins sensible aux vertus politiques de l'enthousiasme religieux, Tocqueville ne conçoit pas l'évangélisme comme une religion structurante au même titre que le puritanisme. Il y voit plutôt un épiphénomène, une forme de spiritualité qu'on « trouve çà et là », affectant un petit nombre d'individus, et dont les manifestations étranges ne sauraient être interprétées comme un progrès décisif de la grande marche vers l'égalité démocratique. L'évangélisme, selon Tocqueville, n'est que la conséquence anecdotique d'une modernité protestante qui cherche à soulager les âmes d'une passion dominante : le désir de consommation. L'évangélisme ne serait ainsi qu'un mouvement réactif, une soupape de sécurité contre les excès du capitalisme — bref un « moment de relâche » pour des âmes prisonnières des « entraves trop étroites » de corps usés par les jouissances de ce monde[48]. Rien n'est sérieux dans tout cela.

Apparemment, Tocqueville n'a pas saisi la portée ni surtout la montée ni la puissance de cette nouvelle religion, bientôt dominante. Il n'a pas compris, non plus, que derrière la multiplication phénoménale des sectes[49] se jouait l'avenir même du protestantisme américain : la montée d'un populisme politico-religieux répondant au goût du public, à ses émotions et à l'angoisse provoquée par les survivances d'une théologie de la prédestination. Tocqueville reproduit donc tous les stéréotypes des voyageurs français qui l'ont précédé en Amérique. Il résume bien l'opinion de ses compatriotes lorsqu'il croit voir dans l'évangélisme colporté par des prédicateurs itinérants « un *spiritualisme exalté* et presque farouche, qu'on ne rencontre guère en Europe ». Contrairement à son compagnon de voyage, Gustave de Beaumont, il ne cherche pas à inventorier toutes les nouvelles églises. Il observe l'existence, encore rare à son avis, de « sectes bizarres » qui prétendent conduire les convertis vers le bonheur éternel, et il conclut qu'au sein de celles-ci « les *folies religieuses* y sont fort communes[50] ».

Tocqueville n'en dit pas davantage dans le second tome de la *Démocratie en Amérique*. Il est plus disert en revanche dans un manuscrit resté longtemps inédit, fort amusant à lire, qui creuse l'écart — en forçant le trait — entre l'extrême sobriété d'un service quaker et l'agitation frénétique d'un service méthodiste. Un certain dimanche, dans une ville inconnue (elle n'est pas nommée), Tocqueville mène l'enquête ; sa curiosité le conduit d'abord dans « une grande maison » qui n'a pas l'apparence d'une église. Le voyageur constate qu'il y règne un silence profond. Tous les fidèles, enfants compris, sont revêtus d'un habit identique et du même couvre-chef. Rien ne se passe pendant près de deux heures. Intrigué, Tocqueville demande à celui qui l'a entraîné dans ce lieu de méditation s'il n'a pas été « conduit dans une assemblée de sourds et muets ». Sans être le moins du monde offusqué par l'impertinence de la question, son compagnon répond : « Ne vois-tu pas que chacun de nous attend que l'Esprit-Saint l'illumine ; apprends à modérer ton impatience dans [ce] Saint Lieu. » Bientôt, écrit Tocqueville, « l'un des assistants se leva et prit la parole. Ses accents étaient plaintifs et chacun des mots qu'il proférait était comme isolé entre deux longs silences et il dit avec une voix très lamentable des choses fort consolantes, car il parla de la bonté inépuisable de Dieu et de l'obligation où sont tous les hommes de s'aider les uns les autres, quelles que soient leur croyance et la couleur de leur peau[51] ».

S'étant rendu ensuite dans un temple méthodiste, Tocqueville a la surprise d'être exposé à un grand tumulte :

> Je vis d'abord dans un lieu élevé un homme dont la voix tonnante faisait retentir les voûtes de l'édifice. Ses cheveux étaient hérissés, ses yeux semblaient lancer des flammes, ses lèvres pâles et tremblantes, tout son corps semblaient agités par un tremblement universel. Je voulus percer la foule pour aller au secours de ce malheureux, mais m'arrêtai en découvrant en lui un prédicateur. Il parlait de la perversité de l'homme et des trésors inépuisables de la vengeance divine [...]. Il peignait le Créateur occupé sans cesse à entasser des générations dans les gouffres de l'enfer et aussi infatigable à créer des pécheurs qu'à inventer des supplices. Je m'arrêtai tout troublé, la congrégation l'était encore plus que moi : la ter-

> reur se peignait de mille manières sur tous les visages et le repentir y prenait à chaque instant l'aspect du désespoir et de la fureur. Des femmes élevaient leurs enfants dans leurs bras et poussaient des cris lamentables, d'autres frappaient leur front contre la terre, des hommes se tordaient sur leurs bancs en s'accusant [de] leurs péchés à haute voix ou se roulaient dans la poussière [...]. Je m'enfuis plein de dégoût et pénétré d'une profonde terreur[52].

Au lieu de s'intéresser aux vertus démocratiques d'une prédication qui donnait à chacun la chance de recevoir enfin la grâce divine, Tocqueville limite son interprétation aux effets sociaux de la prédication méthodiste et défend ici un point de vue contraire à celui de son contemporain Michel Chevalier. La publicité voyante des actes de repentir, manifestés dans un même élan par les hommes et les femmes, réjouissait Chevalier. Elle choque en revanche profondément Tocqueville qui ne voit là que l'usage abusif d'une pédagogie de la terreur, dégradante pour l'être humain. La vulgarité du procédé lui paraît insoutenable et il a du mal à croire que « l'auteur et le créateur de toutes choses » puisse permettre de telles pratiques : « Faut-il dégrader l'homme par la peur afin de l'élever jusqu'à toi, et ne saurait-il monter au rang de tes Saints qu'en se livrant à des transports qui le font descendre au-dessous des brutes[53] ? »

Tocqueville, l'inventeur du *point de départ* puritain de la démocratie américaine[54], ne peut admettre que son *point d'arrivée* soit l'évangélisme protestant, si populaire soit-il. Le protestantisme, tel qu'il l'observe en Amérique, a cessé de figurer cette religion idéale. Tocqueville poursuit donc sa recherche d'un dogme raisonnable, capable de stabiliser les conduites humaines tout en facilitant l'épanouissement d'une véritable démocratie. S'aventurant un peu plus avant dans une région boisée, Tocqueville y découvre la plus étonnante des sectes, celle des *Dansars*, à laquelle il fera allusion dans son livre. Il s'agit là d'une sorte de couvent, pratiquant un communisme primitif, destiné à briser tout individualisme et tout désir pour les jouissances de ce monde[55]. Les *Dansars* observés par le visiteur sont très probablement des Trembleurs (*Shakers*) de la petite communauté de Niskayuna, décrite avec force détails par Gustave de Beaumont, en annexe de son roman, *Marie ou l'Esclavage aux États-Unis*. Celui-ci, non sans surprise, observe ces femmes vêtues de blanc et ces « hommes en uniforme violet et la tête couverte d'un grand chapeau à larges bords », assis séparément de chaque côté d'une allée centrale. Les fidèles, d'abord silencieux, se lèvent et se mettent à entonner un hymne religieux avec des voix discordantes. C'est alors que se manifeste le singulier balancement des *Shakers* : des corps agités qui s'échauffent pour la plus grande gloire de Dieu. « On les voit, écrit Beaumont, danser pêle-mêle au milieu de clameurs violentes et de gestes désordonnés[56]. » Tocqueville dépeint plus ou moins la même scène, avec plus d'effets encore :

> À un bout de la salle étaient rangés une cinquantaine d'hommes de différents âges, mais qui

> tous portaient le même costume. C'était des paysans européens du Moyen Âge. En face d'eux se trouvait un nombre à peu près égal de femmes enveloppées de vêtements blancs comme de grands linceuls, de la tête aux pieds. Du reste, on ne voyait ni chaire ni autel ni rien qui rappelât un lieu consacré par des chrétiens au culte de la Divinité. Ces hommes et ces femmes chantaient des cantiques d'un ton lugubre et plaintif. De temps en temps ils s'accompagnaient en frappant dans leurs mains. D'autres fois, ils se mettaient en mouvement et faisaient mille révolutions sans perdre la mesure, tantôt marchant en colonne, tantôt se formant en rond. D'autres fois ils avançaient les uns contre les autres comme pour se combattre et se retiraient ensuite sans s'être abordés [...]. Ils s'arrêtèrent enfin ; et l'un des plus vieux de la compagnie après s'être essuyé le front aussi commença d'une voix entrecoupée : « Mes frères, rendons grâce au tout-puissant qui [...] a daigné enfin nous montrer la voie du salut, et prions-le d'ouvrir les yeux à cette foule de malheureux qui sont encore plongés dans les ténèbres de l'erreur, et de les sauver des tourments éternels qui peut-être les attendent[57]. »

Tocqueville se garde de juger la folie des *Shakers* ; sa description est suffisamment parlante. Beaumont, plus rigoureux dans l'analyse, offre d'abord un bref aperçu des origines de la secte, de sa fondatrice Ann Lee, le « Second Messie », née en 1761, avant de dénoncer la « vanité » des *Shakers*, la « bizarrerie » de leur culte, l'« absurdité » d'un système de communauté des biens, spoliant les fidèles les plus riches au bénéfice des plus pauvres et l'impossible rigueur d'un vœu de célibat imposé à tous. Et Beaumont de conclure : « On ne peut s'empêcher, en présence d'un pareil spectacle, de déplorer la misère de l'homme et la faiblesse de sa raison[58]. »

LE FANATISME ET L'IRRÉLIGION

Moins philosophe que Tocqueville, mais plus sociologue d'esprit, Beaumont dresse une intéressante typologie des religions américaines — des plus dogmatiques aux moins dogmatiques, des plus autoritaires aux plus ouvertes à la libre pensée. À une extrémité du spectre, il place le catholicisme, à l'autre, l'« unitairianisme ». Les catholiques, explique-t-il, interdisent tout droit de libre examen ; les unitairiens, au contraire, en abusent au point de nier la divinité du Christ et de vider le christianisme de tout contenu pour en faire une simple philosophie morale, un simple déisme, ou encore « une religion naturelle fondée sur la raison ». Entre ces deux extrêmes, Beaumont voit « un espace immense occupé par une multitude d'autres sectes : mille intermédiaires se montrent entre l'autorité et la raison, entre la foi et le doute ; mille tentatives de la pensée toujours élargie vers l'inconnu, mille essais de l'orgueil qui ne se résigne point à ignorer. Tous ces degrés, l'esprit humain les parcourt, poussé quelquefois par les plus nobles passions ; tantôt précipité dans l'erreur par l'amour du vrai, tantôt dans la folie par les conseils de la raison[59] ». Alors que Tocqueville appuie son raisonnement sur des considérations historiques et philosophiques et procède par grandes généralisations, Beaumont, lui, cherche le détail au risque de se perdre dans le kaléidoscope des religions américaines. Aux presbytériens, les plus sévères critiques des catholiques et des unitairiens, s'ajoutent, pêle-mêle, selon Beaumont, des méthodistes, des anabaptistes, des épiscopaux, des quakers ou amis, des universalistes, des congrégationistes, des unitaires, des réformés hollandais, des réformés allemands, des moraves, des luthériens évangélistes, etc. Les anabaptistes se divisent eux-mêmes en calvinistes ou associés, en memnonites (*sic*), en émancipateurs, en tunkers (*sic*), etc.[60]. Un tel spectacle ne manque pas de donner à notre apprenti sociologue un véritable vertige, car il voit dans ce prodigieux morcellement « le tableau de tous [les] égarements et de toutes [les] infirmités de l'intelligence humaine, qui s'agite incessamment dans un cercle où elle ne trouve jamais le point d'arrêt qu'elle cherche[61] ».

Tocqueville lui aussi a été pris d'un tel vertige ; il raisonne comme Beaumont, mais en tire d'autres conclusions : « Je crois fermement, écrit-il, à la nécessité des formes ; je sais qu'elles fixent l'esprit humain dans la contemplation des vérités abstraites, et, l'aidant à les saisir fortement, les lui font embrasser avec ardeur. Je n'imagine point qu'il soit possible de maintenir une religion sans pratiques extérieures. » Son trouble ne vient pas tant de l'existence de religions « très fausses et très absurdes » que de la prolifération incontrôlée de pratiques novatrices, interdisant aux fidèles tout examen critique de ces vérités abstraites qui constituent le dogme d'une religion. La multiplication des sectes, la codification de plus en plus complexe des pratiques religieuses, avec leurs hymnes, leurs rituels, leurs danses, leurs styles de prédication risquent de décourager les masses de tout attachement durable à la religion. Le danger qui pointe à l'horizon des siècles démocratiques est l'indifférence religieuse. En effet, « une religion qui deviendrait plus minutieuse, plus inflexible et plus chargée de petites observances dans le même temps que les hommes deviennent plus égaux, se verrait bientôt réduite à une troupe de zélateurs passionnés au milieu d'une multitude incrédule[62] ». Tocqueville exprime ainsi le souhait que les Américains, dans l'intérêt même de la religion, limitent le nombre des sectes et contrôlent avec plus de succès ce qu'il n'a pas manqué d'observer et de déplorer : l'excès des formes sur la substance.

Tocqueville s'inquiète pour l'avenir, car il est convaincu de la nécessité de la religion pour le bon fonctionnement d'un régime démocratique. La religion est utile à la démocratie, puisqu'elle modère les passions suscitées par une égalité croissante : « l'amour du bien-être » ou encore « l'amour des richesses[63] ». La religion est donc pensée comme la bride du cheval démocratique. Sans elle, tout basculerait vers l'indomptable, le désordre ou l'impuissance — les hommes cessant d'avoir des « idées bien arrêtées sur Dieu, leur âme, leurs devoirs généraux envers leur créateur et leurs semblables ». Seuls quelques philosophes ou des « esprits très affranchis des préoccupations ordinaires de la vie » pourraient à la rigueur se passer de telles certitudes. Mais le scepticisme, pour un peuple libre, est particulièrement dangereux, car il produit de mauvaises habitudes, incompatibles avec la recherche du bien commun, « chacun s'habitu[ant] à n'avoir que des notions confuses et changeantes sur les matières qui intéressent le plus ses semblables et lui-même[64] ». Au total, le doute généralisé « ne peut manquer d'énerver les âmes ; il détend les ressorts de la volonté et il prépare les citoyens à la servitude [...]. Lorsqu'il n'existe plus d'autorité en matière de religion, non plus qu'en matière politique, les hommes s'effrayent bientôt à l'aspect de cette indépendance sans limites. Cette perpétuelle agitation les inquiète et les fatigue. Comme tout remue dans le monde des intelligences, ils veulent, du moins, que tout soit ferme et stable dans l'ordre matériel, et, ne pouvant plus reprendre leurs anciennes croyances, ils se donnent un maître[65] ».

En conséquence, l'avenir de la démocratie est confronté, selon Tocqueville, à un double péril : l'irréligion et le fanatisme religieux. Le premier, on vient de le voir, risque de produire une perpétuelle agitation, néfaste pour l'avenir de la cité. Le second apparaît tout aussi déplorable puisqu'il terrifie les hommes, en les soumettant à d'horribles « orgies intellectuelles[66] » et en les réduisant parfois à un état inférieur à celui de brutes. Dans ce dernier cas, l'esprit humain, par trop exalté, peut littéralement sortir de ses gonds : « Il ne sait où se fixer lui-même, et il court souvent, sans s'arrêter, par delà les bornes du sens commun[67]. »

Face au danger d'un scepticisme exacerbé et d'un spiritualisme exalté, Tocqueville affirme que pour préserver le lien social dans un régime démocratique, il est souhaitable et nécessaire d'encourager le maintien de « croyances dogmatiques en matière de religion[68] ». Il ne se prononce pas sur le contenu de ces croyances ; mais il laisse entendre, comme on le verra dans le prochain chapitre, que le catholicisme est sans doute la plus raisonnable des religions et la plus compatible avec l'avenir de la démocratie américaine. En cela il diverge profondément des historiens américains de l'époque, pour lesquels le catholicisme constitue le principal obstacle à l'avenir d'une nation réinventée comme républicaine et protestante tout à la fois.

Chapitre IV

LA GUERRE DES DEUX AMÉRIQUES

On se souvient de l'affirmation de Tocqueville, selon laquelle l'esprit de liberté était pleinement compatible avec l'esprit de religion, comme les pèlerins de la Nouvelle-Angleterre en avaient, croyait-il, fait la démonstration. En soutenant que la religion et la liberté civile n'étaient pas, malgré les apparences, des phénomènes contraires et qu'elles se prêtaient en fait un « mutuel appui[1] », Tocqueville reproduisait à sa façon le point de vue dominant des historiens et des dirigeants politiques américains de la première moitié du XIXe siècle. Il confirmait de même l'intuition des grands penseurs libéraux de son époque. Avant lui, Mme de Staël, Benjamin Constant, ou encore Guizot avaient affirmé que le protestantisme était la croyance religieuse la plus compatible avec l'épanouissement de la démocratie, la plus capable aussi de réconcilier foi et raison. Et pourtant Tocqueville défendit une thèse fort surprenante pour l'époque : le catholicisme, en dépit de son caractère dogmatique et autoritaire, était une religion profondément égalitaire qui, à terme, devait favoriser aussi la démocratie.

Tocqueville semblait donc contester l'idée convenue (que lui-même soutenait pour la période fondatrice des États-Unis) que la religion réformée présentait de singulières affinités avec la démocratie. L'évolution du protestantisme américain lui apparut en effet défavorable à la stabilité nécessaire au succès de l'expérience démocratique. Ses observations citées plus haut sur le « spiritualisme exalté » des sectes évangéliques et leurs « subdivisions infinies[2] » le conduisaient à douter de l'influence bienfaisante du protestantisme, dont la variabilité du dogme ne pouvait conduire qu'à l'indifférence, au scepticisme ou au déisme. Cette évolution fâcheuse, si contraire aux ambitions des premiers puritains, semblait avoir déjà gagné les élites intellectuelles, ralliées aux idées d'une « secte qui n'a de chrétienne que le nom » — l'unitarisme —, et dont certains des membres, affirmait Tocqueville dans une fameuse lettre à Louis de Kergorlay, « ne voient en Jésus-Christ qu'un ange, d'autres un prophète, d'autres enfin un philosophe comme Socrate[3] ». Les unitariens n'étaient donc que de purs déistes : « Ils parlent de la Bible parce qu'ils ne veulent pas choquer trop fortement l'opinion qui est encore toute chrétienne. Ils ont un office le Dimanche, j'y ai été : on y lit des vers de Dryden ou autres poètes anglais sur l'existence de Dieu et l'immortalité de l'âme ; on y fait un discours sur quelque point de morale et tout est dit[4]. »

L'unitarisme lui paraissait parfaitement adapté aux inclinations des « hauts rangs de la société » et des « classes discutantes ». Il était le symbole déjà visible de l'avenir du protestantisme. Mais il ne convenait pas au peuple qui risquait, selon Tocqueville, de suivre sa pente naturelle pour s'adonner à la seule poursuite de ses passions privées, abandonnant ainsi toute capacité d'agir en citoyens responsables. Le déisme ou la « religion naturelle » étaient sans doute suffisants pour les classes supérieures de la société, mais ces nouvelles formes de religiosité ne pouvaient convenir à toutes les classes sociales, à commencer par celles « qui ont le plus besoin du frein de la religion ». Le succès de l'expérience démocratique paraissait ainsi indissociable d'une religion capable de modérer les passions des classes dangereuses, tout en les empêchant de tomber dans « la seule doctrine de l'intérêt ». Il fallait, autrement dit, une religion suffisamment forte et structurée pour servir de contrepoids aux errements de la raison et à « cette disposition de l'âme, si commune chez nous, qui fait qu'on s'élance à travers tous les obstacles per fas et nefas vers le but qu'on a choisi[5] ».

Cette religion idéale, Tocqueville la trouve donc dans le catholicisme, dont il admire les progrès rapides au sein des classes ouvrières américaines. Mais ce catholicisme exemplaire n'est pas le catholicisme français ou européen ; c'est un catholicisme « américanisé », détaché de tout système d'alliance entre le trône et l'autel et compatible par là avec le républicanisme des Pères fondateurs[6].

Le grand intérêt de la thèse de Tocqueville tient à son caractère prophétique. Nul ne contesterait aujourd'hui l'idée que le catholicisme est compatible avec la démocratie ou qu'un catholique ne saurait accéder aux plus hautes fonctions politiques et judiciaires de l'État fédéral. Et pourtant, cette thèse, radicalement nouvelle pour un lecteur français des années 1830, était tout aussi déconcertante pour un lecteur américain, alors même que se développait aux États-Unis un vigoureux courant nativiste dénonçant le danger d'une « tyrannie catholique ». À la « guerre des deux Frances » opposant cléricaux et anticléricaux, libéraux et réactionnaires, Révolution et Contre-Révolution, correspondait presque simultanément, de l'autre côté de l'Atlantique, une « guerre des deux Amériques » opposant les élites protestantes à la hiérarchie catholique et entraînant dans leurs sillages des masses de *White Anglo Saxon Protestants* (WASPS) et d'immigrés catholiques irlandais. Cette guerre des deux Amériques n'était pas seulement religieuse, elle était aussi et surtout une guerre de classes doublée d'un conflit ethnoculturel.

L'ARRIVÉE DES CATHOLIQUES IRLANDAIS

Lorsque Tocqueville et Beaumont visitent les États-Unis, le catholicisme américain est à un tournant. Aux vieux catholiques, installés depuis le XVIIe siècle au Maryland et en Pennsylvanie, venaient s'ajouter de nouveaux catholiques débarqués d'Irlande pour la plupart. La première génération de catholiques américains avait colonisé le Maryland dès 1634, dans un territoire octroyé par charte royale à Cecil Calvert (Lord Baltimore), l'aîné d'une grande famille catholique anoblie par le roi Jacques Ier. Ces premiers catholiques appartenaient à l'aristocratie anglaise ; grands propriétaires terriens, ils étaient venus accompagnés de fermiers ou de serviteurs à gage recrutés dans les régions protestantes du sud et de l'est de l'Angleterre. L'origine des catholiques de Pennsylvanie était plus modeste et plus diversifiée : Allemands pour la plupart, ils avaient été facilement accueillis dans cet État quaker réputé pour sa tolérance religieuse. Ils côtoyaient, outre les quakers d'origine anglaise, des piétistes originaires des mêmes régions d'Europe centrale. À ces premières vagues d'immigration s'ajoutèrent de petites colonies de catholiques irlandais, encore atypiques, puisque la majorité d'entre eux étaient à cette époque des calvinistes scotto-irlandais (*Scotch Irish*), nés en Ulster.

À la fin du XVIIe siècle, les catholiques ne constituaient qu'une petite communauté religieuse perdue dans un océan de sectes protestantes. Ils n'étaient que 2 500 environ dans le Maryland en 1700 (sur une population totale de 34 000) et moins nombreux encore en Pennsylvanie. En un peu moins d'un siècle, leur population allait être multipliée par dix, grâce à l'arrivée de nouveaux immigrés venus du sud de l'Irlande et des États catholiques allemands[7]. Le nombre total des catholiques américains atteignit 25 000 en 1790, d'après l'estimation de John Carroll, le premier évêque des États-Unis, nommé au siège de Baltimore. Leur population se répartissait ainsi : 16 000 catholiques au Maryland, 7 000 en Pennsylvanie, 1 500 à New York et 200 en Virginie[8]. L'Église catholique américaine, malgré sa croissance, demeurait très restreinte, de la taille d'un seul diocèse français ou espagnol. Soixante ans plus tard, en 1850, la même Église réunissait plus de fidèles que la première des dénominations protestantes du pays, l'Église méthodiste.

Comme le montre bien le Tableau 1, les catholiques représentaient moins de 1 % de la population totale des États-Unis en 1790 ; ils dépassaient les 2 % en 1820, pour ensuite doubler leurs effectifs tous les dix ans, jusqu'à 1850.

Tableau 1

ACCROISSEMENT DE LA POPULATION CATHOLIQUE

	Population totale	*Catholiques*	*% de la pop. totale*
1790	3 929 214	35 000	0,9 %
1820	9 638 453	195 000	2,0
1830	12 866 020	318 000	2,5
1840	17 069 453	663 000	3,9
1850	23 191 876	1 600 000	6,9

Source : *Statistical Abstract of the United States*, 2000, Tableau 1, p. 7 ; George J. Marlin, *The American Catholic Voter*, South Bend, St. Augustine Press, 2004, p. 37.

Comment expliquer cette soudaine croissance dans un pays que l'on perçoit aujourd'hui encore comme fondamentalement protestant ? La principale raison tient à la conjonction de deux facteurs distincts, mais complémentaires : l'expansion de l'économie américaine, sous la présidence de Andrew Jackson, avec la réalisation de grands travaux requérant une main-d'œuvre nombreuse et peu qualifiée pour la construction de routes, de lignes de chemin de fer, de canaux et d'habitations ; une succession de crises agricoles en Irlande, accompagnées de périodes de famine poussant au départ des milliers de malheureux. En l'espace de dix ans, de 1820 à 1840, 260 000 immigrants irlandais s'installèrent aux États-Unis. Les grandes famines de la pomme de terre précipitèrent le mouvement avec plus d'un million de nouveaux arrivants, de 1846 à 1851. Au total, plus de 4,3 millions d'Irlandais choisirent de s'installer aux États-Unis en l'espace d'un siècle, de 1820 à 1920. Ils furent rejoints, pendant la même période, par 1,6 million de catholiques allemands, et plus de 3 millions de catholiques italiens (la moitié des Allemands arrivant après 1880 et l'immense majorité des Italiens après 1900). À ceux-ci s'ajoutèrent, de 1880 à 1920, 2 millions d'immigrants polonais, 1 million de Franco-Canadiens et des centaines de milliers de Tchèques et de Lituaniens, catholiques pour la plupart.

Marqué par ces grandes vagues d'immigration, le catholicisme américain du XIXe siècle est d'abord, dans sa masse, irlandais. Les « vieux catholiques », nés aux États-Unis et solidement encadrés par un clergé d'origine française, souvent recruté chez des émigrés de la Révolution, furent peu à peu « submergés » par ces catholiques irlandais qui apportaient avec eux des formes de religiosité et une conception des rapports hiérarchiques fort différentes de l'esprit démocratique qui régnait au sein du diocèse de Baltimore à la fin du XVIIIe siècle. Mais, surtout, la majorité de ces nouveaux catholiques étaient des jeunes peu éduqués, prêts à accepter les emplois urbains les moins qualifiés et les moins bien rémunérés[9]. Ils n'étaient, selon le propos peu amène de l'archevêque de Baltimore, Ambrose Maréchal, que de « la canaille irlandaise[10] ».

Aux yeux des protestants de la Nouvelle-Angleterre, nourris par une intense propagande anticatholique d'origine anglaise, les nouveaux venus représentaient une menace pour la fragile République américaine. Leur attachement à une papauté antirépublicaine, leur ignorance d'un certain passé protestant propre au Nouveau Monde et à la Nouvelle-Angleterre, leur visibilité dans les quartiers pauvres de grandes villes comme Boston ne pouvaient que susciter une réaction d'angoisse de la part d'élites protestantes qui admettaient mal la concurrence d'une Église dont le but avoué était « la conversion de toutes les nations protestantes » et, aux États-Unis mêmes, la conversion des « habitants des villes et des campagnes, [des] officiers de marine, des généraux de l'armée, des Parlements, du Sénat, du Cabinet, du Président, et de tous les autres[11] ». Dès 1830, des journaux aux titres révélateurs — *The Protestant, The Reformation Advocate, Priestcraft Unmasked, The Downfall of Babylon, The American Protestant Vindicator* —, des associations de défense de la foi protestante comme la New York Protestant Association s'imposaient la tâche de dénoncer sans relâche les tromperies des papistes, la corruption des suppôts du Saint-Père et de ses acolytes, les complots monastiques et autres horreurs attribuées aux « romanistes ». L'objectif avoué était d'empêcher la « subversion du christianisme » par l'importation d'idées papistes. Les lecteurs étaient ainsi incités à « regarder la face du monstre » et à s'interroger sur la nature du catholicisme et de son chef des bords du Tibre. N'était-il pas, prétendait un prospectus d'annonce du *Protestant*, l'incarnation vivante des prophéties de l'Apocalypse : la Grande Prostituée de la Babylone mystique[12] ? N'y avait-il pas, comme l'affirmait l'inventeur du télégraphe, Samuel Morse, un « complot étranger » contre les libertés américaines, organisé par le pape et ses richissimes missions étrangères, à la solde des monarques européens[13] ?

L'ennemi le plus souvent dénoncé par les propagandistes d'une nation libre et protestante avait pour nom l'ordre des Jésuites, récemment rétabli, ou encore l'Association pour la propagation de la foi (fondée à Lyon en 1822), et surtout l'Association Léopold (sise à Vienne). Il y avait, d'après les prédications à la mode, une collusion évidente entre le Vatican et la monarchie autrichienne — une sainte alliance austro-romaine — dont le but avoué était la conquête des États-Unis et dont les agents subversifs étaient les immigrants irlandais, ces « serfs du pape », chargés d'établir l'Inquisition en Amérique — première étape obligée d'une campagne de conversion forcée des Américains au catholicisme[14].

Le climat anticatholique entretenu par la presse et les prédications évangéliques ne pouvait qu'encourager des actions xénophobes dirigées contre la communauté des immigrés irlandais. Des journées d'émeutes à Boston, en 1829 puis en 1833, se soldèrent ainsi par la mise à sac de quartiers irlandais. L'épisode le plus grave eut lieu une journée d'août 1834 avec la destruction des principaux bâtiments du couvent des Ursulines récemment construit sur le Mont-Bénédicte, dans la ville de Charlestown, à quelques kilomètres de Boston. Le prétexte était l'emprisonnement d'une nonne, Elizabeth Harrison, qui avait réussi à échapper quelques jours à la tyrannie de ses supérieurs, avant d'être reprise de force et enfermée, disait-on, dans un puits souterrain caché dans les caves du couvent. La « fuite », bien réelle, était due à l'esprit dérangé de la nonne, qui finit toutefois, de son plein gré, par réintégrer le siège de son ordre monastique. La rumeur aidant, attisée par l'annonce d'une visite d'inspection d'un groupe d'élus sur les lieux du « crime », une centaine de manifestants se dirigèrent vers le couvent aux cris de « Non au Papisme ! » (*No Popery !*), en exigeant la libération immédiate de l'infortunée prisonnière. Faute de réponse (c'était la nuit et les jeunes pensionnaires dormaient), les protestataires mirent le feu au couvent, avant de s'en prendre une semaine plus tard à un bidonville d'immigrés irlandais situé dans un autre quartier de la ville[15]. Fort heureusement, ces émeutes ne firent pas de victime, mais elles attestaient la virulence du sentiment anticatholique à une époque où la main-d'œuvre irlandaise, mal payée et peu exigeante, commençait à concurrencer sur le marché du travail les artisans et les ouvriers natifs de la Nouvelle-Angleterre.

*

C'est à cette époque que se développa un nouveau genre littéraire, qualifié de « pornographie du puritain » par l'historien Richard Hofstadter[16]. Le genre était parfaitement acceptable parce que la pornographie en question était peu explicite et qu'elle se réclamait d'une vérité religieuse supérieure. Son succès indéniable favorisa l'éclosion d'une véritable « industrie du livre anticatholique », aussi banale et aussi prospère que celle de l'« horlogerie », d'après les propos d'un témoin de l'époque[17]. Les règles de cette nouvelle production littéraire étaient fort simples : trouver un défroqué (ou mieux : une défroquée), lui faire revivre la vie quotidienne d'un ordre monastique, insister sur tous les travers, les jalousies, les tourmentes propres à une société fermée, et révéler, pour que le lecteur en ait pour son argent, quelques détails salaces, réels ou imaginaires ; montrer enfin que sous les apparences de la sainteté et de la bienséance se cachent de véritables perversions et, pis encore, des crimes ou des abominations. Les titres à la mode — *The Thrilling Mysteries of a Convent Revealed !* (1836) ou *The Confessions of a French Priest, to which are added Warnings to the People of the United States* (1837) — témoignent de la popularité et de la redondance de ce genre littéraire dont le chef-d'œuvre reste, indéniablement, les *Awful Disclosures* (*Terrifiantes révélations*) de Maria Monk, sans cesse réimprimées jusqu'à 1870, avec plus de 500 000 exemplaires vendus, soit presque autant que le best-seller de l'époque, *La Case de l'oncle Tom*.

Dans cet ouvrage autobiographique, Maria Monk, une religieuse échappée du couvent de l'Hôtel-Dieu de Montréal, décrit son expérience au sein de cette institution des Sœurs de la Charité, dédiée au secours des pauvres et des malades. Ses origines familiales, anglo-écossaises, son éducation, son noviciat de quatre ans, ses hésitations, sa prise de voile sont décrits avec force détails. Tout se passe bien jusqu'au jour de son entrée en religion. La cérémonie des vœux monastiques, le port d'un voile noir, le repas silencieux dans le réfectoire sont suffisamment exotiques pour satisfaire la curiosité d'un lecteur protestant. Il faut atteindre la page 42 de l'ouvrage pour découvrir la première des terrifiantes révélations : le soir même de sa prise de vœux, Maria Monk, désormais nommée « Sœur Eustache », est convoquée dans l'appartement privé d'un prêtre, le père Dufresne, qui la traite « d'une manière brutale », avant que ses deux acolytes ne la soumettent « au même traitement ». La discrétion est de mise dans cette littérature à vocation anticatholique, dès lors qu'il s'agit de sexe. Maria Monk multiplie les précautions stylistiques : elle ne parlera de ces sujets que « de la façon la plus brève », afin de ne pas « offenser de chastes oreilles », ni de « corrompre le cœur » de ses lecteurs. Elle n'en dira pas plus, tout en laissant entendre l'inimaginable : « Peu d'esprit peuvent imaginer des actes aussi abominables que ceux commis [par les prêtres] et souvent exigés par eux de pauvres femmes, menacées des punitions les plus sévères, et même de la peine de mort[18]. »

Discret sur les pratiques sexuelles de prêtres lubriques qui accèdent au couvent des « Sœurs noires » par des souterrains secrets rattachés à leur séminaire, le récit de Maria Monk n'a à la vérité rien de pornographique. Mais il est riche de précisions sur les conséquences meurtrières des pratiques sacrilèges soi-disant encouragées par la hiérarchie catholique. Maria Monk découvre ainsi, très vite, que des enfants illégitimes naissent dans son couvent, qu'ils sont baptisés puis exécutés et jetés dans des puits de chaux, que les sœurs réticentes à accéder aux exigences de la Mère supérieure ou d'un prêtre vicieux sont enfermées dans des cachots dont elles ne sortent pas toujours vivantes et que les plus « désobéissantes » sont torturées et parfois même exécutées. Les tortures qu'elle aurait subies comprennent l'agenouillement sur des cailloux pointus, la pendaison par les pieds, le bâillonnement si serré qu'il fait saigner les lèvres, le perçage des joues avec de longues aiguilles, le port d'un cilice dont les clous d'acier pénètrent dans la chair des cuisses, le marquage au fer rouge, le port d'une mystérieuse cagoule de cuir qui crée des brûlures et provoque des convulsions, l'obligation d'avaler des morceaux de verre et de les réduire en poudre après un pénible mâchage, etc.[19] La punition peut aussi inclure un régime alimentaire sévère et répugnant, exclusivement composé d'ail et d'anguilles mal cuites, accompagné, parfois, en guise de soupe, de l'eau sale d'une cuvette dans laquelle la Mère supérieure, sœur Bourgeoise, s'était lavé les pieds[20].

Maria Monk prétend par ailleurs avoir assisté à l'assassinat d'une coreligionnaire, sœur Françoise, laquelle aurait avoué à l'une de ses proches sa répugnance à l'idée d'éliminer un enfant illégitime qui viendrait à naître dans le couvent. Elle désobéirait, avait-elle affirmé, si on lui en donnait l'ordre. Ces propos furent rapportées à la Mère supérieure et à l'évêque du diocèse, qui la convoquèrent pour un « procès » en violation de ses vœux d'obéissance. Longuement questionnée par ses juges improvisés, sœur Françoise s'exclama à l'issue des auditions : « Plutôt mourir que provoquer la mort d'un innocent bébé ! » Ce à quoi l'évêque aurait répondu de façon péremptoire : « Cela suffit. Qu'on la finisse[21] ! » Dans une scène provocante, digne de *Justine ou les Malheurs de la vertu*, la victime désignée est aussitôt bâillonnée, attachée par des cordes à un lit, sur lequel est disposé un autre lit. Des prêtres et des sœurs sautent joyeusement sur le dispositif, cherchant à défigurer la malheureuse avec des coups de pied et de genou bien placés, jusqu'à ce qu'elle finisse par mourir, écrasée sous le poids de ses tortionnaires. Au moment même où elle rend l'âme, l'un des acteurs de cette danse macabre s'écrie, hilare : « Elle aurait fait une bonne martyre[22] ! » Puis son corps, recouvert de chaux vive et d'un acide dissolvant, est jeté dans l'un des puits souterrains du couvent de l'Hôtel-Dieu.

Le récit de Maria Monk est présenté comme un témoignage direct de la perversion habituelle de la hiérarchie catholique. Il se veut une mise en garde contre les effets délétères d'un catholicisme étranger, importé par les milliers de nouveaux immigrés irlandais et, surtout, le point de départ d'une campagne anticatholique de grande envergure dont le point culminant sera la création, en 1854, d'un parti politique consacré à la défense d'une nation américano-protestante. Ce parti, l'ordre de la Bannière étoilée, communément décrit comme le parti des « Je ne sais rien » (*Know Nothing party*), interdisait à ses membres de révéler leur appartenance à cette organisation confraternelle, réservée à des Américains protestants, nés de parents protestants et parrainés par des protestants. Les *Know Nothings* s'engageaient, au cours de leur initiation quasi maçonnique, à user de leur influence pour faciliter l'accession à des postes de responsabilités d'« Américains de souche », excluant ainsi « tout résident d'origine étrangère, particulièrement s'il [était] catholique[23] ». Le succès de ce parti xénophobe fut considérable : une centaine d'élus du Congrès, huit gouverneurs d'État, des maires — dont ceux de Boston, de Chicago et de Philadelphie — s'en réclamaient à la veille de la guerre de Sécession.

Contestées dès leur parution par l'Église catholique, dénoncées comme un faux grossier ou comme le plagiat d'un pamphlet anticatholique anglais (*The Gates of Hell Opened*), les *Terrifiantes révélations* de Maria Monk furent défendues bec et ongles, témoins à l'appui, par la presse protestante comme un document véridique, fondé sur le témoignage authentique d'une religieuse rescapée du couvent de l'Hôtel-Dieu de Montréal et réfugiée à New York[24]. L'auteur du livre controversé se tenait d'ailleurs prête à confirmer devant un juge la véracité de son récit[25]. On sait aujourd'hui que les *Terrifiantes révélations* étaient, comme l'avaient affirmé à l'époque les autorités catholiques, des Mémoires apocryphes fabriqués par des pasteurs méthodistes et attribués à une pauvre femme, échappée d'un asile d'aliénés de Montréal. Ce nouveau genre littéraire à succès, sans cesse imité par des publications contemporaines, illustrait la vigueur de la propagande protestante et son enjeu fondamental : protéger l'hégémonie d'une culture américano-protestante reposant sur le mythe d'une fondation puritaine. Ce mythe, redécouvert et enjolivé par les historiens romantiques du début du XIXe siècle, n'était pas incompatible avec les principes républicains d'une séparation de l'Église et de l'État : il n'y avait plus, dans l'Amérique moderne, de religion officielle. Mais une nouvelle religion, volontairement acceptée par l'immense majorité des Américains, l'évangélisme dans toutes ses variantes, était devenue la religion dominante qui devait, pour plus d'un siècle, nourrir l'*ethos* des partisans d'une nation providentielle, au grand dam de ceux qui ne partageaient pas cette nouvelle synthèse entre libertés protestantes et libertés républicaines.

LA GUERRE DES BIBLES

Au cœur du conflit opposant les conceptions protestante et catholique de la religion, et par implication de la nation, se trouve la Bible, dont les pédagogues de l'enseignement public recommandent une lecture « sécularisée », c'est-à-dire détachée de toute interprétation liée à une Église particulière. La difficulté majeure vient de ce que les catholiques ne lisent pas la même version de la Bible que les protestants, toutes dénominations confondues. Les uns privilégient la Bible de Douai, la première traduction catholique de la vulgate publiée entre 1582 et 1602 par des prêtres catholiques exilés d'Angleterre. Les autres restent unanimement attachés à la version de la Bible dite « du Roi Jacques Ier » — la *King James Version* —, publiée d'abord en 1611 par un collectif de traducteurs travaillant pour le compte de la monarchie anglicane. Ces deux versions diffèrent quant à la place accordée aux apocryphes et surtout par le contenu de leurs préfaces — les traducteurs de la *King James Bible* n'hésitant pas à dénoncer les « calomnies des papistes », trop oublieux de la parole de Dieu et prêts à maintenir le peuple des fidèles dans une situation « d'ignorance et d'obscurité ». Les traducteurs anglais ne craignaient pas de s'affirmer comme les « modestes instruments de la Vérité divine ». Défenseurs de la monarchie anglaise, qu'ils identifiaient comme « notre Sion » (*our Sion*), ils se voyaient avant tout comme de bons serviteurs de la langue anglaise, et ils espéraient que leur traduction serait la plus exacte et la plus proche possible des « langues sacrées originales ». Sceptiques à l'égard des traductions prônées par l'Église catholique, ils blâmaient, par la même occasion, leurs « Frères vaniteux » (*selfconceited Brethren*), qu'ils jugeaient trop empressés à propager des fictions, « inventées par eux-mêmes et forgées sur leur propre enclume[26] ».

Comme les élites protestantes n'ont cessé de défendre l'école publique gratuite et obligatoire pour tous, il n'est pas étonnant que dans les programmes de ces écoles la Bible ait occupé une place privilégiée et que certaines leçons de morale aient été fondées sur la lecture et la récitation de brefs passages de l'Ancien Testament, tels les Dix Commandements. Paradoxalement, cet exercice simple, fondé sur un christianisme mis à la portée de tous, fut au cœur de la guerre des deux Amériques, séparant catholiques et protestants, chaque groupe défendant *sa* version du Décalogue.

Dans la tradition protestante, comme dans la tradition juive, la numérotation des commandements, empruntée à Flavius Josèphe et à Philon, puis reprise par Calvin et la plupart des pasteurs évangéliques, comprend un deuxième commandement ainsi énoncé dans sa version complète : « Tu ne feras aucune image sculptée, rien qui ressemble à ce qui est dans les cieux là-haut, ou sur la terre ici-bas, ou dans les eaux au-dessous de la terre. Tu ne te prosterneras pas devant ces images ni ne les serviras, car moi, Yahvé, ton Dieu, je suis un Dieu jaloux, qui punit la faute des pères sur les enfants, les petits-enfants, et les arrière-petits-enfants pour ceux qui me haïssent, mais qui fait grâce à des milliers, pour ceux qui m'aiment et gardent mes commandements[27]. » Dans la tradition catholique, inspirée par les écrits de saint Augustin, le deuxième commandement, ainsi formulé, est omis pour éviter tout embarras concernant le culte des saints et les représentations sculptées ou picturales de la vie des saints, de Jésus et de Marie. Cependant, pour respecter le format du Décalogue, les catholiques compensent, aujourd'hui encore, l'oubli du deuxième commandement par le dédoublement du dixième (voir Tableau 2).

La comparaison des deux versions donnaient des armes aux protestants qui voulaient démontrer les « insuffisances » de l'Église catholique : son manque de rationalité, son ignorance des vérités bibliques et des interdits divins, ses tendances à l'idolâtrie, bref son caractère généralement superstitieux. Les pratiques cultuelles des immigrés irlandais, les innombrables représentations de saint Patrick, de la Vierge et du Sacré-Cœur de Jésus ; le port ostensible du chapelet et de médailles bénies ; les processions religieuses organisées autour de l'adoration du Saint Sacrement ou de la Croix ; les bruyantes processions funéraires… tous ces traits ne pouvaient que souligner, aux yeux des évangéliques américains, le caractère rétrograde d'une religion qui soumettait ses fidèles à l'autorité absolue d'un clergé tout-puissant et les incitait à cultiver des pratiques

Tableau 2

Les Dix Commandements	*Version protestante**	*Version catholique***
1er commandement	C'est moi Yahvé ton Dieu, qui t'ai fait sortir du pays d'Égypte, de la maison de servitude. Tu n'auras pas d'autres dieux que moi.	Je suis le Seigneur ton Dieu. Tu n'auras pas d'autre Dieu.
2e commandement	Tu ne feras aucune image sculptée […]. Tu ne te prosterneras pas devant ces images ni ne les servira.	Tu ne prononceras pas le nom de Dieu à faux.
3e commandement	Tu ne prononceras pas le nom de Yahvé, ton Dieu à faux.	Tu sanctifieras le jour du Seigneur.
4e commandement	Souviens-toi du jour du sabbat pour le sanctifier.	Honore ton père et ta mère.
5e commandement	Honore ton père et ta mère.	Tu ne tueras pas.
6e commandement	Tu ne tueras pas.	Tu ne commettras pas d'adultère.
7e commandement	Tu ne commettras pas d'adultère.	Tu ne voleras pas.
8e commandement	Tu ne voleras pas.	Tu ne feras pas de faux témoignage.
9e commandement	Tu ne porteras pas de témoignage mensonger contre ton prochain.	Tu ne convoiteras pas la femme de ton prochain.

10e commandement	Tu ne convoiteras pas la maison de ton prochain. Tu ne convoiteras pas la femme de ton prochain, ni son serviteur, ni sa servante, ni son bœuf ni son âne : rien de ce qui est à lui.	Tu ne convoiteras pas le bien du prochain.

* *Source : J'utilise ici la traduction de la* Bible de Jérusalem, *Exode, xx, 1-17. Sur la numérotation protestante, voir, par exemple, Ligue pour la lecture de la Bible,* Les 10 commandements, *Éditions L.L.B., 2001. Pour une comparaison systématique des versions calviniste, catholique et juive, voir Félix García Lopez, « Le Décalogue »,* Cahiers Évangile, *n° 81, Service biblique Évangile et vie, Éd. du Cerf, 1992, et Marc-Alain Ouaknin,* Les Dix Commandements, *Paris, Éd. du Seuil, 1999.*
***Source :* Catéchisme de l'Église catholique, *introduction du cardinal Joseph Ratzinger, Paris, Éd. du Cerf, 2005 (d'après* Exode, *XX). On notera que les luthériens conservent la numérotation catholique, d'inspiration augustinienne.*

idolâtres. Calvin n'avait-il pas fustigé ces catholiques qui habillaient des statues de la Vierge de façon plus extravagante et plus vulgaire encore que « paillardes d'un bordeau[28] » ?

Pour un protestant, en effet, la connaissance de Dieu exclut toute intercession, toute médiation fondée sur des exemples ou des images. La culture réformée est inscrite dans la *sola scriptura* : rien ne doit séparer le croyant de la réalité du Verbe, immédiatement révélé au contact de l'Écriture, seule source possible d'« illumination ». Le deuxième commandement ne saurait ainsi être pris à la légère. L'image taillée n'est qu'une tromperie, imaginée par Satan pour troubler les hommes et les enferrer dans la superstition[29]. C'est pourquoi il était difficile, d'un point de vue protestant, d'empêcher les instituteurs des écoles publiques de donner des leçons de morale fondée sur la connaissance exacte des Dix Commandements. Et pourtant, ce sont bien ces cours de civisme que refusait le clergé catholique, soucieux de préserver sa version du Décalogue et son contrôle du contenu des Écritures. Les deux versions rivales du Décalogue étaient donc l'enjeu de cette guerre qui opposa violemment la communauté catholique à la majorité protestante, au milieu du XIXe siècle.

*

L'incident le plus emblématique de cette guerre des Bibles est sans doute la révolte, en mars 1859, des élèves catholiques d'Eliot School, une école publique de Boston. La cause immédiate de cette crise, largement commentée dans la presse de l'époque, venait du refus du petit Thomas Whall, un élève de dix ans, de lire au début de la classe du matin les Dix Commandements, comme l'exigeait sa maîtresse, Mlle Shepard, conformément à une loi du Massachusetts, applicable à toutes les écoles publiques de l'État. Refusant à plusieurs reprises d'obtempérer, sous prétexte que les extraits de la Bible reproduits dans son manuel scolaire étaient empruntés à la *King James Version*, Thomas Whall fut sévèrement réprimandé par le directeur adjoint de l'école qui le « fouetta » sur les doigts avec une tige de jonc au point de lui ensanglanter la main. Rien n'y fit : Thomas tint bon jusqu'à l'évanouissement, encouragé par ses coreligionnaires. Ces derniers, refusant à leur tour de céder à l'injonction des instituteurs de l'école, furent expulsés par centaines le jour où ils démontrèrent leur solidarité en apportant en classe leurs copies des « commandements catholiques », après avoir ostensiblement arraché les pages de leur manuel scolaire correspondant aux mêmes commandements[30]...

L'affaire fut portée en justice, après l'échec d'une médiation organisée par le directeur de l'école. Poursuivi pour usage excessif de la force par les parents du petit Thomas, le « Père Fouettard », le directeur adjoint d'Eliot School, obtint néanmoins... gain de cause, attendu que l'élève Thomas avait sérieusement failli à ses obligations scolaires et méritait donc une punition corporelle. Le commentaire du juge Sebeus Maine situa bien l'importance des enjeux : le refus du jeune Thomas de lire la version protestante des Dix Commandements menaçait la survie de l'école publique, puisqu'il s'agissait, ni plus ni moins, du « fondement granitique sur lequel repose la forme d'un gouvernement républicain[31] ». Il n'y avait pas eu, selon le juge et contrairement aux apparences, violation de la liberté de conscience : la lecture d'extraits de la Bible était libre de tout dogmatisme ; elle se faisait objectivement, sans médiation ni commentaire. L'avocat de la défense, dans sa plaidoirie, se montrait plus ouvertement xénophobe : il dénonçait les « prêtres étrangers » qui influençaient les élèves et tentaient, par ce biais, de subvertir les lois du pays. La lecture quotidienne d'extraits de la Bible protestante, était, selon lui, le plus sûr garant que l'« Amérique ne deviendrait jamais un pays catholique ».

L'abandon de la récitation à l'école des Dix Commandements « dans leur forme habituelle », expliquait au même moment un leader de l'élite commerciale de Boston, ne pouvait que détruire « notre système public d'éducation scolaire, en transformant les écoles des puritains en temples du paganisme[32] ». Toutes ces dénonciations d'un catholicisme étranger, autoritaire et antirépublicain, faisaient écho au célèbre manifeste de la Société américaine pour la promotion des principes de la Réforme protestante, qui proclamait, dans son préambule, que « les principes de la Cour romaine sont totalement incompatibles avec l'Évangile du Christ, la liberté de conscience, les droits de l'homme, la constitution et les lois des États-Unis d'Amérique[33] ». On ne pouvait mieux énoncer le postulat des élites protestantes du pays : le protestantisme est par essence républicain, tandis que le catholicisme, cette religion défendue par un « Faux prophète[34] », est par nature antidémocratique et même *unamerican*.

L'affaire Whall pourrait laisser l'impression d'une Église catholique sans défense, subissant tous les coups d'une majorité nativiste. En fait, rien n'est moins vrai : il n'y aurait pas eu d'affaire Whall sans la provocation d'un émigré de choc, le père Bernardine Wiget, formé au séminaire des jésuites de Fribourg, avant d'être expulsé de Suisse au moment de la révolte libérale de 1847. La grande ambition du père Wiget était de soustraire les nouveaux immigrés irlandais à l'influence néfaste des écoles publiques, ces lieux de perdition républicano-protestants.

Le père Wiget avait pris l'habitude de dénoncer en chaire ces manifestations « d'hérésie et d'infidélité » qui se multipliaient dans les écoles publiques : la récitation d'hymnes ou de prières protestantes. Menaçant de révéler le dimanche à la communauté des fidèles, devant l'autel du Seigneur, les noms des enfants qui auraient été surpris en classe en train de lire la version anglicane des Dix Commandements, le père Wiget sut toucher l'âme impressionnable du petit Thomas pour qu'il persiste dans son refus de faire ce que sa maîtresse exigeait de lui. D'où la fameuse punition infligée publiquement à cet élève récalcitrant. La cause était entendue : Thomas Whall devenait un martyr du catholicisme moderne, car il avait fait preuve « d'une foi héroïque sous la torture », d'après l'auteur d'un article incendiaire, publié dans l'*Irish Illustrated Nation* du 30 avril 1859[35]. Le « martyr » fut exhibé à travers les États-Unis et reçut, en récompense, une impressionnante collection de croix et de médailles. Il servait ainsi une cause qui dépassait son entendement : la promotion d'écoles confessionnelles catholiques, seul moyen aux yeux de ses mentors d'empêcher une assimilation trop rapide, ouvrant la voie au prosélytisme protestant et aux dangers d'une société excessivement sécularisée.

L'ÉCOLE PUBLIQUE ET LA RELIGION

L'instrument principal de sécularisation de la société américaine était l'école élémentaire, publique, gratuite et obligatoire — la *common school* — qui se substitua progressivement aux écoles religieuses gratuites, réservées aux plus pauvres — les *charity schools*. Cette sécularisation demeura incomplète puisque l'école publique avait pour mission de former des citoyens raisonnables, informés et intelligents, capables de comprendre qu'il existe une morale civique et un intérêt public dépassant les passions égoïstes des individus. Or cette morale civique n'existait pas en soi ; elle relevait d'une morale plus générale, d'inspiration chrétienne, reposant sur un double postulat : l'autonomie des individus et l'autodiscipline. Autonomie, parce que l'homme est un libre agent qui doit choisir pour lui-même le parti ou l'opinion politique correspondant le mieux à sa sensibilité ; de même qu'il exerce sa liberté de conscience en choisissant le culte de son choix, sans subir de pression familiale ni étatique. Autodiscipline, parce que l'homme du peuple, laissé à ses penchants naturels — l'ignorance, la superstition, le vice —, risquait de se transformer en rebelle, en ennemi de la société, sinon même en « Goth ou en Vandale de l'intérieur », plus dangereux encore qu'un ennemi extérieur[36].

Il n'y a pas « de salut pour une République en dehors de la moralité et de l'intelligence », proclamait Horace Mann, le grand défenseur de l'école publique en Nouvelle-Angleterre[37]. Quelle intelligence ? Non pas l'intelligence innée, le talent individuel, mais le fruit d'un long travail acquis à l'école publique dont la fonction principale est de produire du lien social. L'école publique, selon Horace Mann, est « indispensable au gouvernement républicain », car elle donne à chacun, qu'il soit pauvre ou riche, la même instruction et donc la même possibilité d'une ascension sociale. Elle est aussi et surtout le meilleur moyen de contrôler les « énergies sans précédent », relâchées au sein des masses par le suffrage universel[38]. Lieu par excellence de l'épanouissement des « sentiments moraux et religieux », l'école publique est le meilleur moyen de « régler les passions qui, livrées à elles-mêmes, nous flétriraient et nous consumeraient » et feraient de nous des êtres pires que des bêtes féroces[39]. Mais comment unir la morale et la religion sans faire de prosélytisme ? Il est bien entendu, pour Mann et les partisans de la *common school*, que l'enseignement de la religion n'est permis que s'il est lui-même sécularisé, c'est-à-dire coupé de tout article de foi ou de tout dogme religieux. Son seul objet est de diffuser les éléments d'une morale universelle qui permette à l'élève de juger pour lui-même, en toute raison et selon sa conscience[40].

La leçon de morale ainsi conçue n'excluait pas la lecture de la Bible, bien au contraire. Il était normal d'en faire usage, conformément au souhait de la majorité des parents du lieu où l'école était implantée. Mais l'instituteur devait se dispenser de tout commentaire qui pourrait servir les intérêts d'une secte ou d'un culte. Il était légitime, dans le cas contraire, d'interdire l'usage de la Bible : certaines écoles suivirent en ce sens la volonté expresse des parents. Rien ne serait pire en effet, écrivait encore Horace Mann, que d'enseigner à l'école un dogme officiel, sanctionné par la loi et destiné à impressionner de jeunes enfants et à « prédéterminer » leurs opinions religieuses.

L'enseignement public, sans exclure le religieux, évitait néanmoins toute interprétation susceptible d'enflammer les divisions ou les querelles de sectes au sein des familles, des quartiers ou des districts scolaires. La laïcité américaine était à ce prix : tolérer, encourager même la fréquentation des Écritures saintes, mais en les vidant de toute substance doctrinale. La religion se voyait ainsi instrumentalisée au service d'une cause plus noble : l'idéal d'une cité républicaine, fondée sur l'« intelligence des citoyens », c'est-à-dire leur libre arbitre et leur sentiment de justice et de responsabilité[41].

Du point de vue catholique, ce noble programme demeurait partial et sectaire : il était fondamentalement protestant, si l'on songe au poids donné au libre arbitre, et antireligieux puisqu'il plaçait sur un pied d'égalité toutes les religions, en pratiquant une lecture soi-disant neutre ou sécularisée de la Bible. Ce dernier point était particulièrement inacceptable pour le clergé catholique, lequel refusait d'envisager toute séparation entre le dogme et les pratiques de l'enseignement. Pour le vicaire général du diocèse de New York, John Power, la lecture de la Bible ne pouvait être privée des lumières de la hiérarchie catholique : « L'Église catholique dit à ses enfants que la religion doit être enseignée par une AUTORITÉ, alors que les sectes disent : lisez la bible, jugez pour vous-même. Lorsque la bible est lue à l'école publique, les élèves sont amenés à juger pour eux-mêmes. Le principe protestant est ainsi sournoisement imposé, et les écoles deviennent des lieux de sectarisme[42]. » Dans la même veine, John Hughes, le très combatif évêque de New York, dénonçait l'illusion d'un système d'enseignement qui prétendait avoir laïcisé la question religieuse : « Pour fabriquer un infidèle, que faut-il faire ? Enfermez-le dans une pièce, donnez-lui une éducation laïque (*secular*) de l'âge de 5 ans à 21 ans, et, je vous le demande, que va-t-il sortir [de la pièce], sinon un infidèle ? [...]. Ils nous disent que leur enseignement n'est pas sectaire ; mais il l'est. La question est de quelle nature ? C'est le sectarisme du paganisme sous toutes ses formes[43]. » Face à une telle intransigeance, marquée par le refus d'accepter la publication d'une Bible œcuménique acceptable pour tous les chrétiens[44], on comprend que les autorités catholiques aient tant insisté pour retirer les enfants catholiques des écoles publiques.

*

Mais en créant des écoles catholiques sur le modèle des *common schools* instituées par les élites protestantes, les catholiques exigeaient l'égalité de traitement. Ils voulaient eux aussi bénéficier des aides de l'État. C'est ce que proposa, en 1839, le gouverneur de l'État de New York, William Seward. Mal reçue par les autorités scolaires de la ville, cette proposition fut abandonnée, puis rediscutée au sein de la législature de l'État. Une loi votée en 1842 permettait aux autorités des districts scolaires de la ville de définir les programmes d'enseignement et d'y inclure ou non, au choix, la lecture d'extraits de la *King James Bible*. Cette loi fut peu suivie d'effets, car les nativistes, bien organisés politiquement, réussirent à coloniser la plupart des commissions scolaires pour y imposer leur Bible anglicane.

Le débat new-yorkais eut cependant un impact décisif sur celui des éducateurs de Philadelphie. Francis Kenrick, l'évêque de Philadelphie, exigea, comme l'évêque Hughes, son collègue de New York, que les élèves catholiques des écoles de la ville n'eussent accès pendant les cours de religion qu'à la seule Bible de Douai. Les autorités scolaires refusèrent d'accéder à sa demande, ce qui n'empêcha pas certains directeurs d'école, tel celui de Kensington — une banlieue industrielle de Philadelphie, peuplée d'immigrés irlandais —, d'interdire toute lecture des Saintes Écritures[45]. Cette décision suffit à provoquer l'ire des dirigeants d'un nouveau parti nativiste, l'*American Republi-*

can party. Ses membres organisèrent une grande marche de protestation à Kensington pour exprimer leur indignation : l'interdiction de la Bible protestante révélait à leurs yeux un esprit antirépublicain et une menace intolérable pour « tout homme qui aime son pays, sa Bible et son Dieu[46] ». Cette première manifestation de nativistes au cœur de quartiers irlandais provoqua des violences et la mort d'un *native American* tué par un Irlandais. D'autres marches de protestation suivirent, pour laver l'honneur des Américains de souche et du drapeau américain prétendument maltraité par les nouveaux immigrés. Déployé dans les rues de Philadelphie par des nativistes outragés, le drapeau était précédé d'une pancarte portant la mention : « Ceci est le drapeau qui fut piétiné par les papistes irlandais[47] ! »

La colère des nativistes atteignit son apogée au début du mois de mai 1844, avec une nouvelle marche de protestation à Kensington, qui dégénéra en trois jours d'émeutes et se solda par la destruction de deux églises catholiques et d'une trentaine d'habitations. Les protestants avaient craint une nouvelle Saint-Barthélemy, mais c'étaient eux, cette fois-ci, qui terrorisaient les quartiers catholiques des banlieues de Philadelphie. D'autres émeutes allaient éclater deux mois plus tard, à Southwark, une autre banlieue de la ville, lorsqu'une cache d'armes fut découverte dans l'enceinte d'une église catholique. La milice de l'État dut intervenir pour rétablir l'ordre après trois jours de violence entraînant la mort de treize manifestants… À New York, le carnage fut évité de justesse grâce aux mesures de protection mises en place par l'évêque Hughes

— deux mille Irlandais armés, montant la garde devant les églises catholiques de Manhattan. Prévenues par l'évêque que « si une seule église catholique était brûlée, New York se transformerait en une seconde Moscou[48] », les autorités municipales prirent la précaution d'interdire une grande marche nativiste prévue à Central Park.

Les catholiques avaient eu leur martyr, le jeune Thomas Whall aux doigts ensanglantés pour avoir refusé de lire la *King James Version* de la Bible ; les protestants avaient maintenant le leur, George Shiffler, le premier mort des émeutes de Kensington — chaque camp commémorant ses morts et ses blessés au cours de grandes cérémonies de deuil. Ces événements renforcèrent l'organisation politique des nativistes qui créèrent, d'abord à New York en 1844, avec l'*Order of United Americans*, puis à Philadelphie en 1845, avec les *United Sons of America* (USA), des organisations de défense ethno-culturelles, organisées dans le secret comme des loges maçonniques, et anticipant avec dix ans d'avance la création du *Know Nothing party*[49].

*

La guerre des deux Amériques, en dépit des apparences, n'était pas seulement religieuse. Elle était aussi culturelle, économique et politique. La main-d'œuvre irlandaise, s'accommodant de bas salaires, on l'a vu, menaçait les emplois des Américains « de souche ». Et, surtout, planait la menace d'un retrait massif des élèves catholiques de l'ensemble des écoles publiques, compromettant ainsi l'idéal laïque des élites éducatives. Pourquoi refuser « l'école pour tous » à partir du moment où cette école satisfaisait la grande majorité des familles d'Américains, toutes confessions confondues ? La multiplication des écoles catholiques[50], accompagnée de la demande insistante d'une aide publique égale à celle dont bénéficiait les *common schools*, portait atteinte aux valeurs fondamentales de l'identité nationale.

Le *Kulturkampf* américain atteignit son apogée avec l'amendement Blaine, défendu par les dirigeants du parti républicain, un an avant les élections présidentielles de 1876, dans l'espoir d'affaiblir durablement les chances de succès du parti des immigrés, le parti démocrate, volontiers dénoncé à cette époque comme le parti des trois « R » : le parti de Rome, du rhum et de la rébellion. L'amendement Blaine visait à instaurer une véritable séparation de l'Église et de l'État en interdisant toute aide publique aux écoles confessionnelles, aussi bien au niveau fédéral qu'au niveau local. Le général Ulysses Grant, le président sortant, défendit ce projet en des termes qui rappelaient fortement le raisonnement et le langage du grand défenseur de l'école publique américaine, Horace Mann. Il est essentiel, disait Grant, que tous les citoyens disposent d'assez d'éducation et d'intelligence pour voter en pleine connaissance de cause. « Dans une république fondée sur l'égalité des hommes devant la loi, l'éducation des masses est absolument nécessaire pour la préservation de nos institutions[51]. » Or seule l'école publique avait vocation à faciliter l'éclosion d'une véritable intelligence citoyenne. Le vote de l'amendement

Blaine n'obtint pas la majorité requise au Sénat (les deux tiers des voix), grâce à l'opposition de sénateurs démocrates qui ne manquèrent pas de dénoncer les visées anticatholiques des auteurs du projet. Mais ces derniers réussirent à imposer leurs points de vue « laïques » au niveau local : en l'espace de quatorze ans, vingt-neuf États allaient promulguer des lois interdisant toute aide publique aux écoles religieuses (principalement catholiques).

D'où ce constat enthousiaste dressé par un visiteur français, Ferdinand Buisson (le futur bras droit de Jules Ferry et le théoricien de la laïcité française), le président d'une Commision d'enquête du Ministère de l'Instruction publique, des cultes et des beaux-arts, réalisée au cours d'un séjour de onze semaines aux États-Unis en 1876 : « C'est un axiome politique mille fois consacré par les décisions législatives, administratives et judiciaires de ce pays, que les fonds publics ne doivent pas être employés à subventionner un établissement confessionnel quelconque[52]. »

La séparation de l'Église et de l'État aux États-Unis a bien été pensée, comme en France, à partir de la question scolaire, avec toutefois cette notable différence : l'école laïque en France excluait tout enseignement religieux, alors qu'aux États-Unis elle maintenait l'obligation d'un enseignement religieux sécularisé (*nonsectarian*), n'excluant pas, malgré la revendication des catholiques, l'usage de la Bible protestante. Toute démarche contraire, affirmaient les élites protestantes, ne pouvait que susciter l'« immoralité » ou, ce qui revenait au même, l'« irréligion » des citoyens[53].

Ferdinand Buisson avait parfaitement saisi l'ambiguïté des positions américaines : « Si convaincus qu'ils soient de l'excellence du système politique qui sépare l'Église de l'État et par conséquent de l'école, les Américains sincèrement religieux ont une certaine peine [...] à faire deux parts à leur être, à se placer tour à tour au point de vue de l'État, qui ignore la religion, et au point de vue de l'individu, qui en vit. [...] ils ne s'imaginaient même plus que la lecture de la Bible fut un acte confessionnel. C'était pour eux non pas seulement le livre sacré d'une certaine religion, mais le code sacré de la morale universelle[54]. »

*

Dans le second volume de la *Démocratie en Amérique,* Tocqueville s'interroge sur les « progrès du catholicisme » aux États-Unis. À l'époque moderne, admet-il, les hommes sont « naturellement peu disposés à croire », mais s'ils ont un tempérament religieux, ils seront enclins à adopter cette religion : « Si le catholicisme parvenait enfin à se soustraire aux haines politiques qu'il a fait naître, je ne doute presque point que ce même esprit du siècle, qui lui semble si contraire, ne lui devînt très favorable, et qu'il ne fît tout à coup de grandes conquêtes[55]. » Le paradoxe peut étonner ; il mérite explication. Constatons, d'abord, que Tocqueville, au moment où il écrit, ne pouvait deviner que les haines politiques entre protestants et catholiques seraient durables et que des élites nativistes prétendraient bientôt que la démocratie est incompatible avec la religion romaine. Il ne pouvait non plus anticiper les effets produits par les grandes vagues d'immigration irlandaise (1845-1853), ni la violence des conflits scolaires et des émeutes qu'ils allaient déclencher. Le catholicisme décrit par Tocqueville est une religion minoritaire, encore dominée par un clergé et un épiscopat d'origine française[56]. C'est un catholicisme tolérant et américanisé qui suscite alors peu de crainte et s'enorgueillit toujours de ses bonnes relations avec les Pères fondateurs. Les catholiques n'avaient-ils pas, lors de la guerre d'Indépendance, combattu aux côtés de Washington, et celui-ci ne s'était-il pas empressé de vanter publiquement leur éminente contribution à la construction d'une nouvelle république fédérale[57] ?

Mais la prophétie de Tocqueville, tantôt citée avec approbation par les partisans d'un catholicisme libéral et modernisé, tantôt dénoncée comme dangereuse et mensongère par le clergé ultramontain[58], ne prend tout son sens qu'à partir de l'esprit de modération qui anime son auteur. Le protestantisme américain n'est pas, pour Tocqueville, la religion la mieux adaptée à la démocratie, car il est instable, peu dogmatique et structurellement affaibli par ses divisions internes. Les classes populaires sont décrites par lui comme naturellement émotives et passionnées ; elles ont besoin d'une religion qui les apaise et freine leurs émotions. Cette religion-là est le catholicisme…

Partiellement empirique, la thèse de Tocqueville apparaît surtout prudentielle et utilitariste : à chaque classe sociale correspond la religion la mieux adaptée à sa situation et à son tempérament. Le scepticisme convient parfaitement aux

« classes supérieures », mais il est inquiétant pour le peuple et risque de provoquer les « écarts de l'esprit d'innovation ». L'évangélisme, on l'a vu dans le chapitre précédent, donne au peuple les émotions qu'il réclame, mais il risque d'échauffer les esprits par excès d'exaltation, comme l'avaient constaté Tocqueville et Beaumont à Niskayuna[59]. Reste le catholicisme, qui modère les passions tout en permettant l'expression d'émotions contrôlées, saisissant « vivement les sens et l'âme[60] ».

Or le catholicisme libéral imaginé par Tocqueville, tolérant des autres religions et respectueux des formes républicaines du pouvoir, n'est pas celui que décrivent les historiens du XIXe siècle américain. La guerre des Bibles, l'intolérance des nativistes et la combativité du clergé irlandais éloignèrent durablement le catholicisme américain de la démocratie idéale rêvée par le visiteur français. La démocratie réelle se voyait, en fait, abusivement « protestantisée » par des élites xénophobes qui ne pouvaient imaginer l'évolution libérale anticipée par Tocqueville.

Cette lente évolution, marquée par l'effondrement des courants nativistes et l'assimilation progressive des catholiques irlandais, allemands, puis italiens au sein de la nation américaine, facilita la montée en puissance du vote catholique, au sein du parti démocrate. En 1928, un catholique, Al Smith, le gouverneur de New York, fut désigné par le parti démocrate comme candidat à la présidence. Il échoua contre Herbert Hoover, après avoir obtenu néanmoins 15 016 443 suffrages (contre 21 391 381 pour son rival). Homme du peuple, issu de l'immigration irlandaise, né et élevé dans le Lower East Side de Manhattan, adversaire résolu de la prohibition, Al Smith fut dénoncé comme l'*Antéchrist* par une coalition de démocrates conservateurs du Sud et de républicains prohibitionnistes du Nord et du Midwest. À New York même, un membre de l'élite WASP, avocat connu de confession épiscopalienne, n'hésitait pas à prétendre, une fois de plus et comme si rien n'avait changé depuis 1850, qu'il y avait une incompatibilité totale entre les droits inscrits dans la Constitution des États-Unis (la liberté, l'égalité, la souveraineté du peuple) et les conceptions de l'autorité défendues par les catholiques américains. L'esprit de soumission à Rome était jugé contraire au principe même du gouvernement représentatif[61]. La victoire de Smith, affirmait un journal baptiste de Dallas, aboutirait à ce spectacle honteux : le dénudement de la déesse de la Liberté, dont la robe resplendissante serait bientôt découpée par des nonnes liberticides et transformée en serpillières pour laver le sol des couvents[62] !

Al Smith sut faire face, avec aplomb, à toutes ces calomnies. Il fit la preuve, malgré son échec, qu'un catholique pouvait être un candidat crédible à la présidence et même obtenir tout à la fois le soutien enthousiaste d'une majorité d'électeurs catholiques *et protestants* dans les grands centres industriels d'Amérique du Nord. Mais il faudra attendre encore trente-deux ans pour qu'un autre catholique, John F. Kennedy, fasse son entrée à la Maison-Blanche, après avoir brillamment démontré qu'il n'était pas, après tout, l'homme du Vatican.

Chapitre V

RELIGION, RACE, IDENTITÉ NATIONALE

Pour les élites politiques du XIXe siècle, on l'a vu dans les deux précédents chapitres, l'identité nationale des États-Unis est ancrée dans le mythe d'un passé puritain, réhabilité par d'éminents historiens. Cette conception d'une nation fondamentalement anglo-protestante reste vivace au début du XXe siècle, et retrouve même un certain regain de faveur au XXIe siècle auprès d'intellectuels dont le plus célèbre, aujourd'hui, est le politologue Samuel Huntington. Pour ce dernier, l'identité américaine a deux composantes essentielles : un ensemble de caractéristiques raciales, ethniques, culturelles et religieuses introduites par les premiers colons de Nouvelle-Angleterre, auxquelles s'ajoute un « Credo américain », c'est-à-dire un ensemble de valeurs politiques (la liberté, l'égalité des chances, la démocratie représentative) et sociales (l'individualisme, l'éthique du travail). Ce Credo serait en fait « conditionné[1] » par les caractéristiques susmentionnées, dont la plus importante est de nature religieuse : « Presque toutes les idées principales du Credo, écrit Huntington, trouvent leur origine dans le protestantisme dissident », puritain à l'origine et maintenant presque exclusivement évangélique[2].

Or ce Credo et les valeurs qui le sous-tendent depuis trois siècles seraient actuellement menacés par la nouvelle immigration hispanique. En effet, les immigrés venus du Mexique ou du reste de l'Amérique latine ne se comportent pas comme leurs prédécesseurs. Ils ne cherchent pas, expliquait Huntington dans un article très controversé publié en 2004, à intégrer la culture dominante. Ils préfèrent maintenir leur propre identité ethnique et leur propre tradition, rejetant ainsi « la culture anglo-protestante des colons fondateurs », c'est-à-dire le fondement même du Credo américain[3]. Il y aurait donc, à terme, si l'immigration hispanique n'est pas arrêtée ou ralentie, péril en la demeure. L'Amérique, « telle qu'on l'a connue depuis plus de trois siècles », risquerait de disparaître une fois pour toutes, pour être remplacée par une société fracturée, irrémédiablement divisée entre deux peuples de langue et de culture différentes ; deux peuples qui auraient cessé de partager le rêve américain[4].

Ce qui frappe dans cet argument, comme n'ont pas manqué de le noter de bons spécialistes de l'immigration aux États-Unis, c'est son air de déjà-vu, comme si l'histoire des États-Unis ne cessait de se répéter[5]. Au début du XXe siècle, déjà, des élus du Congrès, des sociologues et des biologistes dénonçaient en des termes presque identiques le même péril : l'Amérique anglo-protestante était menacée par le flot incontrôlable de nouveaux immigrés, réfractaires à toute assimilation raciale, culturelle, religieuse et politique. La seule différence entre la thèse des « nativistes » des années 1900 et celle de Huntington concerne l'élément réfractaire : autrefois c'était tantôt le Celte ou l'Allemand, tantôt le Latin, le Slave, le Russe, le Polonais, souvent enfin l'Oriental ; aujourd'hui c'est l'Hispanique ou le Latino. Il suffit donc de substituer ceux-ci à ceux-là pour retrouver un siècle plus tard le même argument, les mêmes frayeurs ou la même hantise d'une perte irrémédiable de l'identité américaine.

Un tel « fixisme » identitaire est inséparable d'une conception romantique de la nation, conçue comme un tout organique, sédimenté par des croyances religieuses, une langue et une culture anciennes et surtout un substrat ethnique ou racial qui a pour nom Germain, Saxon, Nordique, Yankee et, plus fréquemment encore, Anglo-Saxon. Les nouveaux migrants, selon les thèses jadis en vogue du darwinisme social[6], n'appartenaient pas aux « bonnes » races. Il convenait de limiter leur nombre, ce que fit le législateur en adoptant les lois des quotas des années 1920. Ces lois très restrictives avaient pour but de ralentir, sinon même d'interdire, l'immigration en provenance des pays d'Asie, d'Europe centrale et d'Europe méditerranéenne.

Aujourd'hui, un siècle plus tard, de nouveaux nativistes, inspirés entre autres par les arguments de Samuel Huntington, souhaitent eux aussi limiter l'immigration en prônant une réglementation sévère destinée à mettre fin au flux des sans-papiers originaires du Mexique. Leur motivation n'est pas raciste, mais les inquiétudes restent les mêmes : il faut d'abord défendre l'identité américaine, dont les valeurs primordiales seraient encore et toujours « anglo-saxonnes » et « protestantes ».

À LA RECHERCHE DES ANGLO-SAXONS

Or cette démarche déterministe et culturaliste n'a rien de particulièrement américain. Elle correspond à une tradition historique ancienne, très en vogue chez certains écrivains français, manifestement influencés par la variante allemande du mouvement romantique[7]. Ces auteurs ont tous une préoccupation commune : trouver les origines lointaines de la liberté politique des Modernes ; démontrer que les valeurs protestantes sont, en fait, inséparables de valeurs primordiales inventées par les tribus saxonnes. Ils cherchent — et ils trouvent — à la lecture de Tacite les éléments qui fondent l'anglo-saxonisme.

Ainsi Guizot, dans son fameux cours de 1828, évoquait les mœurs, « les motifs, les penchants, les impulsions » des Barbares qui firent la conquête de l'Empire romain. Ces Barbares, selon lui, étaient « presque tous de la même race, tous Germains, sauf quelques tribus slaves[8] ». Et Guizot décelait chez eux une exceptionnelle liberté d'esprit et un besoin irrépressible d'indépendance individuelle qui, expliquait-il, devaient bientôt répandre ses bienfaits au sein de la civilisation européenne. D'autres libertés se manifestèrent plus tard, à commencer par la liberté de conscience, induite par la Réforme, qui devait engendrer, à son tour, une « explosion de l'esprit humain », annonçant la révolution philosophique du XVIIIe siècle : « Partout où la Réforme a pénétré, partout où elle a joué un grand rôle, victorieuse ou vaincue, elle a eu pour résultat général, dominant, constant, un immense progrès dans l'activité et la liberté de la pensée, vers l'émancipation de l'esprit humain[9]. »

D'autres historiens, moins précautionneux que Guizot, donnent un poids exceptionnel à l'influence de la race dans la construction d'un récit qui se veut d'une linéarité exemplaire. Aussi Édouard Laboulaye, critique libéral du second Empire, grand admirateur de Tocqueville et de Bancroft, présente-t-il une lecture singulière de la thèse du « point de départ » de la démocratie américaine, qu'il situe, comme eux, avec l'arrivée des premiers puritains en Nouvelle-Angleterre. C'est bien là que les pèlerins établirent une « pure démocratie », symbolisée par le pacte du Mayflower. Ignorant tout des distinctions de rang, d'origine et de fortune, ils auraient fait la démonstration que « la démocratie s'échappait de la société féodale et que la liberté politique triomphait à côté de la liberté religieuse[10] ». Qui étaient ces pèlerins, si attachés à la raison et aux libertés politiques ? La religion seule ne suffisait pas à expliquer leur indomptable passion pour la liberté individuelle. Il fallait d'autres ressorts, que Laboulaye identifie à partir de la race même des émigrants. Ceux-ci, précise-t-il sans le démontrer, « n'appartenaient point aux conquérants de race normande, mais aux Saxons ». Ils apportaient avec eux un « génie propre », admirablement décrit par Tacite : la liberté individuelle. Bref, « le *caractère de la race* incitait à l'indépendance[11] ». Laboulaye, professeur de législation comparée au Collège de France, membre de l'Institut, infatigable promoteur d'un ambitieux projet — celui de financer le « don de la France » aux États-Unis, une gigantesque statue de la Liberté —, est donc le premier historien renommé qui établit un lien explicite entre « race germanique[12] », religion et liberté politique. La liberté des Modernes n'était ainsi que le point d'achèvement d'une très ancienne liberté des Barbares, découverte par Tacite au fin fond des forêts de la Germanie, et idéalisée sans mesure par les romantiques allemands, à commencer par Herder.

*

Ce type d'interprétation, fondé sur la pérennité du génie des Saxons, n'était évidemment plus de mise après la défaite de 1870. On préféra donc, à partir de cette époque, parler des vertus innées des Anglais, des Anglo-Saxons ou encore des *Yankees*, « cette race républicaine d'une ineffaçable originalité » dont Laboulaye avait déjà signalé les qualités : un caractère « âpre et aventureux », mais aussi, et en même temps, « religieux et moral[13] ». C'est à Michel Chevalier que l'on doit la meilleure définition du *Yankee*, la plus originale et la plus romantique. Authentique descendant des colons puritains de la Nouvelle-Angleterre, « l'Yankée », selon Chevalier, serait l'opposé du Virginien. Il est

« aventureux » ; ses « idées sont étroites mais pratiques » ; il est « la fourmi travailleuse » ; « industrieux et sobre », il peut aussi être « rusé, subtil, cauteleux, calculant toujours » ; « expéditif en affaires », il n'a pas d'égal « pour agir sur les choses », tout en maintenant « sa conscience en repos[14] ». Il est, à l'époque où écrit Chevalier, le pionnier idéal, capable d'aller « à six cents milles de la maison paternelle, se construire une hutte au milieu d'un bois, et défricher un commencement de ferme[15] ». Son énergie est telle que la fatigue est sans effet sur lui. D'où cet extraordinaire corps-à-corps avec la nature :

> Plus tenace qu'elle, il l'asservit toujours [...], il lui fait produire ce qu'il veut, et la façonne à sa guise. Comme Hercule, il dompte l'hydre des marais pestilentiels et enchaîne les fleuves. Plus hardi qu'Hercule, il étend son empire non seulement sur la terre, mais sur la mer ; il est le premier marin du monde [...]. Plus sage que le héros aux douze travaux, il ne connaît pas d'Omphale qui puisse le séduire, de Déjanie dont les présents empoisonnés trompent son regard pénétrant. En cela, c'est plutôt Ulysse qui a sa Pénélope, compte sur elle et lui reste fidèle imperturbablement. Il n'a même pas besoin de se boucher les oreilles quand il passe près des Sirènes ; les passions les plus tendres sont amorties en lui par l'austérité religieuse, et par les préoccupations de son métier de défricheur[16].

Le contraste est saisissant entre le juriste qui retrouve la liberté des Barbares chez les Modernes et l'économiste qui découvre la mythologie des Anciens chez les Modernes. Mais le résultat est identique : le type ancien, tantôt barbare, tantôt mythologique, est toujours héroïque ; il produit un même type d'homme — l'entrepreneur ou le pionnier, épris de liberté politique, profondément marqué par la religion de ses ancêtres ; bref, le seul être capable de construire une grande nation.

La grande question, à la fin du XIXe siècle, est celle de la survie d'une « race anglo-saxonne » soi-disant supérieure. L'arrivée massive de nouveaux immigrants est source d'anxiété. Sera-t-il possible, se demande le géographe français Élisée Reclus, disciple de Bakounine et auteur d'une monumentale *Géographie universelle* en dix-neuf volumes, d'absorber des émigrants « si différents des Américains par les mœurs, les traditions et le génie national[17] » ? Faudra-t-il prendre des mesures de restriction contre l'immigration européenne, à l'instar de celles qui frappèrent les Asiatiques en 1882 ? Nombre de politiciens le proposent déjà, constate Reclus. Mais le géographe prend soin de distinguer la xénophobie raciste d'une autre xénophobie, de nature socio-économique :

> En réalité, il ne s'agit que très secondairement d'hostilité ou de répugnance instinctive à l'égard de gens d'autre race ou d'autre langue : la question est surtout d'ordre économique et politique. Les classes instruites, principalement dans la Nouvelle Angleterre, se scandalisent d'être soumises à un gouvernement nommé par des électeurs ignorants, exerçant leur droit de suffrage au hasard ou le vendant pour quelques piastres ; d'autre part, les ouvriers américains ne peuvent que voir avec déplaisir des ouvriers étrangers qui

viennent diminuer d'un tiers, de moitié, ou même plus encore, le taux moyen des salaires et qui aident ainsi à constituer le monopole des riches manufacturiers[18].

Bon démographe, Élisée Reclus remarque que les « nouveaux éléments ethniques » — Italiens, Slaves, Slovaques, Croates, Serbes, Polonais et Tchèques — sont presque aussi nombreux que les émigrants anglais, écossais, irlandais et gallois et qu'ils seront bientôt la *majorité* des nouveaux arrivants. Ces projections sont renforcées par l'analyse comparée des taux de natalité des « natifs » d'Amérique avec ceux des familles d'immigrés. Les premiers, les « Américains purs », ou encore les grandes « familles d'origine puritaine », parce qu'elles ont peur de l'avenir et n'ont plus les moyens d'assurer le succès économique de leurs enfants, ont considérablement réduit la taille de leur famille qui passe, en l'espace de trois générations, d'une moyenne de dix enfants par couple à trois seulement. La natalité est devenue si faible dans les États du Nord-Est — « ces États fondateurs de la République » — que, sans l'arrivée des immigrants, le pays se trouverait bientôt dépeuplé.

Élisée Reclus dresse un constat et annonce certaines tendances ; il ne juge pas ses contemporains et n'exprime aucune inquiétude quant à l'avenir de l'Amérique, de son génie ou de ses valeurs fondamentales. Il sait que, quoi qu'on en dise et quoi qu'en pensent les « natifs », les nouveaux immigrants « représentent, au point de vue démographique, une *part d'action* plus considérable que les résidents déjà établis depuis plusieurs générations ». Puisqu'ils sont de plus en plus nombreux, puisque leurs familles sont, en moyenne, plus fécondes, leur descendance sera, à terme, dominante. Par conséquent, conclut le géographe, ils feront la « nation de demain ». La logique de Reclus est assimilationniste et son texte offre de nombreuses allusions à la constitution d'un melting-pot, décrit tantôt comme un mélange de « races » se fondant peu à peu en un nouveau type humain, tantôt comme des « minerais de qualités diverses », juxtaposés de façon aléatoire et prêts à fusionner « dans un même fourneau[19] ». Retrouvant les accents de Crèvecœur à propos de l'émergence de l'« Américain », Reclus dresse à son tour un portrait mémorable de cet « homme du Nouveau Monde ». Celui-ci, écrit-il, constitue une race si mélangée qu'il en a perdu ses caractéristiques anciennes. « Il paraît, *sous l'influence du milieu*, s'être rapproché physiquement de l'Indien : on voit plus souvent chez l'Américain ce teint rougeâtre, ces cheveux longs et plats, cet œil froid et perçant, cette figure âpre, au nez arqué, cette démarche altière qui caractérisent l'aborigène. On dirait qu'en mourant, le Peau-rouge reparaît chez son destructeur[20]. »

Élisée Reclus n'est ni un raciste ni un eugéniste. Sa description du melting-pot — des minerais dans un fourneau — se double d'un amalgame ironique de Moderne et de Barbare, de *Yankee* et d'Amérindien, qui doit plus à la théorie des climats de Montesquieu qu'à l'influence des sciences de la race, pourtant déjà très en vogue au moment où il écrit. S'il se montre nataliste, c'est à bon escient, en simple observateur de tendances démographiques passées dont il projette l'évolution à venir.

*

Or la chute du taux de natalité des Anglo-Saxons est au centre des préoccupations des partisans d'une politique de restriction de l'immigration, déterminés à préserver autant que possible les avantages supposés de la race des Fondateurs. Partant des mêmes prémisses que les démographes américains qui influencèrent Élisée Reclus, Madison Grant, l'un des grands prophètes de la supériorité des « Nordiques », déplore la faible fécondité des descendants des « natifs » de la période coloniale. Ceux-ci, estime Grant, seraient porteurs de toutes les caractéristiques raciales propres aux « classes désirables ». Et pourtant, ces traits raciaux éminemment positifs, ou encore cette « supériorité physique, intellectuelle et morale[21] », sont à ses yeux mis en danger par l'afflux incontrôlé de peuples inférieurs, récemment venus d'Europe centrale et méditerranéenne. D'où le risque, dénoncé par tous les partisans de l'*Immigration Restriction League*, d'un mélange de races incontrôlable, favorisant l'éclosion de caractéristiques primitives enfouies dans l'hérédité des races inférieures. Face au danger réel d'un accroissement du nombre des « pervers moraux, des mentalement retardés et des infirmes de l'hérédité[22] », Madison Grant — avocat de profession, fondateur et président de la Société de zoologie de New York, membre dirigeant du Muséum d'histoire naturelle — défend une vigoureuse politique eugénique de stérilisation des adultes jugés « sans valeur » par le reste de la communauté nationale. Mais il admet que ces pratiques ne suffiront pas à assurer la perpétuation de la race des Fondateurs. En effet, une grande menace pèse sur l'avenir de l'Amérique : le « suicide racial[23] » des meilleurs Anglo-Saxons, incapables ou réticents à produire autant d'enfants que ces hordes d'immigrants qui débarquent chaque jour à Ellis Island.

La seule solution valable pour Grant et la plupart des restrictionnistes de l'époque passe par une redéfinition radicale des politiques d'immigration : l'instauration de quotas suffisamment ouverts pour favoriser l'accroissement de la race supérieure des « Nordiques » (regroupant les Anglo-Saxons, les Teutons et les Scandinaves), mais également assez restrictifs pour mettre fin à l'afflux des migrants de race inférieure, définis tantôt comme des « Alpins » (comprenant les Slaves et les Juifs d'Europe centrale), tantôt comme des « Méditerranéens » (les Italiens, les Grecs, les Espagnols et environ la moitié des Français). La race idéale, pour Grant, n'est pas une race pure d'Anglo-Saxons, mais un petit alliage limité à l'ensemble des peuples nordiques. Le grand melting-pot mis à la mode par l'écrivain anglais Israel Zangwill est, pour les partisans d'une Amérique régénérée, une abomination dont il faudra se défaire le plus vite possible, avant qu'il ne soit trop tard, c'est-à-dire avant que les traits dominants des races inférieures n'écrasent ou ne dispersent les splendides caractéristiques de la grande race des premiers colons[24].

> Nous, Américains, devons réaliser que les idéaux altruistes qui ont guidé notre progrès social depuis un siècle, et le sentimentalisme larmoyant qui a fait de l'Amérique un « asile pour les opprimés » précipitent la nation vers un abîme racial. Si l'on permet au Melting Pot de bouillonner sans contrôle, et si nous continuons d'adhérer à notre devise nationale [*E Pluribus Unum*] tout en restant délibérément aveugles aux « distinctions de race, de croyance, ou de couleur », le type de l'Américain natif, d'origine coloniale, s'éteindra comme l'Athénien de l'âge de Périclès, et le Viking de l'époque de Rollo[25].

Les partisans d'une Amérique repliée sur elle-même, fermée aux invasions des nouveaux Barbares, justifient leur projet xénophobe au nom d'une nouvelle historiographie à prétention scientifique, mobilisant tous les savoirs de pointe de l'époque — la démographie, la phrénologie, le darwinisme, le mendélisme, l'eugénisme, la linguistique. Le mélange des races anglo-nordiques, vivement encouragé par le législateur avec le passage des lois des quotas des années 1920, constituait, aux yeux des eugénistes, la garantie génétique de la perpétuation d'un groupe réputé pour sa supériorité intellectuelle et morale[26]. L'« amélioration de la race » impliquait donc un contrôle sévère des flux d'immigration : toujours plus d'Européens du Nord, de moins en moins de Slaves, de Juifs et de Latins, et l'interdiction complète de l'immigration d'origine asiatique.

LES POLITIQUES D'IMMIGRATION VUES DE FRANCE

Comment ces thèses, déjà très controversées aux États-Unis, furent-elles comprises, invoquées, discutées par les historiens français ? Je ne propose pas ici de dresser un bilan exhaustif de l'historiographie française de la fin du XIXe et du début du XXe siècle. Je me contenterai, pour illustrer mon propos, d'analyser les écrits de deux grands éducateurs des élites politiques françaises : Émile Boutmy, le fondateur de l'École libre des sciences politiques et, une génération plus tard, André Siegfried, qui enseigna longtemps dans le même établissement avant d'en devenir lui-même le directeur. Ces deux politologues, avec des sensibilités fort différentes, donnèrent une grande place à la réflexion sur les États-Unis et contribuèrent chacun à acclimater en France une certaine idée de l'américanité, qui anticipe de manière étonnante sur les travaux ultérieurs de Samuel Huntington.

Émile Boutmy, dans ses *Éléments d'une psychologie du peuple américain*, parus en 1902, tenta de définir, à sa façon spéculative, l'essence d'un esprit américain qui serait tout à la fois patriotique, ethnique et religieux. L'élément ethnique est central dans le modèle explicatif proposé par Boutmy. Il y aurait bien, au départ, un « type humain » homogène, celui des premiers colons, « dont les caractères invariables étaient l'énergie indomptable [et] la force des convictions[27] ». Boutmy reconnaît l'existence d'un certain pluralisme ethnique dès l'origine de la conquête de l'Amérique septentrionale, puisque les colons anglais côtoyaient des colons français et hollandais. Mais cette diversité, selon lui, était toute provisoire ; les « noyaux ethniques », clairement repérables au début du XVIIe siècle, avaient peu à peu disparu : ils s'étaient « lentement fondus dans la masse des Anglo-Saxons[28] ». Les premières vagues d'immigration, après l'indépendance des États-Unis et jusqu'à la première moitié du XIXe siècle, ne devaient pas altérer les caractères dominants des Anglo-Saxons : les nouveaux immigrants venaient en effet d'Angleterre et d'Écosse et apportaient des éléments identiques à la grande masse des colons déjà présents. Leur assimilation était facile et l'homogénéité raciale et nationale « se reconstituait donc rapidement après chaque infusion de substance nouvelle ».

Tout changea, d'après Boutmy, à partir de la grande vague d'immigration irlandaise des années 1840, suivie d'autres vagues d'immigration allemande, italienne, tchèque, polonaise et russe, entraînant ce résultat inévitable : le lent déclin de l'« élément anglo-saxon » au sein de la population et la montée en puissance « d'éléments celtiques, germaniques, latins et slaves, très disparates et plus ou moins réfractaires ». Y avait-il alors péril en la demeure ? On pouvait le craindre, observe Boutmy, puisque ces nouveaux immigrants avaient tendance à vivre dans les mêmes lieux, à « faire corps ensemble et à part », à « se confirmer dans leurs sympathies ethniques » et à n'épouser que des femmes de leur propre race. De plus, ils restaient fidèles au pays de leurs ancêtres et n'hésitaient pas, comme les Irlandais, à soutenir financièrement les révolutionnaires de leur pays d'origine. L'hétérogénéité raciale des États-Unis risquait par conséquent d'affecter la nature même du patriotisme américain, affaibli par les multiples allégeances des nouveaux arrivants. « Notre patriotisme peut être figuré par un cercle qui n'a qu'un centre ; le leur peut l'être par une ellipse à deux foyers[29]. »

Fallait-il conclure à la désunion de l'Amérique, au risque d'implosion d'une société menacée de l'intérieur par un choc des races et des civilisations ? Boutmy, malgré ces premières considérations, n'est pas un pessimiste ; il est convaincu que l'hétérogénéité de la société américaine produit néanmoins du lien social, grâce au triomphe d'une valeur inconnue en Europe : l'individualisme yankee. Cet individualisme, dont il fait grand cas, à la manière de Michel Chevalier, est celui de l'homme d'action, toujours prêt à agir pour dompter les obstacles d'une nature vierge, toujours prêt à s'affirmer maître de sa destinée et à admettre le postulat que chacun a le moyen de devenir ce qu'il veut être, et « vaut par ce qu'il s'est fait[30] ». Le rêve américain, si bien imaginé par Boutmy, n'est pas seulement le produit de passions privées et égoïstes. Il est aussi une source de désintéressement et d'esprit public : « Les individus ont un fonds d'énergie que leurs affaires privées ne parviennent pas à épuiser ; il leur reste des excédents qu'ils appliquent à une infinité d'œuvres d'intérêt social, et quand il le faut, à la plus haute de toutes, l'intérêt de l'État[31]. » Telle est la nature de ce « patriotisme bourgeois[32] », terre à terre, utilitaire, mais capable de grandeur, à partir du moment où les hommes politiques, comme les pionniers partis jadis à la conquête de l'Ouest, se croient investis d'une mission civilisatrice.

L'analyse de Boutmy pèche par excès d'optimisme. Tout élément conflictuel dans l'histoire des États-Unis est gommé au bénéfice d'une thèse qui privilégie le consensus, l'acceptation partagée de normes individualistes et libérales, l'affirmation — contestable — que chacun peut choisir sa voie et surmonter avec aisance les obstacles de la vie et de la nature. Retenons de cet ouvrage deux conclusions majeures qui illustrent la place singulière qu'il occupe au sein de l'ensemble des travaux scientifiques français consacrés à l'Amérique à la même époque. La première concerne l'esprit puritain : il n'a pas marqué une fois pour toutes les mentalités américaines. La seconde touche à la question de l'immigration : la taille du pays et son dynamisme économique favorisent le maintien d'une politique d'immigration ouverte. Boutmy n'exprime pas la moindre sympathie pour les politiques restrictionnistes. Il laisse entendre que les plus pauvres et les moins assimilés des immigrants deviendront, tôt ou tard, de bons Américains après avoir souscrit au grand rêve américain dont il donne ce raccourci frappant : « [...] être libre de choisir ses voies, apercevoir le succès devant soi, sans aucune barrière artificielle qui en défende les abords, y marcher avec la certitude de l'atteindre [...], sentir sa volonté plus puissante que la fortune[33]. »

Contrairement à Tocqueville, Boutmy accorde une place restreinte à la religion dans son analyse de la psychologie du peuple américain. Ou plutôt il lui accorde une influence déclinante, selon un mode de raisonnement qui s'apparente à la thèse wébérienne du désenchantement du monde. La foi des *Pilgrim Fathers*, leur « vigoureuse unité d'esprit », si fortes à l'origine, si promptes à imposer un « gouvernement des âmes » austère et discipliné, ne pouvaient survivre au système de tolérance peu à peu imposé dans les colonies de la Nouvelle-Angleterre. Du passé puritain, écrit Boutmy, il ne subsistait que des habitudes détachées des croyances anciennes, c'est-à-dire un « sens pratique » et une « énergie infatigable ». La croyance en un dogme absolu et intransigeant se voyait peu à peu remplacée par des habitudes de consommateurs soumis à la concurrence et à la « promiscuité immense et mouvante de centaines de sectes [...] où chaque individu entre aussi légèrement qu'il en sortira, par goût de la personne du pasteur ou pour une particularité du rituel, plutôt que par foi profonde dans la supériorité de la doctrine ». D'où la superficialité du christianisme américain, qui n'offrirait qu'une « hygiène morale » ou encore une sorte de positivisme. « Il ne reste du christianisme, conclut Boutmy, qu'une sorte de résidu, de marc à demi pressé et égoutté, qui donne encore un vin âpre et réconfortant, mais sans générosité ni bouquet[34]. »

Dénonçant le pullulement des sectes, l'abandon progressif des grands principes calvinistes, la mise à l'écart des aspects « sombres et menaçants » du dogme, le triomphe de ces « missionnaires ignares » recrutés au sein des nouvelles Églises méthodiste et baptiste, Boutmy croit trouver là les effets déplorables d'une sécularisation croissante de la société américaine. À l'âge héroïque des puritains, fondé sur une « métaphysique trempée dans la légende », succédait l'âge pratique des évangéliques, dont la théologie est « nulle ou pis que nulle, sèche et terre à terre au delà de toute expression ». Bref, on assistait à une véritable « déchéance du dogme et de la théologie », annonciatrice d'une sécularisation radicale de la société américaine, dont les signes avant-coureurs étaient déjà visibles, puisque les sectes les plus avant-gardistes comme l'unitarianisme, très en vogue en Nouvelle-Angleterre, avaient radicalement transformé la lecture des Saintes Écritures en éliminant le divin et en tirant de la Bible « soit une morale à la Confucius, soit une profession de foi du Vicaire savoyard[35] ».

Boutmy, c'est l'intérêt de sa thèse, ne présuppose pas un quelconque Credo américain imaginé par les puritains, revivifié par les Fondateurs, et préservé jusqu'au début du XXe siècle par des masses encore majoritairement anglo-saxonnes. L'esprit puritain n'est plus à l'ordre du jour ; seul prédomine, à ses yeux, un certain patriotisme bourgeois qui n'est au fond que la reformulation à peine déguisée de la thèse tocquevillienne de l'entendement bien entendu. D'un point de vue méthodologique, Boutmy, de son propre aveu, inverse la hiérarchie traditionnelle des relations entre l'histoire, la politique et l'économie, pour donner une place prééminente à l'économie et un rôle secondaire aux facteurs historique et politique. S'il y a pour lui un point de départ du caractère américain, il se situe en dehors de toute réalité religieuse ou idéologique ; il est le produit de la rencontre de l'homme avec son milieu, c'est-à-dire « l'ensemble des conditions physiques et géographiques qui entourent et cernent le nouvel arrivé[36] ». Tout le reste découle de ce choc fondateur :

> La source de toute impulsion subie par la volonté, la matrice de toute empreinte reçue par le caractère sont ici nécessité patente, la *sommation*, si l'on peut ainsi dire, de reconnaître, d'occuper et de mettre en valeur cet immense territoire. Cette nécessité fournit en quelque sorte à l'esprit sa notion du souverain bien ; tous les autres mobiles s'effacent devant celui-là ou s'en imprègnent. En un mot les États-Unis sont avant tout une société économique ; ils ne sont qu'à titre secondaire une société historique et politique[37].

S'il y a donc un type idéal du « bon Américain », c'est le pionnier, le défricheur de forêts, le héros de la conquête de l'Ouest. On retrouve ainsi dans cette quête française d'une psychologie du peuple américain l'image du *backwoodsman*, tout à la fois chasseur, défricheur et guerrier, popularisé par Theodore Roosevelt dans son histoire épique de la « race américaine », *The Winning of the West*[38].

Dans un chapitre consacré à « la méthode »,

Boutmy critique la complaisance de Tocqueville pour les déductions générales et son ignorance des faits particuliers, sans lesquels, prétend-il, il est impossible de saisir le comportement d'une « race » ou d'une nation. Il lui reproche entre autres de n'avoir pas étudié le milieu géographique et physique, négligeant ainsi de nourrir par des exemples son « admirable étude psychologique[39] ». C'était ignorer la force persuasive de certains écrits posthumes de Tocqueville, dont le plus admirable est sans doute « Quinze jours dans le désert », rédigé en 1831 et publié par Gustave de Beaumont en 1860 dans la *Revue des Deux Mondes*[40]. Dans ce récit, situé aux « bornes de la civilisation », au milieu de forêts impénétrables à quelques kilomètres de Detroit dans le nouveau territoire du Michigan, Tocqueville et Beaumont découvrent un nouveau « défrichement » au centre duquel trône la cabane d'un pionnier. L'apparence du maître des lieux est décrite comme austère ; ses « muscles anguleux » et ses « membres effilés » signalent son origine ethnique : il est manifestement originaire de la Nouvelle-Angleterre. La principale caractéristique du pionnier est une insatiable énergie, « sa volonté qui l'a jeté au milieu des travaux du désert pour lesquels il semble peu fait ». À première vue, le pionnier est un être froid et insensible, dont le visage est marqué par une rigidité stoïque. En réalité, il est un être passionné sans foi ni loi, qui « trafique de tout sans excepter même la morale et la religion ». C'est avec des hommes d'une telle trempe, conclut Tocqueville, que se construit une « nation de conquérants », c'est-à-dire « un peuple qui, comme tous les grands peuples, n'a qu'une pensée, et qui marche à l'acquisition des richesses, unique but de ses travaux, avec une persévérance et un mépris de la vie qu'on pourrait appeler héroïques, si ce nom convenait à autre chose qu'aux efforts de la vertu[41] ».

Le pionnier de Tocqueville n'est pas simplement le jouet d'une simple nécessité économique. S'il y a bien eu choc entre l'homme et la nature, ce choc est volontaire et ne tend que vers un seul objet : transformer un « désert » en terres cultivables et, *in fine*, faire fortune. Le portrait du défricheur peint par Tocqueville est celui-là même du *backwoodsman* tant vanté par Theodore Roosevelt. Mais soixante ans séparent les écrits de ces deux auteurs. Le premier, en effet, décrivait un présent en train de se faire, l'activité d'un « homme inconnu » qui est en réalité « le représentant d'une race à laquelle l'avenir du Nouveau Monde appartient[42] ». Le second déplorait l'épuisement de la race : le manque de courage, le confort, l'opulence, les manières efféminées et excessivement européanisées de ses contemporains. Il prônait donc les vertus de la guerre et de la chasse et, plus généralement, un retour aux valeurs héroïques des pionniers mythiques qui avaient fait la conquête de l'Ouest. Remontant plus loin encore dans le temps, Theodore Roosevelt n'hésitait pas à prétendre que ceux-ci étaient les héritiers directs des premiers « Teutons » qui subjuguèrent les tribus celtes et anglaises des îles Britanniques.

Le grand mythe de la conquête de l'Ouest selon Roosevelt rejoignait ainsi, dans un raccourci frappant, un autre mythe mis à la mode par les ethnographes de l'époque : l'ancestrale supériorité des Teutons ou des Saxons. L'Amérique urbaine et industrielle de la fin du XIXe siècle n'avait, à l'évidence, plus grand rapport avec celle des défricheurs de forêts du début du siècle, et Roosevelt admettait qu'il y avait eu « mélange des sangs ». De même que les premiers Saxons s'étaient alliés aux Celtes pour devenir des Anglais, de même des Anglais, des Hollandais, des Français et des Allemands « fusionnèrent » en un seul peuple américain[43]. Il importait avant tout de préserver les caractéristiques héréditaires des peuples anglo-saxons ; et comme la transmission héréditaire des caractères acquis n'était pas absolument certaine, il était vivement recommandé que les Modernes imitent les Anciens — les pionniers, les *frontiersmen* — pour retrouver cette énergie primitive sans laquelle un grand peuple était voué à l'échec et au dépérissement[44].

ANDRÉ SIEGFRIED ET LE CREDO AMÉRICAIN

Une génération sépare Émile Boutmy, le fondateur de l'École libre des sciences politiques, d'André Siegfried, le futur directeur de l'École, dont le père, l'industriel Jules Siegfried, et l'oncle, le banquier Jacques Siegfried, avaient soutenu financièrement l'entreprise du fondateur. Le projet de Boutmy s'inscrivait dans un vaste mouvement nationaliste de redressement face au défi allemand. De grands intellectuels français, comme

Taine et Renan, avaient attribué la catastrophe de Sedan à une cause particulière : l'ignorance et l'impréparation des élites politiques et militaires françaises. Manifestement influencé par les écrits des refondateurs de la nation française, Boutmy avait proposé, à sa façon, une réforme intellectuelle et morale de la France en lançant un « Projet d'une Faculté libre des sciences politiques », rédigé avec la collaboration de son ami Ernest Vinet. Ses intentions étaient claires : reconstituer une élite qui donnerait bientôt le ton à la nation, bref « refaire une tête de peuple[45] ». D'où l'intérêt de Boutmy pour ces peuples alliés dont la tête était manifestement bien faite. Son *Essai d'une psychologie politique du peuple anglais* précédait ainsi d'un an ses *Éléments d'une psychologie du peuple américain* que je viens d'analyser[46].

On a vu que Boutmy, dans ses considérations sur le caractère américain, accordait une prééminence certaine aux facteurs économiques. Pour lui, l'esprit puritain du XVIIe siècle s'était dilué aux XVIIIe et XIXe siècles avec les progrès de la conquête de l'Ouest. Le choc brutal entre l'homme et un milieu sauvage avait produit l'individualisme *yankee,* cette réappropriation sécularisée de l'esprit puritain. La place consentie à la religion dans le système de Boutmy n'était donc pas centrale : la religion n'était qu'une « hygiène morale », utile à l'entreprise colonisatrice des *Yankees*.

Siegfried, rappelant en cela les analyses du géographe Élisée Reclus et de l'économiste Pierre Leroy-Beaulieu, s'intéressait peu au milieu physique. Il privilégiait par-dessus tout l'influence des idées sur les décisions des hommes politiques. Moins optimiste que ses prédécesseurs, Siegfried ne croyait pas aux vertus du melting-pot. Comme Leroy-Beaulieu, il pensait que les vrais Américains, nés aux États-Unis de parents américains, étaient encore largement majoritaires (61 % de la population blanche), mais il n'en tirait pas les mêmes conclusions[47]. Pour Leroy-Beaulieu, l'afflux considérable de nouveaux immigrés ne changeait pas fondamentalement le caractère d'un peuple, déjà formé et fixé par les grandes vagues d'immigration du XIXe siècle. Les Américains disposaient non seulement d'institutions solides, mais ils faisaient surtout preuve d'un « esprit » singulier, si fort et si persuasif qu'il en imprégnait, littéralement, les nouveaux arrivants[48].

Siegfried, dont le témoignage est plus tardif, doutait, lui, de l'unité morale et politique du peuple américain, de son homogénéité raciale et de la solidité de valeurs ancestrales incarnées dans la tradition protestante des pionniers de l'indépendance. À l'en croire, il y avait bien péril en la demeure : ce n'est pas l'immigration en tant que telle qui menaçait la « personnalité morale et politique des États-Unis », mais sa composition, si exotique, si bigarrée, si hétérogène qu'il était permis de douter de l'avenir : « Les germes hétérogènes, catholiques, juifs, quasi orientaux même [que le peuple américain] sent croître en lui et qui contredisent toute sa tradition, l'effraient ; sensation énervante, il redoute obscurément d'être conquis par le dedans, de s'apercevoir un jour qu'il n'est plus lui-même. » Or la crainte diffuse, quoique bien réelle, d'une « conquête insidieuse d'un sang étranger » touchait à la fibre même de l'Amérique moderne, à son « centre de gravité », qui, jusqu'ici, restait localisé dans un « axe anglo-saxon et puritain[49] ».

Toute la démonstration de Siegfried tourne autour de ce postulat : l'Amérique est désaxée, menacée dans ses valeurs profondes, sur le point de perdre confiance en elle-même. « Peut-on imaginer des États-Unis dont l'essence ne serait plus anglo-saxonne et protestante ? » se demandait Siegfried en précisant bien que cette question n'était pas la sienne mais celle des partisans d'un nationalisme défensif, pour qui la véritable Amérique appartenait, par principe, à ces actionnaires d'un nouveau genre : « ceux qui [...] détiennent des parts de fondateurs[50] ».

À cette vieille Amérique, inscrite dans le culte de la tradition des Anciens, fière de sa race et de son Credo républicano-puritain, Siegfried opposait l'Amérique des Modernes, composée d'immigrés récents, affirmant sans complexe leurs traditions et refusant par là même le « verdict d'infériorité » que leur imposaient les membres des races nordiques. Originaires d'Europe centrale et méditerranéenne, Italiens, Slavo-Latins et Juifs d'Orient pour la plupart, ces immigrés portaient en eux « parfois comme un joyau non taillé, la tradition de civilisations brillantes[51] ». Il n'était pas question, pour eux, d'abandonner leurs ancestrales traditions pour satisfaire aux exigences des partisans d'une assimilation à outrance. Faisant implicitement écho aux écrits du philosophe Horace

Kallen, l'un des premiers penseurs du multiculturalisme américain[52], Siegfried illustrait ainsi le point de vue des Modernes :

> Cet Italo-Américain qui écrit l'anglais avec un brio méditerranéen, ce Judéo-Américain qui apporte le trésor d'une intellectualité millénaire, ce nègre même dont la musique et la danse s'ajoutent au patrimoine artistique de l'humanité [...] prétendent contribuer pour leur part à la civilisation américaine en train de se faire ; en s'enrôlant dans une nouvelle discipline, ils demandent qu'on les reçoive avec les honneurs de la guerre, avec armes et bagages[53].

Siegfried ne manquait pas d'observer les progrès du Ku Klux Klan, un an après le passage de l'une des lois d'immigration les plus restrictives des États-Unis, le *Johnson Reed Act* de 1924. Il voyait là un tournant possible dans l'histoire des États-Unis, qui opposait deux conceptions rivales de l'« américanisme ». La première, conforme aux thèses du darwinisme social, cultivait le culte des ancêtres et la reproduction du même. L'avenir national, pour les tenants de cette thèse, présupposait une assimilation complète des nouveaux venus. Aux Italiens, aux Russes, aux Allemands, etc., de démontrer qu'ils étaient bien devenus des individus semblables aux Américains de souche anglo-saxonne. S'ils faisaient preuve, par malheur, de « retard dans l'assimilation », s'ils ne devenaient pas des « Américains à cent pour cent », s'ils résistaient aux programmes d'américanisation, bref, s'ils n'acceptaient pas les « principes moraux, sociaux, politiques des Anglo-Saxons[54] » l'avenir leur était immanquablement fermé et de nouvelles lois d'exclusion étaient, dès lors, pleinement justifiées pour mettre fin à l'afflux de leurs compatriotes.

Plus grave encore, la possibilité même d'une assimilation réussie leur était interdite si on leur appliquait la logique raciale et fascisante défendue par les plus fanatiques des nativistes. La nation n'était pas à vendre ; elle ne pouvait appartenir qu'à « une certaine race, avec sa religion, sa loi morale propre, sa tradition exclusive[55] ». Tout étranger devenait suspect d'antipatriotisme, selon les normes draconiennes proposées par les dirigeants du Ku Klux Klan. Il était même question de retirer le droit de vote aux catholiques, suspectés de faire allégeance à un souverain étranger, et aux Juifs, suspectés de travailler « contre la société chrétienne ». Quant à la lecture de la Bible dans les écoles publiques, il fallait la rendre obligatoire et l'accompagner d'une règle de conduite fondée sur « les enseignements de Jésus-Christ, tels qu'ils sont prodigués dans la sainte Bible, parole de Dieu ». Enfin, clamait *The American Standard*, l'organe du Ku Klux Klan, les « nègres », déclarés absolument inassimilables, n'avaient qu'à retourner, de gré ou de force, « dans leur patrie africaine[56] ».

Une deuxième conception, plus conforme au courant des Modernes, cultivait la différence et mieux encore la richesse culturelle des nouveaux venus. Ses partisans, peu nombreux mais actifs dans les milieux intellectuels, incluaient des « croyants » et des « mystiques », comme Israel Zangwill, l'auteur d'une pièce de théâtre à succès,

Le Melting-Pot (1908) ou Waldo Frank, l'auteur d'une virulente critique sociale de l'Amérique des pionniers, *Our America* (1919). Ces intellectuels refusaient toute conception figée de l'Amérique, engluée dans un lointain passé puritain, et proposaient un avenir radieux, quasi millénariste : une nouvelle nation, en train de se définir, dont l'avenir resterait ouvert et dont le Credo serait celui du pays « qui régénère les malheureux, dans une atmosphère d'indépendance ».

Laquelle des deux conceptions allait l'emporter ? Prudent, Siegfried se garda bien de choisir son camp : « Dans cette lutte, écrivait-il, la destinée finale du pays demeure en suspens : cette nation toute-puissante ne peut dire ce que son âme même sera demain[57]. » Mais cette prudence est cependant trahie par l'abondance des arguments et des exemples favorables à la thèse des nativistes. Tout est mis en scène pour faire partager au lecteur l'effroi de la vieille Amérique face au « raz de marée », à l'« inondation », au « flot exotique », aux « germes hétérogènes » des nouveaux immigrants débarqués de l'« Europe sud-orientale ». L'usage de ces métaphores fluviales et médicales n'est certes pas indifférent. Le « bariolage ethnique » d'une « plèbe amorphe et bigarrée », la présence dans les grandes villes de « blocs hétérogènes non digérés », l'infériorité intrinsèque d'un « matériel humain » n'offrant pas les « qualités morales » nécessaires à une assimilation réussie inquiétaient, à juste titre, l'Amérique protestante. Celle-ci réagissait donc en mobilisant tous les moyens mis à sa disposition par la nouvelle science des eugénistes pour ériger le rempart protecteur d'un nouveau « nationalisme de redressement », dont Siegfried comprenait la nécessité, même s'il prétendait mesurer tout en le déplorant son manque de finesse : « Déjà, il a eu ses Drummond [*sic*]. On voudrait qu'il suscitât un Barrès[58]. »

Proposant une critique en règle du melting-pot, insistant sur les éléments réfractaires, inassimilables, qu'on trouve « non mêlés, au fond du creuset », Siegfried dressait un portrait particulièrement peu flatteur de la dernière immigration « judéo-russe », qu'il s'imaginait composée de « révoltés sociaux, agités et rebelles à l'Occident », dont l'intelligence était indéniable, mais dangereuse car elle ne pouvait être ni domestiquée, voire disciplinée[59]. Dans une observation singulièrement cruelle à l'égard du zèle patriotique des nouveaux immigrés, Siegfried suspectait la sincérité même des enfants qui brandissaient le drapeau américain : « À New York, dans les manifestations nationalistes où l'on déploie la bannière étoilée, vous pouvez être sûr que c'est un enfant d'Israël qui tient la hampe : le "cent pour cent" [Américain], dont le grand-père a connu Washington, reste à l'écart dégoûté[60]. »

Qu'on ne s'y trompe pas, les Juifs apparemment oublieux de leur tradition, prompts à angliciser leurs noms pour mieux se perdre parmi les chrétiens, comme un Noir de peau claire prétendant « passer » pour un Blanc, ne sont pas plus chrétiens que les Noirs ne sont des Blancs. Ils restent, d'abord et avant tout, des Juifs, des « pseudo-assimilés ». Et c'est bien pourquoi une certaine forme d'antisémitisme était, pour Siegfried largement excusable, car l'Amérique protestante agissait à ses yeux comme un « organisme qui se défend[61] ».

Siegfried était-il raciste et antisémite ? La question se révèle délicate et il n'est pas sans risque de faire de l'histoire rétrospective en lui appliquant un point de vue moderne marqué par la connaissance des effets dévastateurs du racisme et de l'antisémitisme dans le deuxième tiers du XXe siècle. Siegfried croyait assurément à l'existence des races, en dépit du manque de rigueur de ses définitions. Les Français, par exemple, constituaient une « race » au même titre que les Italiens. Siegfried, par ailleurs, sans croire à la supériorité raciale des Anglo-Saxons, se représentait volontiers les Occidentaux, tous groupes confondus, comme « supérieurs » aux Africains et aux Orientaux et il partageait la plupart des préjugés raciaux des élites politiques et intellectuelles de son époque. Ses digressions sur le « Juif de bourse » et le « Juif de synagogue », le Juif « amer, négateur, desséché », ou encore « l'hirsute originaire d'un lointain ghetto », aussi inassimilables les uns que les autres en raison d'une « température de fusion » anormalement « basse », reproduisaient les préjugés les plus éculés de l'époque[62]. Si l'on peut sourire du portrait facile de l'Italien « mangeur de macaroni » ou du Français « individualiste incorrigible », on ne peut qu'être surpris, sinon atterré, de l'égrenage de ces portraits soi-disant réalistes, juxtaposant « un Juif d'Alsace, un youpin de Breslau, un "youtre" de Lemberg ou de Salonique, ou même — je n'exagère nullement [*sic*] — un Hébreu d'Asie aux yeux de chèvre, à la barbe de prophète[63] ».

Dès 1927, une lectrice américaine des *États-Unis d'aujourd'hui* exprima « l'impression très pénible » qu'elle avait éprouvée en lisant ces pages, plus dignes d'un Caran d'Ache ou d'un Drumont que d'un universitaire adossé à son savoir. « Oui, je sais, vous me direz que vous vous occupez des "faits". Mais ces faits qui ne prouvent rien contre la généralité des Juifs vous servent à les incriminer tous. C'est l'injustice séculaire dont ils souffrent ! On ne connaît ni ne se soucie de connaître l'âme juive. Ce qui chez les autres est qualité est considéré vice chez eux : l'ambition devient chez le juif "cupidité" ; la joie de vivre, d'expirer l'air libre est taxée de "révolutionnaire". Les plus nobles aspirations, l'amour du travail, de l'étude soulèvent la réprobation ou les jalousies[64]. » On ne sait ce que Siegfried répondit à cette lectrice, mais rien ne fut modifié dans les nombreuses rééditions de ce livre à succès, pour atténuer l'impression pénible produite par ces portraits caricaturaux[65].

Portons cependant au crédit de Siegfried, qu'il n'hésita pas à critiquer les excès les plus frappants du courant nativiste, à commencer par l'eugénisme néomalthusien dont il résumait les thèses avec une ironie mordante. Il s'inscrivait ainsi contre cette « éthique de la race », qui prônait la stérilisation des individus dégénérés, et contre l'imposition du *birth control* aux pauvres et aux immigrés afin de préserver la supériorité des Nordiques — cette « descendance anglo-saxonne » à la natalité fâcheusement déclinante[66].

La nouvelle éthique raciale n'était pas, à proprement parler, religieuse, mais elle confortait un certain moralisme protestant, centré sur l'hygiène, la discipline et la pureté raciale. D'où ces conseils généreusement prodigués par Siegfried au visiteur étranger, soucieux de mieux comprendre les mentalités américaines : « Prenez une Bible, mais n'oubliez pas non plus d'emporter un traité d'eugénique ; muni de ces viatiques, vous ne serez jamais loin de l'axe [puritain et anglo-saxon][67] ! »

*

André Siegfried n'ignorait rien de la diversité religieuse américaine, de l'« émiettement des sectes », des excès du fondamentalisme ou du zèle missionnaire des partisans de la prohibition. Mais il acceptait l'un des postulats clés des milieux nativistes de l'époque, à savoir qu'aux États-Unis la seule religion nationale, c'est le protestantisme. « Vouloir l'ignorer, insiste-t-il, serait prendre le pays à contresens[68]. »

Que voulait-il dire par protestantisme ? Certainement pas le luthéranisme, pratiqué pourtant par de nombreux immigrés allemands et scandinaves, ni l'anglicanisme, dominant en Virginie et dans certains États du milieu, mais le puritanisme anglo-saxon. Nul doute, pour lui, la culture démocratique américaine est bien « issue de Calvin », dont la pensée n'aurait cessé de marquer les mentalités américaines. Éternel redresseur de torts, l'esprit puritain, dans ses manifestations les plus visibles et les plus contestables, touchait vraiment à tout, de la lutte contre l'alcool à la lutte contre les taudis, le tabac, le féminisme, le pacifisme, etc. Tout concourait à « sanctifier la vie sociale » et à « moraliser l'État » ; rien n'échappait au regard inquisiteur des Américains de souche anglo-saxonne. D'où le mépris constant des élites protestantes pour les derniers immigrés qui ne partageaient ni les mêmes origines ni les mêmes valeurs[69]. La religion, pour Siegfried, faisait donc l'objet d'enjeux ethniques, conduisant les élites protestantes à traiter comme des pécheurs impénitents ceux qui, mal assimilés, n'appartenaient pas à la « race » dominante.

« Qui ne comprend le puritain ne peut comprendre l'Américain[70] », affirmait-il au début des *États-Unis d'aujourd'hui*. Avait-il vraiment compris le puritain ? Ne confondait-il pas le calvinisme des *Pilgrims* avec une version édulcorée du calvinisme, popularisée plus tard par les évangélistes des Grands Réveils ? Ne confondait-il pas, en outre, la foi inquiète des puritains avec la certitude du salut volontiers affirmée par les *born again christians*, si influents au XIXe siècle ?

L'analyse de Siegfried rappelle assurément la thèse de Max Weber défendue dans *L'Éthique protestante et l'esprit du capitalisme*. Mais la richesse de l'exposé, la précision des sources et la rigueur historique y font assurément défaut[71]. Siegfried déclare, dans un chapitre consacré au « facteur religieux », que le puritain est tout le contraire d'un catholique : « Le puritain, lui, s'honore d'être riche ; s'il encaisse les bénéfices, il aime à dire que c'est la Providence qui les lui envoie ; sa richesse même devient, à ses yeux, comme aux yeux des autres, un signe visible de l'approbation divine[72]. » La formule est frappante : « le puritain encaisse les bénéfices » ; mais elle écrase quatre siècles d'histoire sans tenir compte des réinterprétations successives de la pensée de Calvin. Weber se montre en la matière, indéniablement plus subtil, même si sa pensée est elle aussi trop souvent simplifiée et édulcorée par ses interprètes.

Que nous dit en effet le sociologue allemand ? Il présente d'abord la thèse de la prédestination selon Calvin et soulève la question fondamentale que ne manquaient de poser les disciples du prédicateur genevois : « Suis-je donc moi-même un élu ? Et comment puis-je moi-même être assuré de cette élection[73] ? » Calvin ne donne aucune réponse claire à cette interrogation. Il rejette par principe toute tentative de compréhension des mystères divins. Rien de visible ici-bas ne permet de distinguer l'élu du réprouvé. C'est d'ailleurs pourquoi la communauté des élus constitue l'« Église invisible de Dieu[74] ». Cependant, les successeurs de Calvin, pour mieux pérenniser la pensée du maître, cherchèrent à dépasser cette insoutenable incertitude en offrant des moyens de « détourner l'angoisse[75] » des fidèles, en leur proposant de reconnaître, dans leur vie quotidienne, des signes visibles de leur élection. Par exemple, une vocation efficace (*effectual calling*), c'est-à-dire une vie professionnelle accomplie et disciplinée, inscrite dans la durée de tout une vie. « Le Dieu du calvinisme réclamait des siens, non pas des "bonnes œuvres particulières", mais une sainteté par les œuvres érigées en système[76]. » L'ascèse professionnelle imaginée par les épigones de Calvin était donc un dispositif rassurant, destiné à apaiser l'angoisse inhérente à la pensée du maître, en produisant une certitude nouvelle : « la confirmation de la foi dans la vie professionnelle régulière[77] ». La modernisation du calvinisme était à ce prix : oublier, d'abord, l'héritage de Luther ; effacer, ensuite, les mystères insondables de la théologie calvinienne et rendre visible l'Église invisible de Dieu. Luther promettait la grâce aux pécheurs qui faisaient acte de contrition. Calvin ne promettait rien. Mais la rigueur de sa doctrine produisait, par réaction, ces « Saints sûrs d'eux-mêmes » et ces « marchands puritains à la trempe d'acier », qui se comportaient déjà comme les héros du capitalisme moderne. Le calvinisme corrigé par une nouvelle éthique du travail assidu « dissipait le doute religieux et donnait la certitude de l'état de grâce[78] ».

Cette éthique protestante, coupée des bases théologiques du véritable calvinisme, est bien celle qu'André Siegfried croit observer aux États-Unis. Mais Siegfried, moins rigoureux que Weber, ne cherche pas à distinguer le calvinisme des origines de ses transformations ultérieures. Son histoire du protestantisme apparaît curieusement simplificatrice et linéaire. Et c'est en fait l'évangélisme, beaucoup plus que les premiers avatars du calvinisme, qui est insupportable aux yeux du visiteur français : « Tout Américain, qu'il s'appelle Wilson, Bryan ou Rockefeller, est un évangéliste, qui ne peut laisser les gens tranquilles et qui constamment sent le devoir de prêcher. La bonne volonté est incontestable, mais dans cet effort souvent magnifique perce presque toujours — trait le plus antipathique sans doute des Anglo-Saxons — la conscience d'une supériorité morale [...], la notion à vrai dire insupportable, du devoir envers autrui pour le convertir, le purifier, le rapprocher du niveau moral de l'élite américaine[79]. »

Retrouvant les intuitions de Tocqueville sur la compatibilité du catholicisme moderne avec la démocratie, Siegfried déplorait le racisme et le « pharisaïsme ethnique » des protestants américains. L'Église catholique, selon lui, présentait l'avantage d'être ouverte à tous, aux pauvres, aux humbles, aux étrangers, quelles que soient leur race ou leur origine nationale. Elle se voulait ainsi fondamentalement égalitaire et démocratique. Contrairement à ce qu'affirmera plus tard Huntington, l'Église catholique, pour Siegfried, ne constituait pas un obstacle à l'assimilation des immigrés, mais bien plutôt une « carte magnifique à jouer dans un pays où l'étranger, venu pauvre, demeure un citoyen de seconde zone ». D'autre part, le catholicisme jouait un rôle d'antidote contre le fanatisme puritain des « zélateurs d'une morale nationale[80] », dont Siegfried dénonçait avec ironie les excès concernant la prohibition, ou le fameux « procès du singe » de 1925, intenté par l'État du Tennessee contre un professeur de sciences naturelles jugé coupable d'avoir enseigné la théorie de l'évolution selon Darwin, en violation directe d'une loi créationniste défendue par des pasteurs fondamentalistes[81]. Le catholicisme n'était donc pas conçu comme une contre-culture, dangereuse pour la suprématie des Anglo-Saxons, mais comme un moyen utile de faciliter l'intégration des plus modestes et de ceux qui ne pouvaient se résoudre à « croire que la bière est un péché[82] ».

*

Les craintes de Siegfried quant à l'avenir d'une Amérique anglo-protestante sur le point de perdre son âme, dénaturée par l'arrivée massive d'immigrés « exotiques » et suscitant, comme un organisme qui se défend, un vigoureux nationalisme de redressement, nous paraissent aujourd'hui rétrogrades et « racialisantes », même si elles étaient en phase avec une époque profondément marquée par le darwinisme social et les fantasmes de la supériorité d'une race de Nordiques. Siegfried disait vrai en ce sens que ses opinions reflétaient bien le point de vue dominant des élites de son temps. Il n'ignorait pas non plus le point de vue contraire de ceux qui commençaient à imaginer une Amérique plus ouverte, plus diverse, plus ethnique et échappant au carcan d'une idéologie anglo-protestante. Mais il minimisait exagérément l'impact de ce nouveau récit national, précurseur du multiculturalisme des années 1980. Il n'est de ce fait pas étonnant que quatre-vingts ans plus tard Samuel Huntington, grand pourfendeur du multiculturalisme américain et de ses partisans désignés comme des antipatriotes acharnés à « déconstruire l'Amérique[83] », retrouve les accents mêmes d'auteurs qui, comme Madison Grant aux États-Unis ou André Siegfried en France, s'inquiétaient de l'avenir d'une Amérique désaxonisée et déprotestantisée[84].

L'Amérique des Fondateurs était-elle aussi protestante et aussi anglo-saxonne que le laisse entendre aujourd'hui le professeur de Harvard ? Pour appuyer ses dires, celui-ci multiplie les sources et cite, pêle-mêle, les commentaires des visiteurs européens les plus célèbres — Tocqueville, Michel Chevalier, Philip Schaff, F. J. Grund — sans jamais s'interroger sur l'impact d'une historiographie romantique qui, on l'a vu, magnifiait à l'excès l'influence des *Pilgrims*, des *Yankees* ou d'autres ancêtres anglo-saxons. Or tout épisode historique contredisant la thèse d'une Amérique protestante et anglo-saxonne est tantôt minimisé, tantôt balayé d'un trait de plume, comme si rien n'avait changé depuis trois cents ans. Les virulents conflits internes au protestantisme américain sont à peine évoqués ; l'anticatholicisme fanatique des élites protestantes du XIXe siècle est bien mentionné, mais la suite du raisonnement étonne, puisque les catholiques américains, selon Huntington, se seraient tous « protestantisés ». L'influence de la philosophie des Lumières sur les Pères fondateurs, pour la plupart déistes ou agnostiques, se voit même étrangement minimisée, sous prétexte que cette philosophie ne serait que la continuation sécularisée d'une ancienne tradition puritaine. Comme Guizot ou comme Jellinek (dans un fameux débat l'opposant à Boutmy), Huntington est convaincu que « l'Amérique est l'enfant de [la] Réforme[85] », que les élites anglo-saxonnes n'ont cessé depuis toujours d'imposer leurs valeurs religieuses, politiques et morales aux nouveaux immigrants, et que ces derniers furent poussés, jusqu'à la fin du XXe siècle, « par la contrainte, l'incitation ou la persuasion [...] à adhérer aux éléments fondamentaux de la culture anglo-protestante[86] ».

Cette culture homogène serait mise à mal par l'insuffisant désir d'assimilation des nouveaux immigrés hispaniques, avec une conséquence presque inéluctable : la transformation de l'Amérique en une « société bilingue et biculturelle », obligée de « renoncer au fonds culturel commun anglo-protestant et aux subcultures ethniques qui la caractérisent depuis trois siècles[87] ». Ignorant les travaux récents des sociologues de l'immigration, Huntington fonde l'essentiel de son argumentation sur la question linguistique et l'impression que l'espagnol va devenir peu à peu une langue dominante si rien n'est entrepris pour endiguer le flot des immigrés. Or les enquêtes détaillées de ces sociologues montrent tout autre chose : le multilinguisme américain, tel qu'il existe aujourd'hui, paraît à la vérité aussi éphémère que celui qui fut en vogue au début du XXe siècle[88]. L'espagnol utilisé par les nouveaux immigrés n'est qu'une langue de transition, dont la pratique est indissociable de stratégies d'intégration multiséculaires. La langue du succès et de la promotion sociale, à New York comme à Los Angeles et à Miami, reste toujours l'anglais, puisque les familles d'immigrés, selon une logique intergénérationnelle bien mise en évidence par la sociologie de l'immigration, encouragent leurs enfants à intégrer la culture dominante. Le basculement linguistique, c'est-à-dire le passage d'une culture hispanique monolingue à une culture presque exclusivement anglo-américaine (privée il est vrai de sa dimension protestante), se manifeste à la troisième génération, comme cela était déjà le cas voilà cent ans chez les descendants des immigrés allemands, italiens, russes ou polonais[89].

Qu'on ne s'y trompe pas : lorsque les démographes américains annoncent qu'en 2100 plus de la moitié des Américains revendiqueront une origine partiellement hispanique, rien ne permet de conclure que l'espagnol sera devenu le vrai rival de l'anglais et que la prétendue coupure entre les mondes hispanophone et anglophone se montrera aussi radicale que la division raciale séparant, aujourd'hui encore, les Blancs et les Noirs[90]. Les futurs « Hispaniques » ou « Latinos » du siècle prochain, à supposer que ces identités aient encore un sens, seront en fait pour la plupart des Américains assimilés depuis trois générations, mariés à des non-Hispaniques, dont la culture sera très certainement anglo-américaine. Tel est le paradoxe américain : une société multiculturelle, plurilingue, relativement tolérante à l'égard des idiomes étrangers, mais qui assure — grâce à sa conception du rêve américain, son système éducatif et ses médias modernes — la prédominance de la langue anglaise. En ce sens, l'avenir de l'espagnol aux États-Unis n'est pas différent de celui de l'occitan en France. Le monolinguisme du marché, allié à un monolinguisme d'État, officiel ou officieux, finit toujours par triompher, malgré l'ouverture d'esprit des élites politiques et la survivance de ghettos ou de *barrios* linguistiques.

Partant des mêmes prémisses que les élites politiques décrites par André Siegfried à près d'un siècle d'écart, et postulant le primat d'une culture dominante anglo-protestante, seule cause efficiente d'un véritable Credo américain, Huntington ne peut qu'exprimer son inquiétude face à l'arrivée incontrôlée des nouveaux Slavo-Latins du XXIe siècle, les Latinos. Il craint pour l'avenir de l'Amérique sans réaliser que sa lecture de l'histoire américaine demeure étonnamment « fixiste ». Comme si rien n'avait changé depuis les années 1920. À l'exemple de Siegfried, Huntington défend l'idée d'un *nationalisme de redressement* pour l'appliquer à la crise identitaire des années 2000. Une autre approche, fondée sur une conception plus ouverte de la culture américaine, plus marquée par la tradition des Lumières et l'acceptation d'un véritable pluralisme culturel, aurait conduit à d'autres conclusions moins angoissées pour l'avenir de l'Amérique. Mais cette autre perspective est exclue du champ d'analyse d'un auteur qui, étranger il est vrai à toute espèce de racisme, n'a pas hésité à réintroduire dans le débat public un raisonnement qu'il faut bien qualifier de nativiste[91]. Son œuvre s'inscrit dans le temps long d'une historiographie défavorable aux politiques d'immigration ouverte, jadis inaugurée par Madison Grant aux États-Unis, et bien représentée en France dans les écrits d'André Siegfried consacrés à l'Amérique du Nord.

Chapitre VI

UNE AMÉRIQUE SANS DIEU

Entre 1927 et 1932, un certain nombre de romanciers, d'historiens, de philosophes, de politistes et de journalistes disent à peu près la même chose au même moment, comme s'ils s'étaient concertés, consciemment ou inconsciemment : Dieu est mort et l'Amérique est le lieu, par excellence, de cette disparition. Ou plutôt, une nouvelle divinité païenne a pris la place du Dieu chrétien. Elle a pour nom le « Dieu dollar » ou encore la technique, le machinisme, le productivisme… Ces nouvelles divinités sont l'émanation d'une civilisation mécanique qui déploie tous les travers de l'hypertechnisation : le gigantisme, la standardisation du travail ouvrier (le « taylorisme »), le paternalisme industriel poussant à la consommation (le « fordisme »), l'uniformité et le faible coût des produits de consommation. Il faut produire sans cesse et toujours plus, produire pour produire et consommer pour mieux produire encore. Ce que l'ouvrier acquiert avec ses hauts salaires doit être immédiatement dépensé dans un cycle infernal alternant la production et la consommation, le travail organisé et les loisirs obligés... L'acte même de fabrication est tellement automatisé que tout ce qui aurait pu signifier, à une autre époque, le savoir-faire du maître et de son apprenti a disparu. À l'artisan soucieux d'esthétique et de qualité, producteur d'objets rares et difficilement remplaçables, a succédé l'ouvrier du travail à la chaîne, simple rouage dans l'immense usine nommée États-Unis d'Amérique.

Le plus étonnant, lorsqu'on réexamine la littérature des années 1930, est le concours des opinions, l'orchestration des angoisses, les similitudes de vocabulaire et la même nostalgie partagée d'un âge d'or perdu donnant la part belle au paysan et à l'artisan, et privilégiant la qualité sur la quantité. Les solutions divergent, selon les auteurs et les sensibilités politiques, mais une grande utopie émerge du foisonnement des opinions : il faut, coûte que coûte, retrouver ou réinventer l'« Esprit » de la vieille Europe ; ce sursaut de créativité et d'originalité redonnera au continent sa grandeur face au rouleau compresseur de l'uniformité américaine, laquelle renvoie, comme par effet de miroir, à une semblable uniformité soviétique. S'il y a bien, à l'époque qui nous intéresse, un « axe du Mal », c'est l'axe américano-soviétique, clairement identifié et dénoncé par l'ensemble des auteurs recensés dans ce chapitre.

L'HISTORIOGRAPHIE DE LA DÉCADENCE

J'appelle donc « historiographie de la décadence » ce moment historique des années 1930 qui réunit des auteurs aux origines très diverses, dont les opinions convergent sur la nature de la crise de la société moderne, magnifiée de façon exemplaire par la modernité américaine, et dénoncée comme un avenir possible auquel il faut absolument résister.

Bien sûr, toute l'intelligentsia ne partage pas ces idées et il existe à l'époque, en France, des apôtres du taylorisme, des partisans du fordisme et des apologistes du tout-machine, comme André Citroën, à l'évidence, mais aussi Hyacinthe Dubreuil, un syndicaliste qui travailla plus d'un an dans des usines américaines, ou encore, mais de manière plus critique, un économiste comme André Philip[1].

Le rejet de l'« américanisme » est quasi unanime de la part des « non-conformistes des années 30 », si bien désignés par Jean-Louis Loubet del Bayle[2]. Et pourtant, ceux-ci furent moins novateurs qu'on ne l'imagine, puisqu'une ébauche de leur thèse centrale avait déjà été formulée par des universitaires de la génération précédente. La conclusion de l'ouvrage d'André Siegfried, analysé au chapitre précédent, permet d'illustrer ce point. L'ultime chapitre du livre, intitulé « Civilisation européenne et civilisation américaine », oppose en fait deux modèles de société pour mieux exprimer, sur le mode nostalgique, une vigoureuse défense des valeurs économiques, sociales et culturelles de la vieille Europe. S'il existe un écart entre les deux modèles de société, explique Siegfried, il n'est pas de degré mais de nature. Tout en admettant que de grands progrès ont été réalisés aux États-Unis, l'auteur déplore leurs conséquences sur des individus qui auraient perdu leurs « privilèges ». En effet, ce qui est apprécié en Europe — le luxe, l'esthétique, l'artisanat, le travail bien fait — a été remplacé aux États-Unis par des objets produits en série et destinés à la consommation courante[3]. Le système productif américain rabaisse l'homme au nom d'un idéal encore inconnu en Europe :

> Toutes les énergies, y compris celles de l'idéal et presque celles de la religion, concourent à ce même but productif : on est en présence d'une société de rendement, *presque d'une théocratie de rendement,* qui vise finalement à produire des choses plus encore que des hommes[4].

Les grands mots sont lâchés — « une théocratie de rendement » — qui évoquent de façon dramatique la mort de Dieu et de l'humanité tels qu'on les conçoit en Europe. Certes, l'utilisation de l'adverbe « presque » permet d'atténuer le scandale, de donner l'impression d'un léger doute scientifique, mais la suite de l'argument confirme bien la réalité de la chose.

Les nouveaux modes de production américains ont, en effet, irrévocablement détruit ce qui fait d'un individu plus qu'un élément quantifiable :

un homme unique, capable d'inventer et de sculpter sa propre personnalité. Car, il faut bien le constater, « ce confort à la portée de tous, qui vaut à chaque ouvrier sa maison, sa baignoire et son auto, se paie d'un prix presque tragique, celui de millions d'hommes réduits à l'automatisme dans le travail ». Le productivisme est un scandale parce qu'il est un antihumanisme. L'artisan savait créer avec toute sa personnalité ; il laissait sa marque sur l'objet, il faisait même preuve d'un certain « raffinement », inséparable d'une conception aristocratique du travail. L'ouvrier, en revanche, n'est qu'un instrument au service d'une fin dont la maîtrise lui échappe complètement : la « production en série[5] ».

Dans sa préface à l'ouvrage d'André Philip sur *Le Problème ouvrier aux États-Unis*, André Siegfried porte plus loin l'analyse. Il se demande si, tout compte fait, les Français n'ont pas « une conception plus religieuse de la vie que [les] descendants des puritains », puisque le taylorisme, l'usine « fordisée » et ses conséquences désastreuses — la passivité, la monotonie et la standardisation de l'individu lui-même — révèlent le triomphe de valeurs matérialistes, radicalement opposées aux nôtres. Au fond, insiste Siegfried, « aux États-Unis, *la production est la religion suprême*[6] ».

Le thème, encore neuf en 1927, de la supériorité de la qualité sur la quantité deviendra un lieu commun de la littérature des années 1930. Le manifeste d'*Ordre nouveau*, le mouvement de jeunes intellectuels regroupés autour d'Arnaud Dandieu, Robert Aron, Denis de Rougemont, Henri Daniel-Rops et Alexandre Marc, défend ainsi le « travail qualitatif et créateur de valeurs nouvelles » contre le « travail quantitatif, parcellaire et indifférencié » produit par une autre civilisation qui, en privilégiant un mode de production aveugle, écrase les « valeurs supérieures de la personnalité humaine[7] ». La défense de l'artisan annonce ici l'ébauche d'une théorie du « personnalisme », construite à partir d'une proposition frappante : la machine doit exister pour la personne et non la personne pour la machine. Bref, il s'agit bien de mettre à bas l'individu abstrait pour affirmer, tout de go, « la primauté de l'homme sur la société[8] ».

*

Quantité contre qualité, confort contre liberté de l'esprit, conformité contre intelligence, artisanat contre travail à la chaîne, l'écart entre les deux modèles de civilisation — l'américaine et l'européenne — est à l'évidence immense ; il s'agit bien d'une différence de nature... Dans cette optique, l'expérience européenne s'inscrit dans ce que j'appellerai une *modernité des Anciens*, une sorte d'âge d'or donnant une grande place à l'homme conçu comme agent de production, mais aussi comme fin en soi, alors qu'au même moment apparaît en Amérique une autre modernité, celle des *Machines*, capables, comme le dit Siegfried, d'« enrôler dans la conquête matérielle l'individu tout entier ». Or, les deux civilisations ne sont pas sans influence l'une sur l'autre ; elles correspondent en fait à « deux âges successifs de notre humanité occidentale ». D'où un certain effroi devant la contemplation d'une modernité qui préfigurerait la nôtre[9].

La conclusion des *États-Unis d'aujourd'hui* posait bien les termes d'un débat qui devait tourmenter l'intelligentsia des années 1930. Mais le livre laissait le lecteur sur sa faim : il n'offrait pas de solution au déclin de la vieille Europe dont le modèle productif, à lire Siegfried, était voué tôt ou tard à disparaître. Le projet politique d'une nouvelle génération d'intellectuels réunis dans des mouvements ou des revues aux noms révélateurs — *Ordre nouveau, Esprit, Plans, Troisième Force* — était d'une autre nature. Il ne s'agissait plus, alors, d'exprimer une nostalgie pour une certaine modernité des Anciens, mais, bien au contraire, de résister à une évolution qui n'était pas perçue comme inéluctable. Il fallait réfléchir aux causes de la décadence de l'Europe pour tenter d'infléchir l'avenir annoncé. Il fallait des solutions nouvelles, des solutions radicales et même, pour certains, des solutions révolutionnaires pour sortir l'Europe de l'étau qui l'écrasait entre le productivisme américain, d'une part, et son avatar léniniste, de l'autre[10].

L'issue proposée — le Personnalisme, l'Ordre nouveau, la Troisième Force — ne paraissait crédible que si la charge contre le capitalisme américain était forte, voire outrancière. C'est ici que la question religieuse prend une grande importance. Pour mieux imposer leurs idées, les nonconformistes des années 1930 n'hésitèrent pas en effet à mettre en scène, dans toute son horreur, le spectacle de la mort de Dieu aux États-Unis. Ils furent brillamment aidés dans cette tâche par des romanciers dont les témoignages vécus semblaient donner plus de crédit encore aux propos des doctrinaires d'une renaissance du spiritualisme européen.

*

Pour les plus virulents des non-conformistes, la guerre de 1914, la crise de 1929, la « grande angoisse capitaliste » qui en résulta ne sont pas les causes premières du nouveau désordre mondial, mais les conséquences, ou plutôt les symptômes d'une maladie plus ancienne, repérable aux États-Unis dès leur fondation[11]. Cette maladie insidieuse a déjà atteint l'Europe ; elle s'apprête à toucher le reste du monde si l'on n'y prend garde. Loin d'être une simple fièvre provoquée par un agent pathologique extérieur et facilement curable, la maladie est structurelle. C'est un « cancer » du corps social, qui ne crée pas seulement une « déchéance physique ou économique » mais aussi et surtout une « aberration du spirituel ». Ses manifestations sont facilement identifiables : la construction d'un monde abstrait et artificiel, ignorant tout, par définition, des « réalités charnelles et sentimentales », et chassant de la vie humaine toute passion véritable, bref un monde marqué par l'« étouffement des désirs[12] ». Quelle en est la cause ? Elle est, paradoxalement, religieuse, même si elle conduit *in fine* à une sortie complète de la religion. Tout commence, en effet, avec un « ordre puritain » recruté à Genève, à Wall Street ou à la Maison-Blanche, dont la seule ambition est de « stériliser » le monde, pour mieux le « dévaster ensuite », si l'on en croit Aron et Dandieu, les auteurs de l'ouvrage le plus anti-américain des années 1930[13].

Mais s'il faut prendre le mal à sa racine, on doit bien constater que Calvin et les puritains du Nouveau Monde ne sont pas les seuls ou les principaux coupables. Le vrai coupable ici est Descartes, préviennent les fondateurs d'*Ordre nouveau* dans un autre ouvrage paru un peu plus tôt la même année[14]. Descartes, selon ces auteurs manifestement marqués par les courants antirationalistes des années 1930 — Bergson et Sorel en France, Husserl, Scheler et Heidegger en Allemagne —, est à la source de toutes les misères du monde moderne. Un Descartes perverti et abâtardi, il est vrai, mais Descartes tout de même. Que peut-on reprocher au philosophe ? Son goût pour l'abstraction, son culte de la raison, sa volonté de mesurer précisément les objets (que l'on songe aux coordonnées cartésiennes), son individualisme excessif, sa méthode coupée du monde des passions et de l'émotion… Descartes serait l'inventeur de la modernité américaine, d'où ces raccourcis frappants qui émaillent ce livre charge : « Taylor et Ford sont les fils spirituels de Descartes » ; il y a une « parenté » évidente et forte entre la méthode de Descartes et « la méthode standard de Detroit » ; « L'Amérique […], c'est Descartes descendu dans la rue[15]. »

La caricature de Descartes et de l'Amérique est digne des *Temps modernes* de Charlie Chaplin, lorsque nos deux auteurs résument ainsi leur argument :

> De Descartes à Ford, cela veut dire : de l'individu isolé forgeant avec passion l'outil rationnel de compréhension et de conquête, aux individus encasernés, répétant dans des usines rationalisées les mêmes gestes machinaux d'un labeur qui les dépasse. Cela veut dire que Descartes est à l'origine d'une épopée humaine dont nous voyons l'aboutissement gigantesque mais dégradé[16].

Que reste-t-il, dans ces conditions, du sentiment religieux aux États-Unis ? Rien, ou presque. Descartes et sa filiation américaine ont bien lancé un « processus de sortie de la religion[17] » avec un dogme athée, des dieux abstraits vidés de toute substance et surtout une religion civile fort différente de la religion telle qu'on l'entend habituellement. Un seul dogme existe aux États-Unis : le primat de l'économie. Un seul culte : la raison aveugle. Une seule mystique : la production. Et l'objet de l'adoration des masses n'est pas le Dieu des religions monothéistes mais un nouveau paganisme industriel fondé sur les « dieux abstraits » du crédit, de la production, des « catégories rationnelles, implacables et inhumaines ». La nouvelle foi dans les vertus du capitalisme est inséparable d'une discipline féroce de nature policière. Tout, en effet, est soumis à une surveillance tatillonne de chaque instant, selon la méthode rationnelle empruntée à Descartes. Il en résulte la surveillance des moindres faits et gestes des ouvriers et des employés, d'innombrables contrôles de production, l'imposition de standards stricts, définis selon les principes du *scientific management*, la collecte de statistiques, etc. Tout cela est rendu possible par la mise en place d'un immense dispositif d'espionnage où cadres et employés se comportent, sans même s'en rendre compte, en policiers[18].

La même discipline de fer est imposée aux élèves des écoles, dès leur plus jeune âge, grâce au développement d'un enseignement expérimental, destiné à tester indéfiniment leur intelligence à partir des « applications monstrueuses des principes de Binet et des behavioristes ». De l'éducation à la production en série, le pas sera vite franchi, l'intelligence étant réduite à une « activité aussi automatique et contrôlable que possible, sous le signe de la bienveillance et d'une apparente liberté ». C'est ainsi que l'école américaine prépare les élèves « aux rigueurs insupportables du travail à haut rendement et à haut salaire, tel que l'ont organisé les Taylors et les Fords[19] ».

S'il y a une religion aux États-Unis, c'est donc la « religion du succès » qui réduit les individus à des éléments identiques, dont les activités créatrices se ramènent à une multitude de petits contrôles, avec ce résultat affligeant : le dégoût de l'effort spirituel et, implicitement, le rejet de toute valeur transcendantale et de toute référence au divin. On entre bien, avec ce type de raisonnement, dans une logique nietzschéenne de la mort de Dieu. Que reste-t-il alors de la religion ? Plus rien, car une pseudo-religion — la religion du succès — s'est substituée à la vraie religion. « Devant elle, écrivent Aron et Dandieu, l'autre religion, la vieille, s'efface discrètement et en souriant. Réduite à une espèce de conte de fées qu'on relit aux heures tristes de la vie, elle paraît encore trop affective, trop individuelle et pour tout dire trop irrationnelle, pour qu'on puisse sérieusement appuyer sur elle le mythe de la production[20]. »

*

Le groupe « Esprit », réuni autour de la forte personnalité d'Emmanuel Mounier et de ses premiers collaborateurs (George Izard, Nicolas Berdiaeff, André Déléage, Jean Lacroix), ne se préoccupe plus de donner des explications savantes au mal américain. La cause est entendue : l'Amérique est rongée par un « cancer » que confirme le témoignage de nombreux visiteurs français. Il est désormais convenu de diaboliser le capitalisme américain comme un pur matérialisme qui envahit l'espace public et sécrète une inhumaine pensée bourgeoise, exécrée par tous. Pourquoi donc ? Parce qu'elle produit en Amérique, comme dans la France des années 1930, « un poison qui stérilise nos âmes » et transforme les hommes en robots vivants, tels des esclaves qui « marchent au pas, dans une révolte technique vers une nouvelle inhumanité », précise Mounier dans un article choc destiné à présenter les idées du mouvement *Esprit* aux lecteurs de la *Nouvelle Revue française*[21]. Dans sa correspondance privée, Mounier dénonce cette « effrayante montée de l'argent et de la machine[22] », dénonciation reprise de façon plus dramatique encore dans un prospectus paru la même année pour annoncer le lancement de la revue *Esprit* : « Le capitalisme réduit une foule croissante, par la misère ou par le bien-être, à un état de servitude inconciliable avec la dignité de l'homme ; il oriente toutes les classes de la société et la personnalité tout entière vers la possession de l'argent ; tel est le désir dont est gavé l'âme moderne[23]. » Privé d'âme, ou âme gavée d'argent, l'individu de la société capitaliste a cessé d'être un homme ; il est entièrement soumis à la tyrannie de la matière, et la seule foi qui lui reste est « foi en la matière ». Cet état de choses caractérise aussi bien le capitalisme que le marxisme, ce « fils rebelle du capitalisme[24] ». Dieu n'existe plus parce qu'il a été remplacé par un usurpateur, l'*argent*, qui « s'est fait Dieu et a imposé son culte ». Ce nouveau culte a des effets redoutables : il dissout le lien social et transforme les hommes en « numéros interchangeables, donc achetables ». Or l'argent, ce signe comptable divinisé, est un faux Dieu et peut-être même l'Antéchrist qui aurait réussi à installer au cœur de l'homme « le vieux rêve divin de *la bête*, la possession sauvage, irrésistible et impunie d'une matière esclave et indéfiniment extensible sous le désir[25] ».

L'explication repose sur une série d'oppositions binaires : avarice/don de soi ; matière/esprit ; capitalisme/matérialisme ; individualisme/collectivisme ; Christ/Antéchrist et, implicitement, États-Unis/Union soviétique. À première vue, ces oppositions reposent sur des valeurs contraires et également détestables. En réalité, le lecteur de ces textes fondateurs devine une hiérarchie des contraires, plus clairement explicitée dans la correspondance privée du philosophe. Débarrassé de ses excès, le marxisme dans sa phase prébolchevique incarne une certaine idée de la justice et un « sens de la communion », qui ne sont pas incompatibles avec les principes du christianisme primitif. Toute la question est là : tenter de « réaliser au nom de Dieu et du Christ la vérité que les communistes réalisent au nom d'une collectivité athée[26] ».

En d'autres termes, la sécularisation des sphères publique et privée est trop avancée dans les pays capitalistes pour servir de modèle à la France (et à l'Europe). Reste l'autre modèle, le « matérialisme collectiviste ». Celui-ci, une fois épuré de ses travers les plus choquants et de son athéisme d'État, offre néanmoins l'espoir d'une solution possible : un communautarisme authentique, fondé sur le don de soi aux autres et le goût du service de la collectivité. C'est ici qu'intervient, comme un *deus ex machina*, la thèse du « personnalisme », si chère aux jeunes adhérents du mouvement *Esprit*. Face à l'individu atomisé des sociétés capitalistes, condamné à une éternelle recherche de profit — jamais assouvie, puisque les cycles de l'économie capitaliste génèrent crise sur crise (le krach boursier de 1929 est là pour nous le rappeler) — se dresse la figure opposée de la *Personne*. Il faut, écrit Mounier, « l'écrasement de l'individu » pour précipiter l'avènement d'une seconde Renaissance, fondée sur l'épanouissement de la Personne[27]. Le mot « écrasement » n'est pas anodin, car celui qu'on écrase, dans la théologie catholique, est toujours Satan, et comme le précise Mounier dans un article destiné à une revue catholique américaine, « *individualism is at the root of the evil* » (l'individualisme est à la racine du mal)[28].

La description du capitalisme moderne proposée par Mounier et ses amis se situe donc aux antipodes des thèses d'un Max Weber qui prétendait découvrir, derrière la recherche effrénée du profit et d'une productivité toujours plus grande, un véritable *ethos* du capitalisme, exigeant, ascétique et inséparable de l'accomplissement d'une profession vécue si intensément qu'elle portait en elle le signe d'une assurance de salut[29]. La solution proposée par Mounier, la révolution personnaliste, rejetait presque toutes les valeurs issues de la Réforme. Seuls comptaient le dépassement de l'individu, le don de soi et la dénonciation de tous les égoïsmes bourgeois...

LA TENTATION MILLÉNARISTE

Face au drame de la France occupée, à une époque où la victoire des Alliés contre les puissances de l'Axe était incertaine, Mounier désespère et il imagine un retour inattendu du religieux, que j'appellerai sa « tentation millénariste », un phénomène fréquent dans l'histoire des religions, souvent associé au fondamentalisme protestant, mais rarement observé en pays catholique.

Dans ses « Entretiens » de mai 1941, Mounier affirme ne pas vouloir « exclure l'issue apocalyptique[30] ». Pour clarifier sa pensée, il met en scène trois figures symboliques qui nous sont déjà familières : les *Anciens*, les *Modernes* et les *Barbares*[31]. Chacun des termes du triangle renvoie aux deux autres, au gré d'un jeu complexe d'analogies et de raccourcis historiques. Les Anciens, pour lui, évoquent les habitants de l'Empire romain décadent, y compris ces chrétiens qui croyaient naïvement que l'Empire allait perdurer. Les Modernes étaient ses contemporains, chrétiens ou non, qui s'imaginaient eux aussi que le régime capitaliste et sa pseudo-démocratie parlementaire étaient conçus pour durer. Pour les uns comme pour les autres, « les Barbares étaient le mal absolu ». Néanmoins, d'autres Anciens, et d'autres Modernes, des esprits libres et aventureux réalisèrent que l'arrivée des Barbares représentait peut-être une chance, le signe d'une renaissance ou d'un « Avènement » millénariste. À Rome, certains novateurs avaient compris que les Barbares venaient pour « écraser l'homme païen afin que la grâce nouvelle trouvât son chemin[32] ». À Paris — comme à Berlin —, d'autres novateurs étaient en droit de se demander s'ils ne voyaient pas se réaliser sous leurs yeux la prophétie des plus exaltés : « Ne disions-nous pas, il y a quelques années, que nous ne sortirions de l'homme bourgeois [*sic*], de l'Église bourgeoise, que par le fer et par le feu ? Les temps ne sont-ils pas venus ? Ne serait-ce pas le sens d'une victoire totalitaire[33] ? »

Dans un autre entretien réalisé quelques jours plus tard, Mounier, plus explicite encore, approfondit son dessein eschatologique, tout en réalisant qu'il prend le risque de l'incompréhension et même celui de laisser des traces qui pourraient lui être reprochées. Il n'hésite pas cependant à poser la question choquante par excellence : « Pourquoi ne serait-ce pas le fascisme qui accoucherait de l'Europe nouvelle ? » Car s'il faut se placer au niveau de l'histoire, il faut bien admettre qu'elle porte en elle de terribles ambiguïtés : « Elle manifeste une tactique permanente d'instauration du bien par le mal, de la mesure par l'aberration[34]. » Et dans une démarche nietzschéenne, qui rappelle le discours des partisans d'*Ordre nouveau*, Mounier, tout en rejetant l'idée même d'une collaboration avec l'envahisseur, reconnaît qu'il y a dans la victoire allemande un dynamisme, une énergie, une « force expansive impressionnante » qu'il est possible, néanmoins, d'admirer. D'où ce paradoxe insoutenable, mais quand même exprimé : les idéaux des nouveaux Barbares offrent « une parenté plus profonde » avec les nôtres qu'avec ceux de « certains alliés[35] ». L'Amérique, sans être expressément nommée, laisse pourtant deviner ici sa présence…

Mais qu'on ne s'y trompe pas ! La révolution envisagée par Mounier est conçue pour vaincre le nazisme, aucun doute là-dessus. La question qui tourmente le fondateur d'*Esprit* concerne l'après-nazisme. Ne faudra-t-il pas récupérer, en les canalisant, certaines valeurs développées outre-Rhin ? La réponse est positive : « Que le monde occidental doive subir une révolution profonde, que certaines des valeurs exaspérées ou déviées dans le nazisme doivent y jouer leur rôle, c'est incontestable[36]. » Redresser les valeurs prônées par les nazis ? Le programme, certes compromettant, avait sa logique apocalyptique fondée sur une très discutable analogie avec la fin de l'Empire romain : aux nouveaux cadres de Vichy d'imiter le comportement des nouveaux chrétiens du Ve siècle après notre ère. Qu'ils s'emparent, comme eux, de « la force intacte [...] des cœurs barbares[37] » !

La même tentation apocalyptique sera exprimée, un an plus tard, après la bataille de Stalingrad, par les amis de Mounier. Mais elle change radicalement de sens, selon le témoignage d'un fréquent collaborateur d'*Esprit*, le poète Pierre Emmanuel. Cette fois, les Barbares étant apparemment vaincus, l'Union soviétique tient le rôle de l'Ange de l'Apocalypse, ouvrant ainsi la voie vers une relecture philocommuniste de l'histoire européenne :

> [Notre] folie mystique, se souvient Pierre Emmanuel, allait de pair avec le sentiment que l'ancien monde, incapable de se trouver aucune raison de survivre, était voué à disparaître dans la crise nihiliste de l'Europe néo-nazie. Quand les secoue le frisson de l'an mil — cet ébranlement exaltant et terrible qui suscite des pierres mêmes l'esprit de la prophétie — les âmes ne pensent plus par raisons, mais par visions. Le moment vint pour moi — ce fut je crois à l'époque de Stalingrad — où la Russie cessa d'être un objet de raison pour devenir objet de vision. Je sortais ainsi de l'histoire pour entrer dans l'eschatologie[38].

On comprend mieux qu'une lecture prémillénariste de l'histoire moderne ne soit pas l'apanage exclusif des adeptes américains du fondamentalisme protestant. Elle existe aussi en pays de vieille culture catholique, à des époques de désespoir ou d'angoisse profonde. Pour être pleinement compréhensible, elle présuppose l'acceptation des vertus du christianisme et l'attente explicite ou implicite de la « Cité sainte, Jérusalem nouvelle, qui descendait du ciel, de chez Dieu[39] », promise par l'Apocalypse de Jean.

*

L'argument des essayistes et des philosophes a d'autant plus de poids qu'il répète, avec moins d'artifice et de style, ce que les romanciers n'ont cessé de dénoncer avec une verve tantôt comique, tantôt haineuse : les méfaits du machinisme américain sur fond de querelle entre la vieille Europe et la nouvelle Amérique. Je ne retiendrai ici que quelques récits de voyage effectués dans les années 1930 aux États-Unis : ceux de Georges Duhamel et de Louis-Ferdinand Céline.

Pour Duhamel, la querelle des Anciens et des Modernes est un conflit fondamental entre deux types de civilisations radicalement opposées. L'une, l'européenne, s'efforce encore, malgré le traumatisme de la Grande Guerre, de définir une éthique capable de rendre les peuples plus humains ; l'autre, l'américaine, est « mécanique avant tout[40] ». Elle a pour fondement quatre industries principales : la mine, l'aciérie, l'usine à papier, l'abattoir — quatre chefs-d'œuvre de standardisation réussie selon les principes de MM. Ford et Taylor, dont

Duhamel dresse un tableau cauchemardesque[41]. S'il y a un Dieu dans l'Amérique de Duhamel, c'est comme l'a bien vu Philippe Roger, le grand « Moloch machinique[42] ». Rien n'échappe à son emprise et toute l'énergie humaine est destinée à nourrir le Moloch dans une économie du désir qui crée sans cesse de nouveaux besoins. Loin de libérer l'homme de sa peine, les machines, mêmes les plus utiles, sont là pour faire de lui un esclave, obligé de produire toujours plus pour consommer encore plus, dans un cycle infernal d'envies provoquant de nouveaux désirs. Quelle place donner à l'homme et à la religion dans une telle « dictature industrielle et commerciale[43] » ? Une place restreinte, assurément, car les hommes n'ont plus qu'un seul désir : réussir à tout prix et surtout s'enrichir pour acheter des objets inutiles ou superfétatoires. Tout est question d'argent :

> Les êtres qui peuplent aujourd'hui les fourmilières américaines [...] réclament des biens palpables, incontestables, dont l'usage leur est recommandé, mieux encore : *prescrit par les divinités nationales*. Ils veulent, frénétiquement, des phonographes, des appareils de TSF, des magazines illustrés, des cinémas, des ascenseurs, des frigidaires, des autos, des autos, encore des autos. Ils veulent posséder, le plus vite possible, tous ces objets si merveilleusement commodes et dont ils deviendront, aussitôt, par un étrange retour de choses, les esclaves soucieux. Ils n'ont pas d'argent ? Pas encore assez d'argent ? Qu'importe ! Le principal est de vendre, même à crédit, surtout à crédit. Le commerce américain connaît la ma-

nière de reculer sans cesse les limites du marché, de remettre sans cesse au lendemain la menaçante saturation[44].

Qui sont ces « divinités nationales » dont l'influence est si grande ? Il suffit de se reporter à un autre chapitre des *Scènes de la vie future* pour tout comprendre. Il s'agit de ces grands placards et autres « pachydermes de la publicité » qui, « avec une obstination, une sérénité parfaitement mécaniques », se remettent la nuit à leur « besogne d'endoctrinement et d'intimidation[45] ». On est bien là en présence d'un « nouveau culte », imposant aux hommes une « burlesque masturbation visuelle » dont les effets rapprochent de la folie avec « ces bruits haïssables, ces lumières dévergondées, ces propositions insolentes, ces injonctions cyniques, ces manques d'égards, ces intrusions, ces obsessions, ces indélicatesses, ces importunités, ces insultes[46] ».

Et s'il y a encore des églises aux États-Unis, elles ne sont pas situées là où on le croit et là où on les voit. Les seuls véritables lieux de culte sont de deux ordres, les uns consacrés au travail, les autres aux loisirs. La « cathédrale du commerce » relève du premier genre. On y pratique des rites sévères pour accomplir des « prodiges de rationalisation », inséparables de cette « chiche mesure de toute minute », qui rend le travail à la chaîne si triste et si répétitif[47]... Quant à la religion des loisirs, elle se pratique principalement dans ces « nouveaux temples » dispersés sur l'ensemble du territoire des États-Unis — les grands stades de football américain —, les seuls lieux de réunion qui permettent à des foules en liesse d'exprimer une étonnante ferveur, pour communier dans l'expérience du bain de foule et pour goûter aux délices des « grands troupeaux [...], des essaims, des fourmilières[48] ».

Le mystère de la foi aux États-Unis serait donc de nature entomologique. Cela explique sans doute les innombrables références aux fourmis, aux termites, aux abeilles... dans les *Scènes* de Duhamel. L'auteur se risque même à énoncer un fantasme d'entomologiste lorsqu'il interpelle les « biologistes » du Nouveau Monde pour les inciter à pousser un peu plus loin leurs expériences de sélection naturelle : « Inventez l'homme-outil, comme vous avez inventé le bœuf de labour, la vache à lait, la poule pondeuse et le cochon gras[49]. » Voilà à quoi pourraient conduire les excès de la civilisation américaine, dont les effets se font déjà sentir dans le Vieux Monde[50].

L'avenir apparaît sombre, d'autant que Duhamel n'offre pas d'issue crédible à la crise de l'Europe. C'est bien, d'ailleurs, ce que lui reprochent les non-conformistes des années 1930. Plus grave encore, il n'a même pas saisi la nature « profondément morbide » du mal américain. Trop archaïque, trop attaché aux valeurs de la France rurale — au vigneron, au producteur de fromage, à l'artisan — le docteur Duhamel, estiment Aron et Dandieu, a raté son diagnostic. Il n'a pas compris que l'*américanisme* est une maladie sérieuse qui, par excès de machinisme ou d'artificialisme, porte atteinte à l'« équilibre vital » des sociétés humaines et annonce la catastrophe : la mort probable de l'« instinct vital », sans lequel aucune société humaine ne saurait survivre. Mais il n'y a pas de fatalité, pour les dirigeants d'*Ordre nouveau*, à condition que les Européens récusent la technique aveugle et redécouvrent, dans toute sa splendeur, « la force agressive et créatrice » de l'*Esprit*[51].

Un critique comme Maurice Blanchot ne peut s'empêcher d'ironiser sur la galéjade du bon docteur qui voulait défendre l'Homme, mais oubliait d'en parler. Ennemi de la machine, Duhamel n'hésite pas à en faire un coupable. En lui accordant une excessive prééminence, il en fait « une idole d'une puissance inouïe », capable de tout détruire, sans pouvoir imaginer les moyens d'une résistance salutaire[52].

Emmanuel Mounier, dans une autre recension des *Scènes de la vie future*, parue la même année, est tout aussi sévère. Duhamel a eu raison de dénoncer la Barbarie américaine et de lui donner un nom : « l'américanisme ». Mais il n'en tire pas les conséquences qui s'imposent. Face au « développement idolâtrique du mécanisme », il faut impérativement redécouvrir ce qui est proprement humain : la vie, l'initiative, le spontané[53]... Comme les fondateurs d'*Ordre nouveau*, Mounier pousse un cri d'alarme contre les faux dieux du machinisme ; il appelle de ses vœux le retour du vrai Dieu, des vraies valeurs spirituelles et, on l'a vu, de la *Personne*, enfin restaurée dans sa plénitude. Seul un acte de résistance inouïe — un ordre nouveau, un personnalisme, une seconde

Renaissance — pourra enfin délivrer la vieille Europe de la Barbarie américaine. Ces objectifs, on l'a vu également, devaient être déjoués par l'irruption d'une barbarie autrement plus redoutable, celle du nazisme conquérant.

*

Une fois les forces de l'Axe vaincues, tout portait à croire que les intellectuels français auraient une meilleure appréciation des vertus du productivisme américain et de l'énorme effort logistique déployé par les troupes alliées pour libérer l'Europe du joug nazi. Mais ce productivisme-là est peu commenté et certains auteurs, parmi les plus réputés et les moins soupçonnables de collaboration, ressassent *ad nauseam* leur effroi face au machinisme américain, comme si rien n'avait changé depuis les années 1930. Le « Moloch technique[54] » reste américain et il menace l'avenir même de l'humanité.

BERNANOS, SARTRE ET LES ROBOTS

Georges Bernanos — résistant de la première heure, soutenant depuis Rio de Janeiro où il est installé une campagne de presse contre la France de Vichy — est intarissable à ce sujet. La France, c'est sa grande faiblesse, est menacée par « l'invasion de la Machinerie[55] ». Ce dispositif a pour origine la machine à tisser le coton, inventée à Manchester en Angleterre et perfectionnée depuis sous d'autres formes et pour d'autres usages aux États-Unis. D'où ce nouvel impératif catégorique forgé aux États-Unis : « Technique d'abord ! Technique partout[56] ! » La vieille civilisation française, la plus raffinée de toutes, est confrontée, plus que jamais, à la civilisation des machines dont l'effet principal et absolument imparable est « la liquidation de toutes les valeurs de l'esprit[57] ». La civilisation des machines, à y regarder de près, est la première civilisation matérialiste au monde. Elle se prétend civilisée, mais elle n'est en fait qu'une barbarie, plus cruelle encore que celle des Sauvages, car elle « ignore ou refuse les hautes disciplines intellectuelles qui font l'homme digne du nom d'homme[58] ». Elle pousse donc l'homme au nihilisme ; elle l'accule au plus abject des renoncements, comme s'il était possédé par un autre que lui dans un monde privé d'espérance, abandonné par Dieu : « L'homme a fait la machine, et la machine s'est faite homme, par une espèce d'inversion démoniaque du mystère de l'Incarnation[59]. »

Rédigés pour la plupart entre 1944 et 1948, ces commentaires de l'écrivain catholique font manifestement écho, en les durcissant, aux fantasmes antitechnicistes des anticonformistes des années 1930. Ils préfigurent les formes les plus virulentes de l'anti-américanisme des années 1970-1980, lorsque est posée, comme une équation indiscutable, la formule : « Le capitalisme et le totalitarisme ne sont que deux aspects de la primauté de l'économique[60]. » Or le primat de l'économique et de la technique constitue, aux yeux de l'écrivain, le propre même de l'inhumanité :

> [Le monde de la technique] ne se construit pas, il donne l'illusion de se construire parce qu'on y tronque, mutile, retranche tout ce qui appartenait jadis à l'homme libre, tout ce qu'on avait fait à son usage et qui pourrait rappeler demain, au *robot totalitaire*, la dignité qu'il a perdue, qu'il ne retrouvera plus jamais. À grand renfort de machines démolisseuses, perforatrices, excavatrices, et d'explosifs perfectionnés, les démolisseurs déguisés, portant le nom de constructeurs sur la casquette, sont en train d'organiser un monde à l'usage d'un homme qui n'existe pas[61].

Ce monde sans homme et sans Dieu n'est pas l'Enfer, selon l'imagination fertile de l'auteur, mais bien plutôt le Rien, le Froid, l'Inhabitable... À quoi servira le Robot totalitaire, le nouveau Léviathan du monde moderne ? À rendre le monde à venir aussi peu habitable pour le chrétien que celui des grandes glaciations pour les mammouths[62].

La meilleure preuve de l'ultime perversion de la civilisation américaine, qui n'est, après tout, qu'une « contre-civilisation », est la fabrication sans cesse réitérée d'armes nucléaires, toujours plus puissantes et plus perfectionnées. Or, qu'est-ce que la bombe atomique si ce n'est une supermachine qui pourrait, un jour, détruire toutes les machines et toutes les civilisations existantes ? « Car enfin, conclut Bernanos, il n'est pas un d'entre nous qui n'ait déjà fait le rêve, ou le cauchemar, d'une explosion totale de tous les continents par une bombe atomique mal réglée[63]. »

Le seul auteur en vogue qui garde la tête froide est Jean-Paul Sartre, aussi surprenant que cela puisse paraître à ceux qui ont gardé le souvenir de l'apostrophe fameuse : « L'Amérique a la rage ! » Un Sartre encore fasciné par l'Amérique, après son premier voyage initiatique au début de l'année 1945[64]. Se démarquant du pessimisme radical des humanistes chrétiens, comme Mounier ou Bernanos, Sartre croit trouver en Amérique les traces d'une authentique liberté, là où on s'y attend le moins : dans le travail à la chaîne. Partant d'une analyse très hégélienne des rapports entre maître et esclave, Sartre s'intéresse à la nouveauté des rapports construits entre industriels et ouvriers. Comme André Siegfried, André Philip ou Arnaud Dandieu avant lui, Sartre décrit bien tous les travers du taylorisme moderne : l'ouvrier répète cent fois par jour les mêmes gestes ; il se sent transformé en objet et croit perdre la « liberté intérieure de penser ». De cette expérience pénible et répétitive, Sartre tire cependant un enseignement inattendu. Le taylorisme, en effet, « offre une amorce de libération concrète », car il détache l'ouvrier de son vieil asservissement aux caprices du maître. L'ouvrier, dorénavant, n'a plus « le souci de plaire au maître ». Son travail, certes, n'est pas choisi et ce qu'il produit ne lui appartient pas. Mais parce qu'il produit quand même des objets en transformant la matière, il dispose du « gouvernement des choses », qui constitue la première ébauche de son émancipation réelle[65].

Poussant plus loin encore le paradoxe et dénonçant implicitement les thèses pessimistes d'un

Bernanos, Sartre prétend que la possession de l'ultime machine, l'arme nucléaire, est, contrairement aux apparences, parfaitement libératrice. Les Cassandres, explique Sartre dans *Les Temps modernes,* vivent une angoisse permanente. Ils craignent que le mauvais usage de la bombe ne précipite l'humanité à la veille de l'an mille ; ils annoncent la mort de l'homme après la mort de Dieu : tout peut sauter d'une minute à l'autre... Or, déclare Sartre, l'ère nucléaire ouvre un nouvel espoir, fondé sur la plus radicale des libertés : la liberté de décider de son propre avenir : « Au moment où finit cette guerre, la boucle est bouclée, en chacun de nous l'humanité découvre sa mort possible, assume sa vie et sa mort. » L'homme est donc libre parce qu'il « n'a plus à compter que sur lui » et sa survie dépend d'un nouveau pari pascalien qu'il reste à assumer : parier sur l'impossibilité d'une guerre totale et agir en conséquence[66].

*

Existe-t-il encore un Dieu d'Amérique ? Dieu est mort, nous dit Sartre, puisque l'humanité est désormais seule responsable de son destin. Dieu est mort aux États-Unis, prétend Bernanos : il a été remplacé par le Moloch technique. Dieu est mort pour le capitaliste comme pour le communiste, affirmait Mounier, puisqu'ils cherchent désespérément, l'un comme l'autre, le Paradis sur terre. Le Dieu chrétien, laissent entendre Aron et Dandieu, s'est effacé devant les dieux abstraits du crédit et de la production... Qui rend encore hommage à Dieu en Amérique du Nord ? Le romancier, Céline, croit apporter la bonne réponse lorsqu'il décrit, avec une ironie mordante, le voyage de Bardamu à New York, et surtout sa traversée du quartier de Wall Street à Manhattan. Première constatation : « On n'y entre qu'à pied comme dans une église. » Deuxième constatation : tout y est miraculeux : « c'est un quartier qu'en est rempli d'or », et surtout on y entend le léger bruissement des ailes de l'Esprit Saint, le « bruit du dollar qu'on froisse [...] plus précieux que du sang ». Bardamu entre donc dans le Saint des saints, pour y rencontrer des employés « qui gardaient les espèces ». Il n'est pas, découvre-t-il, le seul communiant : « Quand les fidèles entrent dans leur Banque, faut pas croire qu'ils peuvent se servir comme ça selon leur caprice, pas du tout. Ils parlent à Dollar en lui murmurant des choses à travers un petit grillage, ils se confessent quoi. Pas beaucoup de bruit, des lampes bien douces, un tout minuscule guichet entre de hautes arches, c'est tout. Ils ne l'avalent pas l'Hostie. Ils se la mettent sur le cœur[67]. »

Le dollar, la technique, la spéculation, le gain : telles sont les variantes du nom de Dieu dans l'Amérique des années 1930, révélées par l'intelligentsia française. Si Dieu il y a, si la spiritualité a encore un sens, s'il existe encore des nations croyantes, protégées par la Providence, c'est en Europe qu'on peut les trouver ; certainement pas en Amérique du Nord, le pays du matérialisme triomphant, le premier monde définitivement désenchanté.

SEXE ET MORALE PURITAINE

Le débat des années 1940 sur le productivisme américain et son implication tragique, la mort de Dieu, ont empêché pratiquement l'éclosion d'une réflexion sérieuse sur la place de la religion aux États-Unis. À défaut d'analyse, les clichés et les vieux stéréotypes français sur le puritanisme américain continuaient à circuler librement.

Les visiteurs français de marque, au lendemain de la Seconde Guerre mondiale, s'interrogent volontiers sur les mœurs des Américains. Imbus d'histoire ancienne, ils croient même découvrir chez les Modernes d'outre-Atlantique la survivance de pratiques dignes des Anciens. Leurs enquêtes fondées sur des ragots, des rencontres de hasard, des perceptions fugaces demeurent passablement impressionnistes. On est très loin de la rigueur scientifique des rapports Kinsey sur le comportement sexuel des Américains[68], ce qui n'empêche pas des jugements péremptoires, comme si le puritanisme anglo-saxon restait pour ces Français la vérité essentielle d'une sexualité éternellement marquée par la morale des Pères pèlerins. Le mythe du puritanisme américain demeure si fort qu'il atteint même les étrangers installés de fraîche date aux États-Unis. C'est en tout cas ce que prétend Sartre lorsqu'il rencontre, en 1945, au cours d'une visite à New York, un compatriote qui tente, timidement, d'engager une conversation grivoise avec le philosophe. L'exilé français, dont le discours est déjà affecté par l'usage d'innombrables américanismes et un accent nasillant plus américain que français, croit bien faire en interrogeant Sartre sur son périple américain : « Il se croit obligé, par instants, de m'envoyer des clins d'yeux coquins en me disant : "Ah ! Ah ! La Nouvelle Orléans, belles femmes"[69] ! » Mais le malheureux, constate Sartre, est déjà rongé par la culture ambiante : l'ébauche d'un discours libertin n'est qu'une façade, le réflexe automatique d'un exilé qui voudrait encore se faire passer pour un Français. En disant « belles femmes », le Français « obéit plutôt à la représentation qu'on se fait du Français en Amérique qu'au désir de se créer une complicité avec un compatriote. "Belles femmes", et il rit, mais à froid, *le puritanisme n'est pas loin*. Je me sens glacé[70] ». Le puritanisme, croit comprendre Sartre, existe aussi dans les mille tabous qui interdisent l'amour en dehors du mariage[71].

Sartre, cependant, est conscient de la possibilité d'un « décalage » radical entre le mythe d'une ascèse puritaine et les pratiques réelles d'une sexualité libertine, hors des liens du mariage : « Et puis il y a ces tapis de préservatifs usagés dans les arrière-cours des collèges mixtes, ces autos arrêtées le soir, tous feux éteints, sur les routes [...][72]. » Le puritanisme a-t-il pour autant disparu ? Rien n'est moins sûr, car l'acte sexuel même serait paradoxalement désincarné, privé de conscience et donc de jouissance réelle, puisque, précise Sartre avec aplomb, « il y a tous ces hommes et toutes ces femmes qui boivent avant de faire l'amour, pour fauter dans l'ivresse et sans mémoire[73] ». Faute de conscience, l'amour, tel qu'il est pratiqué par les Américains, ne serait donc qu'une « dépravation chaste », comme l'affirmait un siècle plus tôt, avec la même assurance, l'écrivain catholique Paul Bourget[74].

Poursuivant l'enquête, une année plus tard, à l'occasion d'une tournée de conférences, Simone de Beauvoir visite les collèges de Smith et de Wellesley. Elle s'intéresse aux mœurs sexuelles des étudiantes et, s'adressant à une vieille demoiselle française qui lui semble particulièrement ouverte d'esprit, lui pose la question indiscrète, déjà soulevée par Sartre : est-il vrai que les jeunes filles « sont si libres, qu'elles ont une vie si désordonnée qu'on trouve, comme je l'ai entendu dire, en certains coins des *campus* des monceaux de préservatifs[75] » ? C'est possible, lui répond-on. Mais l'acte sexuel est-il aussi libre, aussi passionné qu'en France ? Simone de Beauvoir, comme Sartre et comme Paul Bourget à une autre époque, reste perplexe lorsqu'elle cite les propos rapportés par son interlocutrice : « Mlle T. me dit que malgré le nombre et la nature de leurs expériences, toutes ces petites Américaines demeurent par un côté des oies blanches ; devenir femme ne les change pas, ne les mûrit pas : on dirait presque que c'est une opération à laquelle elles ne participent pas[76]. »

L'amour dans sa version américaine serait donc étonnamment chaste et désincarné. L'initiation sexuelle, explique l'écrivain, ne serait qu'un leurre ; au mieux le « prolongement de certains jeux équivoques de l'enfance », bref tout sauf un « accomplissement ». Le vieux stéréotype français des Américains, ces éternels enfants, est reproduit ici dans toute sa splendeur, comme une évidence indiscutable. Le commerce des sexes, tel qu'il est vécu par les étudiants américains, ne révèle pas les relations passionnées de véritables amants. « J'imagine que *les plus grandes audaces demeurent puritaines* et que d'un commun accord garçons et filles dans leur recherche du plaisir s'efforcent de conjurer tous les troubles mystères de la sensualité[77]. »

Simone de Beauvoir, comme Sartre et tant d'autres Français, est donc convaincue du caractère structurant du mythe puritain. Le point de départ de la morale et de la sexualité américaines est bel et bien le puritanisme, ce « Credo auquel adhère aujourd'hui toute l'Amérique[78] ». Il est si puissant qu'il transforme la vie intime des individus et les rend incapables de s'affranchir de la tyrannie du passé. Aucune des manifestations de la modernité américaine n'a effacé le poids du passé, ni les mystères de la finance capitaliste, ni même les « dangereux prodiges du machinisme ». « On ne peut comprendre ni Chicago, ni Los Angeles, ni Houston, si l'on oublie qu'ils sont hantés par les fantômes, importuns, propices, irrités ou complaisants des vieux puritains[79]. »

Un tel essentialisme, fondé sur une lecture singulière de l'histoire des États-Unis, se prolonge jusqu'à nos jours, dans le simulacre d'un rapport sexuel imaginé par un autre visiteur de marque qui, en 2006, cherchait à découvrir l'Amérique en suivant les traces de Tocqueville. Dans *American Vertigo*, Bernard-Henri Lévy va droit au but, lorsqu'il se rend dans un bordel perdu au milieu d'un désert du Nevada, le Chicken Ranch, pour y discuter sexe avec une péripatéticienne. Le visiteur crée, il en convient, un certain effroi lorsqu'il informe sa partenaire qu'il n'est « pas venu pour cela mais pour l'*Atlantic* [*Monthly*], Tocqueville, le sexe en Amérique, etc.[80] ». Entrant dans une chambre « tendue de draps de fortune » et décorée comme un harem, il découvre que le lieu de débauche n'est en réalité qu'une cellule austère où triompherait une sorte d'ascèse du sexe, encadré par un ensemble de normes prophylactiques : « Près du lit, semblable au tableau de température des chambres d'hôpital, un panneau où l'on inscrit, tous les quinze jours, les résultats des tests vénériens et de séropositivité — *le bordel est un lieu d'hygiène*. Sur la table de chevet, en évidence, un choix de préservatifs dont elle exige le port à tous les niveaux de prestation jusques et y compris, m'explique-t-elle gravement, en cas de simple strip-tease : *le bordel est un lieu de safe sex*[81]. » Impossible, à la lecture de ces impressions, d'échapper au vieux stéréotype français de l'amour chaste, ancré dans une éthique protestante, primordiale et envahissante : « Éthique protestante et amours tarifées [...] l'avers et le revers de la même *monnaie puritaine*[82]. » L'auteur renouait ainsi avec Sartre, Simone de Beauvoir et surtout Tocqueville qui avaient cru chacun trouver dans l'éthique puritaine l'essence même de l'Amérique.

Chapitre VII

LE RETOUR DU RELIGIEUX

Dans le chapitre précédent, nous avons mis en évidence un courant historiographique français, précisément circonscrit dans le temps. Il réunissait des auteurs de tempéraments différents, qui annonçaient, chacun à sa façon, la mort de Dieu aux États-Unis, tout en dénonçant avec une hargne singulière l'emprise du machinisme et du productivisme sur la société américaine. Leur critique était inséparable d'un appel à une révolution spirituelle, destinée à restaurer les grandes valeurs humaines, le goût de l'effort, le sens du tragique, la lutte contre le capital et la spéculation. Le matérialisme soviétique était alors pensé comme identique au capitalisme américain et la petite Europe, coincée entre les pinces tentaculaires des deux grandes puissances, était imaginée comme le seul lieu possible d'un retour de l'Esprit.

La Seconde Guerre mondiale mit fin à toute velléité de messianisme européen, sans interdire la possibilité d'un redressement économique et social. Le succès indéniable des « Trente Glorieuses » a démontré que la technique américaine n'était pas aussi inhumaine qu'on l'avait laissé entendre et que l'importation des méthodes du *scientific management*, loin de provoquer les crises apocalyptiques autrefois annoncées par les contempteurs de l'Amérique, produisait dans la durée d'immenses progrès économiques et sociaux. Le débat français sur l'Amérique changeait de registre à partir des années 1950. La politique étrangère était au centre des préoccupations et le rôle des États-Unis dans la guerre froide divisait l'intelligentsia entre philocommunistes et partisans du libéralisme à l'américaine. Le débat portait, d'un côté, sur les dangers réels ou supposés de l'impérialisme américain, de l'autre, sur les méfaits du totalitarisme soviétique. La guerre de Corée, la crise de Suez, la guerre du Vietnam mobilisaient le camp anti-impérialiste, alors que la publication du rapport Khrouchtchev, l'occupation de la Hongrie, puis celle de la Tchécoslovaquie donnaient de nouveaux arguments au camp des antitotalitaires. La question de la religion aux États-Unis ou celle de la place de Dieu dans le discours politique américain n'étaient manifestement pas au centre des préoccupations des intellectuels français.

La crise du Watergate et la démission de Richard Nixon, puis l'élection de Jimmy Carter marquent un tournant dans les perceptions françaises de l'Amérique. Le débat américain sur l'« immoralité » des agissements de Nixon surprend beaucoup de Français et l'élection de Jimmy Carter, ce « *self-made man* passionné d'électronique en même temps que de la parole de Dieu », étonne encore plus. Décidément, la morale et la religion ne sont plus des valeurs négligeables en Amérique... L'élection de Carter est décisive, car elle inaugure un cycle de religiosité présidentielle qui atteindra son apogée avec l'élection de George W. Bush, en 2000, et qui ne cessera d'intriguer l'intelligentsia européenne. Dans la presse française, depuis le Watergate, les clichés abondent. Il y est question de complots religieux, de vengeance des puritains, de croisades morales, de présidents inspirés par Dieu lui-même, de lutte contre l'empire du Mal... Ces observations en forme de dénonciations reprennent de plus belle avec l'élection de George W. Bush — à tel point que la Maison-Blanche, ce lieu mythique de tous les pouvoirs, est décrite comme une auberge mal famée, « prise en otage par une secte fondamentaliste ». Certains se risquent même à écrire que la « secte » des évangéliques, grâce à l'entremise de George W. Bush et de ses conseillers, s'apprête à « conquérir le monde[1] ».

De tels stéréotypes exagèrent à l'évidence l'influence de la religion sur la politique américaine et donnent la part trop belle aux fondamentalistes, à l'époque des administrations Reagan et Bush Jr. Mais ils contiennent une part de vérité et ils soulèvent, implicitement, des questions majeures. L'Amérique de la seconde moitié du XXe siècle est-elle encore puritaine ? Les références religieuses si prisées par les présidents américains et les élus du Congrès sont-elles sincères, intéressées ou hypocrites ? Portent-elles la marque d'un patriotisme constitutionnel nourri aux meilleures sources de la tradition protestante ? Plus généralement, le « retour du religieux » si bien observé depuis la crise du Watergate n'est-il pas le signe d'un « exceptionnalisme américain » ? Par exceptionnalisme, j'entends cette évolution récente de la politique américaine dans un sens qui serait contraire à celui des démocraties européennes. Vu de France, un vigoureux protestantisme évangélique aurait investi avec succès l'espace public, au moment même où la vieille Europe, emportée par de forts courants sécularisateurs, s'éloigne un peu plus chaque jour de ses racines chrétiennes.

Pour répondre à ces interrogations et à ces opinions, je ne retracerai pas ici toute l'histoire des perceptions françaises de l'Amérique depuis l'immédiat après-guerre. Je me contenterai d'examiner quelques moments clés qui illustrent la singularité du discours français sur la religion en Amérique et la spécificité incontournable de la vie politique américaine depuis l'affaire du Watergate. Je mettrai l'accent sur la piété singulière des présidents élus depuis la chute de Nixon. Je montrerai que cette piété, dans ce qu'elle a de symbolique (de nombreuses références à la Bible dans les discours présidentiels) n'est pas en soi nouvelle : d'autres présidents, en d'autres temps, faisaient aussi appel à l'Écriture Sainte. Mais son intensité, son caractère public, son exubérance évangélique paraissent sans précédent dans l'histoire politique des États-Unis. Ce constat mérite une explication. Ce n'est pas seulement le tempérament, souvent haut en couleur, de personnalités converties à l'évangélisme, qui explique l'émergence d'une nouvelle piété présidentielle. C'est aussi et surtout l'influence de facteurs politiques et culturels que je me propose d'identifier. Parmi ces facteurs, le plus important et le plus mal connu en France est la stratégie électorale des partis politiques américains et tout particulièrement la *stratégie sudiste* du parti républicain, élaborée au lendemain du passage, sous l'administration Johnson, de la grande loi des droits civiques. La reconquête du Sud par le parti de Lincoln était à ce prix : elle entraînait une « droitisation » de l'idéologie républicaine et surtout l'adoption par les élites républicaines de valeurs culturelles et religieuses propres à la majorité de l'électorat blanc, évangélique et sudiste.

Mais il ne faudra jamais perdre de vue que le retour du religieux aux États-Unis, indéniable pour la période analysée ici, n'efface pas pour autant la poursuite multiséculaire d'une véritable laïcisation de la société américaine. Cette laïcisation fera l'objet du chapitre qui clôt cet ouvrage.

RELIGIOSITÉS PRÉSIDENTIELLES

L'élection d'un président américain ne passe jamais inaperçue dans la presse française. C'est l'occasion de faire le point sur la société américaine, d'anticiper l'avenir et de décrire les particularités d'un système politique complexe et mal connu. La religion est un sujet de débat quand le candidat fait état de ses croyances et ne se contente pas d'utiliser quelques formules rituelles comme *God Bless America*.

Jimmy Carter intrigue après la crise du Watergate, parce qu'il est le premier Américain de confession baptiste qui a des chances de l'emporter lors d'une élection présidentielle. Quelle est la nature de sa croyance ? Les commentateurs français hésitent, et comme l'évangélisme est mal connu en France, on préfère donner au personnage l'apparence d'un puritain. C'est ainsi que Jacques Sallebert, l'envoyé spécial d'Europe n° 1 à la Convention nationale du parti démocrate de 1976, résume le débat d'investiture du nominé : « L'Amérique a fait son examen de conscience. Elle a réagi avec une vigueur toute puritaine[2]. » Sallebert n'hésite pas à cultiver le paradoxe : il découvre en Carter à la fois un nouveau puritain et une nouvelle Jeanne d'Arc, exécutant une mission divine pour redonner un « cap moral » à l'Amérique. L'investiture de Carter, selon Sallebert, serait « missionnaire » et son programme relèverait, littéralement, de la « croisade[3] »...

Le fameux entretien accordé par Carter au mensuel *Playboy* confortait le stéréotype français du puritain en action. « Le Christ, confiait-il à ce journal, a établi pour nous des normes impossibles [...]. J'ai regardé beaucoup de femmes avec concupiscence. Dans mon cœur j'ai commis plusieurs fois l'adultère [...][4]. » Et pourtant, Carter, contrairement à une opinion très répandue en France, n'adhérait pas au calvinisme des Puritains. Son moralisme, très particulier, était celui d'un *Southern baptist*, d'un protestant régénéré (*born again christian*) priant, selon ses propres dires, jusqu'à vingt-cinq fois par jour et manifestant sa foi en donnant régulièrement des cours d'instruction religieuse aux jeunes élèves de l'école du dimanche d'une Église baptiste. Son élection facile, en novembre 1976, démontrait combien la conquête de l'électorat sudiste, blanc, baptiste et conservateur, était nécessaire pour accéder aux plus hautes fonctions de l'État, une leçon que n'allaient pas oublier ses adversaires républicains.

*

Et si Carter était puritain, aux yeux de la presse française, Clinton, cet autre *Southern baptist*, ne l'était pas et ne pouvait pas l'être, étant donné la fréquence de ses aventures extraconjugales, bien documentées par les médias américains. Il était, au contraire, comme l'écrivait le correspondant du *Figaro* en pleine affaire Lewinsky, « victime du puritanisme qui reste la marque profonde de l'Amérique[5] ». Il subissait, d'après *L'Événement du Jeudi*, « l'héritage bigot du Mayflower [qui] pèse encore sur l'âme américaine[6] ». Victime expiatoire d'une monstrueuse « libidocratie », son *impeachment* par la Chambre des représentants révélait, selon *Le Figaro Magazine*, une Amérique capable d'aller « jusqu'au bout de sa logique [...] sur fond de puritanisme[7] ». Et s'il y avait un Grand Inquisiteur, c'était, à en croire *Libération*, le procureur Starr, « au puritanisme maladif, malsain et sulfureux[8] ». Pour ceux qui n'auraient pas prêté attention à ces affirmations péremptoires, l'hebdomadaire *Marianne* mettait les points sur les *i* avec ce titre aguichant : « Attention, Puritains Méchants[9] ! » Ces stéréotypes simplifaient à l'extrême l'histoire des États-Unis, désormais inscrite dans le cercle vertueux d'un éternel retour : un ordre moral qui, malgré quelques écarts, n'aurait en fait jamais cessé d'être puritain, depuis les origines de l'Amérique.

Un tel déterminisme historique, ressassé à longueur d'articles, risquait d'occulter la réalité d'une autre Amérique, tolérante, libérale, laxiste, refusant de confondre vie privée et vie publique ou d'expliquer l'une par l'autre. Or c'est bien ce qui s'est passé lorsqu'il fallut expliquer aux lecteurs français que Clinton, malgré tout, ne serait pas destitué par le Sénat des États-Unis. L'issue du procès sénatorial[10], longtemps prédite par les experts américains, provoqua en France un soudain revirement d'opinion. C'était « la fin des puritains », déclarait le correspondant de *Libération* en février 1999[11]. *Le Monde* renchérissait quelques jours plus tard : la « croisade » des néoconservateurs avait manifestement échoué. S'il ne leur était plus permis de « régenter la morale et la sexualité des Américains », c'est qu'il y avait eu « évolution profonde de la société américaine [...]. Une certaine Amérique [avait] gagné contre l'autre : celle du bon sens humaniste contre celle des pasteurs fondamentalistes[12] ». Le vieux paradigme de l'Amérique puritaine perdait l'essentiel de sa valeur explicative ; il fallait donc trouver une autre raison, mieux adaptée aux circonstances. Elle fut proposée par *Le Nouvel Observateur* dans une enquête consacrée au « Monicagate » et à l'opinion publique américaine. La nouvelle génération des *baby boomers*, expliquait l'hebdomadaire, avait démontré une remarquable maturité, une capacité « moderne » à séparer les comportements privés des activités publiques. Ces Américains-là nous ressemblaient comme des frères : ils étaient tolérants, « sophistiqués », bref, ils s'étaient « européanisés[13] ».

Et pourtant, Clinton était moins européen qu'on ne l'imaginait. Ses réactions au lendemain de l'affaire Lewinsky, ses repentirs publics devant des centaines de ministres du culte invités à partager ses souffrances et à lui accorder leur pardon, restaient typiquement américains. « J'ai péché », disait-il fameusement lors du petit déjeuner de prière organisé par la Maison-Blanche en septembre 1998, « et je demande le pardon de ma famille, de mes amis, des membres de mon cabinet, de Monica Lewinsky et de sa famille, du peuple américain [...]. Je me suis repenti [...] et je continuerai dans cette voie grâce au soutien de pasteurs et d'amis qui me rendront responsable de mes actes[14] ». Un an plus tard, dans les mêmes circonstances, Bill Clinton affirmait avoir été « profondément touché par le pur pouvoir de la grâce » qui lui avait enfin accordé — il le sentait intérieurement — un « pardon immérité[15] ».

N'en faisait-il pas trop en matière de religion ? C'est ce qu'affirmèrent 140 ministres du culte dans une pétition adressée au président, au lendemain de la première admission publique de ses « péchés ». Il était temps, écrivaient les signataires, de mettre fin à ces séances de repentir, trop publiques pour être sincères, qui étaient d'abord et avant tout des actes de propagande politique portant atteinte à « l'intégrité de la religion[16] ». Mais Clinton tint bon. Il avait fauté et il fallait qu'on le sache. Sa rédemption passait par un aveu public souvent réitéré.

Clinton n'était pas le seul à faire preuve d'un excessif zèle religieux. Dans un autre contexte, son prédécesseur, l'épiscopalien George H. W. Bush, crut bon de faire étalage d'une piété surannée pour satisfaire son électorat sudiste. Son discours inaugural contenait une interminable prière utilisant les thèmes de l'amour de Dieu, de la foi partagée, de la nécessité d'aider le peuple et tous ceux qui sont dans le besoin. Bush fils, dans les mêmes circonstances, sera mieux inspiré. Il se contentera de citer une lettre adressée par John Page à Jefferson au début de la guerre d'Indépendance : « Nous savons, écrivait Page, que la bataille ne favorise ni les plus rapides ni les plus forts. Ne pensez-vous pas qu'un Ange traverse la tempête et domine l'ouragan ? » Et Bush de conclure en reprenant les mêmes termes inspirés d'un psaume de Nahum : « Ainsi va l'histoire, et un Ange traverse toujours la tempête et domine l'ouragan[17]. »

Moins énigmatique lors de son premier discours inaugural, Clinton avait cité l'Épître de Paul aux Éphésiens — « nous reconnaissons cette vérité simple, mais puissante : nous avons besoin les uns des autres » — pour conclure avec une citation de l'Épître de Paul aux Galates : « Ne nous lassons pas de faire le bien ; en son temps viendra la récolte, si nous ne nous relâchons pas[18]. » Carter, quant à lui, avait montré une préférence certaine pour l'Ancien Testament, en citant ces paroles de Yahvé, rapportées par le prophète Michée : « On t'a fait savoir, homme, ce qui est bien, ce que Yahvé réclame de toi : rien d'autre que d'accomplir la justice, d'aimer avec tendresse et de marcher humblement avec ton Dieu[19]. »

*

Il faut bien comprendre que les conseils des apôtres ou les prophéties jusqu'à présent cités n'ont rien d'exceptionnel dans la tradition politique américaine. Cette rhétorique religieuse, ancienne, fut inaugurée par George Washington, le premier président des États-Unis, et reprise, par mimétisme, par tous ses successeurs, y compris les moins ouvertement religieux. Jefferson, le plus impie des présidents américains, ne se félicitait-il pas, dans son discours inaugural de 1801, des immenses qualités d'un peuple républicain « éclairé par une religion bénigne, pratiquée dans des formes variées, toutes destinées à inculquer l'honnêteté, la vérité, la tempérance, la gratitude et l'amour du prochain[20] » ? Franklin D. Roosevelt, plus d'un siècle après, n'hésita pas à évoquer le Christ chassant les marchands du Temple pour mieux souligner la grandeur et la radicalité de son message politique : « Les changeurs de monnaie, proclamait-il, trois ans après le *krach* de Wall Street, ont fui les trônes du temple de la civilisation. À nous de rendre le temple à ses anciennes vérités. Le succès d'une telle restauration dépendra de notre capacité à créer des valeurs sociales plus nobles que la simple recherche du profit monétaire[21]. » La démarche de Roosevelt était osée ; elle soulignait, une fois de plus, la vigueur d'une tradition politique imprégnée de références bibliques, qui avait fait, dès 1835, l'admiration de Tocqueville.

Comment expliquer la persistance d'une telle tradition ? Elle tient, sans doute, aux survivances d'un système d'éducation protestant utilisant la Bible comme référence essentielle. Elle tient aussi à la nature de la Révolution américaine, soutenue par la ferveur religieuse des *dissenters* et toute une imagerie biblique dénonçant les méfaits de la tyrannie anglaise et appelant, en des termes souvent millénaristes, l'avènement d'un nouvel ordre social, purifié de tous les excès d'une monarchie décadente.

Rappelons que l'immense succès du grand pamphlet républicain de Thomas Paine, *Le Sens commun*, tiré à plus de 120 000 exemplaires dès l'année de sa parution à Philadelphie en 1776, était dû à une habile sollicitation de l'Ancien Testament, tendant à démontrer qu'un régime monarchique était contraire aux volontés de Dieu[22]. L'agnostique Paine avait compris, longtemps avant Tocqueville, que l'esprit de liberté était pleinement compatible avec l'esprit de religion. La Révolution américaine créait des institutions républicaines avec le soutien actif de la plupart des Églises fondées par les colons. L'inexistence d'une contre-révolution d'inspiration religieuse, l'acceptation par les Églises de valeurs égalitaires et démocratiques, le refus de toute autorité politique héréditaire et de toute suprématie religieuse ne pouvaient que renforcer les affinités entre la religion et la politique. Seule l'Église anglicane, l'Église officielle de la monarchie britannique, souffrit d'un certain ostracisme, jusqu'à ce qu'elle « s'américanise » en coupant tout lien avec Canterbury et en prenant le nom d'Église épiscopalienne. Ainsi, le système anglican, dominant dans les colonies du Sud, fut rapidement supplanté par un modèle alternatif fondé sur la tolérance et le pluralisme religieux. Une nouvelle mythologie nationale se construisait peu à peu à partir des notions éminemment séculières de « république représentative » et de « démocratie », à l'époque où la monarchie hanovrienne consolidait une identité britannique, fondée sur l'alliance de « valeurs anglicanes et aristocratiques[23] ». Au moment même où la société britannique préservait ses traditions, l'Amérique révolutionnaire, comme l'a suggéré l'historien J. C. D. Clark, tentait de créer du jamais-vu : une société à la fois plus éthique et plus matérialiste, plus libertaire et plus respectueuse de la souveraineté du peuple[24].

*

On aurait tort, cependant, à partir de l'évocation de cette ancienne tradition, de conclure à une complète continuité de l'histoire politique et religieuse des États-Unis. L'usage d'une rhétorique religieuse commune à tous les présidents américains depuis George Washington est une évidence. Mais derrière cet usage, somme toute banal, se profilent des engagements ou des pratiques religieuses qui séparent les présidents les plus religieux des moins religieux. Or l'extrême religiosité d'un Jimmy Carter ou d'un George W. Bush n'a pas reçu en France d'explication satisfaisante.

Considérons le cas, à beaucoup d'égards exemplaire, de George W. Bush. Sa piété affichée dépasse manifestement celle de ses prédécesseurs. N'avait-il pas répondu à un journaliste qui lui demandait, au cours des élections primaires de 1999, quel était son philosophe préféré : « le Christ, parce qu'il a changé mon cœur[25] » ? N'avait-il pas, alors qu'il était encore gouverneur du Texas, proclamé le 10 juin 2000 « jour de Jésus » ? N'était-il pas allé jusqu'à prétendre que son arrivée au pouvoir coïncidait avec un nouveau cycle d'intense piété collective, « un Troisième [Grand] Réveil[26] », succédant au Second Grand Réveil des années 1800-1861 ?

Les étapes sinueuses de sa conversion, amplement documentées, ne permettent pas de douter de la sincérité de sa foi. Bush fils, élevé dans la religion épiscopalienne par une célèbre famille du Connecticut, avait embrassé l'ambition de se faire élire gouverneur du Texas. Il ne pouvait ignorer l'influence des Églises évangéliques baptiste et méthodiste dans cet État. Après son mariage, il trouva utile de fréquenter assidûment l'Église évangélique de sa femme, la *Highland Park United Methodist Church* de Dallas. Converti à trente-neuf ans par Billy Graham dans la maison de campagne de ses parents à Kennebunkport dans le Maine, en 1985, George W. Bush professait une « foi renouvelée » dont les avantages politiques ne lui avaient pas échappé : il savait communiquer avec l'électorat évangélique, majoritaire dans le sud des États-Unis. Et il mit d'abord ce savoir au service des ambitions présidentielles de son père.

Comme le remarquèrent les conseillers politiques de Bush père, au moment de la campagne présidentielle de 1988, Bush fils avait immédiatement su nouer des rapports chaleureux avec les personnalités évangéliques introduites auprès de son père. Il parlait leur langage et il était clair qu'à leurs yeux sa conversion était profonde et sincère. En fait, la doctrine évangélique n'avait plus de secret pour lui[27]. En mettant au service de son père sa connaissance intime du monde des *born again christians*, le futur président l'aida à surmonter la menace représentée par la candidature de Pat Robertson — un célèbre télévangéliste baptiste/charismatique — qui se prétendait « directement investi par Dieu[28] », lors des primaires présidentielles de 1988. Le fils, d'après l'observation du révérend Doug Wead de l'Église des Assemblées de Dieu, avait sur le père un avantage certain : « Lorsque G. W. rencontre des chrétiens évangéliques, ils savent immédiatement qu'il est l'un des leurs. Avec la plupart des autres candidats aux présidentielles, [les électeurs évangéliques] hésitent, ils testent et cherchent à trouver quelque dénominateur commun pour dire, “Eh bien, il est des nôtres, mais il ne le sait pas !”, ou encore, “Il est des nôtres, mais il ne comprend pas la culture”. Avec G. W., ils savent que c'est pour de vrai. Or ça ne peut pas s'expliquer sans tout savoir de [notre] sous-culture [évangélique], ce qui prendrait énormément de temps à expliquer[29]. »

LA STRATÉGIE ÉLECTORALE DU PARTI RÉPUBLICAIN

Une légende dorée s'est construite aux États-Unis autour de la personnalité du président Bush. Il serait un saint, un prophète, un croisé, l'homme que Dieu a choisi pour résoudre les malheurs du monde[30]. N'a-t-il pas lui-même déclaré, alors qu'il venait d'être réélu gouverneur du Texas en 1999 : « Je crois que Dieu veut que je sois président » ? Mais cette phrase célèbre, souvent reproduite, est presque toujours tronquée et saisie hors contexte. En la prononçant, Bush ne s'adressait pas à ses électeurs ou aux membres du parti républicain. Il parlait à un petit groupe de coreligionnaires, toujours friands d'expériences de conversion, et s'empressait d'ajouter : « Mais si cela n'arrive pas, c'est *okay* pour moi. Je sais que la présidence est quelque chose de proche et de personnel. Je sais que c'est un sacrifice et je n'en ai pas besoin pour me mettre en valeur[31]. » Éprouver la présence du divin dans la prière, lors d'une conversion soudaine, dans un moment d'adversité ou à l'occasion d'une décision difficile : un tel sentiment n'a rien d'exceptionnel pour un chrétien régénéré. C'est la démonstration même d'une appartenance à un milieu évangélique, la signature d'une forme particulièrement exubérante de religiosité chrétienne. Des propos similaires furent tenus par les présidents Carter et Clinton. Et un adversaire politique comme Al Gore n'hésitait pas, tandis qu'il faisait campagne contre Bush en 2000, à rappeler à ses partisans, eux aussi *born again*, qu'il fallait, avant de prendre une décision sérieuse, d'abord se demander : « *WWJD ?* » Cette expression codée, comprise de tous les évangéliques, signifiait en clair : *What Would Jesus Do ?* Que ferait Jésus dans la même situation[32] ?

La banalité même de l'évangélisme du président Bush soulève une question clé : quels sont les facteurs géopolitiques les mieux à même d'expliquer le succès de l'évangélisme républicain ? Et par implication : pourquoi un candidat de confession évangélique a-t-il plus de chances de gagner une élection présidentielle qu'un non-évangélique ou un non-protestant ?

Pour comprendre l'importance de l'évangélisme dans la stratégie présidentielle du parti républicain, il faut se reporter aux années 1960, à une époque où un républicain avait peu de chance de l'emporter dans ce type d'élection. Entre 1932 et 1964, les républicains n'ont conquis la présidence qu'une seule fois, avec l'élection d'un héros national échappant aux étiquettes partisanes traditionnelles, le général Eisenhower. Tout semblait indiquer, après les élections de Kennedy en 1960 et de Johnson en 1964, que la suprématie du parti démocrate allait perdurer. En 1964, justement, le candidat républicain Barry Goldwater n'obtenait que 38,5 % des voix contre 61,1 % à Johnson. Mais sa défaite occultait un succès remarquable dans les États du *Deep South*, alors que la plupart des Noirs ne disposaient pas encore du droit de vote. Goldwater l'emportait dans cinq des États du grand Sud avec une majorité de 55 % des voix[33]. Il démontrait ainsi qu'un programme politique centré sur les valeurs familiates traditionnelles, la défense de la souveraineté des États et une indifférence marquée à l'égard des nouveaux droits conquis par les Noirs rendait crédible un représentant du parti de Lincoln. C'est d'ailleurs ce qu'avait anticipé Johnson, le jour de la signature de la grande loi des droits civiques (*civil rights act*) de juillet 1964. « Je crois, dit-il ce jour-là à son collaborateur Bill Moyers, que nous venons de livrer le Sud au parti républicain. »

Cette loi, en effet, interdisait toute discrimination sur les lieux de travail ou les espaces publics et s'appliquait aussi bien aux entreprises privées employant plus de quinze employés qu'à l'ensemble des administrations publiques. Elle interdisait également l'emploi de fonds fédéraux pour les hôpitaux, les écoles ou les universités qui maintiendraient des pratiques discriminatoires fondées sur la couleur ou la race. Canalisée par Goldwater en 1964, par George Wallace en 1968, puis par Nixon en 1972, la dissidence des électeurs sudistes, jusqu'alors acquis au parti démocrate, rendait de plus en plus probable l'élection d'un président républicain. La route de Washington passait désormais par le Sud, comme l'illustre la Figure 1.

*

La stratégie sudiste du parti républicain eut des effets immédiats sur les votes des élections présidentielles : Nixon, Reagan, Bush père et Bush fils obtenaient chacun une majorité des suffrages exprimés par les électeurs blancs sudistes. Les mêmes effets, plus tardifs il est vrai, affectaient la composition de la Chambre des représentants. Après une lente progression, les républicains l'emportèrent dans la plupart des circonscriptions du Sud, à partir des élections de 1994. Ce succès était remarquable dans un pays où plus de 95 % des sortants sont en général réélus avec des majorités écrasantes.

Figure 1

IDENTIFICATION PARTISANE DES ÉLECTEURS BLANCS DU SUD DES ÉTATS-UNIS DE 1952 À 2004 (EN POURCENTAGE)

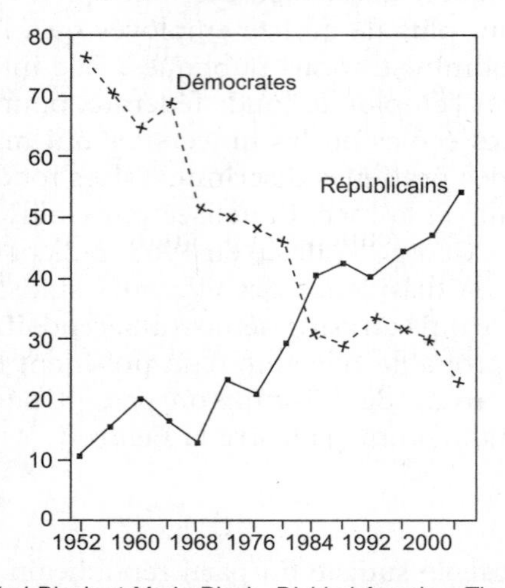

Source : Earl Black et Merle Black, *Divided America. The Ferocious Power Struggle in American Politics*, New York, Simon and Schuster, 2007, p. 37.

*

L'élection de Jimmy Carter, en 1976 (*born again baptist* et ancien gouverneur de Géorgie), semblait signaler pour les démocrates le début d'une reconquête de l'électorat sudiste. Carter, il est vrai, l'emportait dans dix des onze États de l'ancienne Confédération. Mais son échec retentissant en 1980 (contre Reagan) marquait la fragilité d'une stratégie électorale cherchant à satisfaire à la fois des électeurs noirs opposés à toute discrimination et des électeurs blancs qui se sentaient menacés par l'ordre libéral inauguré sous l'administration Johnson. Nixon en 1972 avait obtenu 80 % du vote sudiste blanc. Reagan, après la parenthèse de Carter, récupérait, en 1980, 60 % du même électorat, puis 70 % quatre ans plus tard, consolidant ainsi de façon durable les efforts de ses prédécesseurs[34].

Avec quels moyens, réels et symboliques, Reagan réussit-il à fidéliser un électorat si prompt à changer d'allégeance ? La chance de Reagan, ancien acteur de films de catégorie B, divorcé et indifférent à la religion dans sa vie privée, est qu'il bénéficia de l'appui décisif des chrétiens conservateurs et de la « Majorité morale » (*Moral Majority Incorporated*), une organisation de défense des valeurs familiales traditionnelles, fondée par le prédicateur fondamentaliste récemment disparu Jerry Falwell. La droite évangélique était traditionnellement peu active en politique. Sa principale fonction était d'ordre religieux : répandre la bonne parole et faciliter la conversion des adultes. En

1965, Jerry Falwell affirmait encore avoir « peu de liens avec cette terre ». Il devait certes, précisait-il, se comporter en bon père de famille, en citoyen responsable payant ses impôts et respectant les lois du pays. Mais le seul objet de sa vie dans ce bas-monde était « de connaître le Christ et de Le faire connaître[35] ».

Qu'est-ce qui conduisit Falwell et de nombreux autres évangéliques à changer d'avis à la fin des années 1970 ? D'abord, un certain activisme judiciaire, défavorable à la promotion des idées religieuses ou à des comportements moraux défendus par la droite chrétienne. En 1962, à une époque où le tiers des écoles publiques autorisaient une prière matinale, la Cour suprême déclara inconstitutionnelle la récitation quotidienne d'une prière œcuménique, composée par le conseil d'administration d'un district scolaire de New York[36]. La prière, d'après l'opinion de la Cour, violait le premier amendement de la Constitution, qui interdisait l'établissement de toute religion officielle[37]. La prière obligatoire était inacceptable car elle faisait manifestement pression sur des minorités religieuses en les obligeant à « se conformer à une religion officielle » qui n'était pas nécessairement la leur. Or la religion, selon les principes défendus par les fondateurs de la Constitution et rappelés par un juge de la Cour suprême, est une affaire « trop personnelle, trop sacrée, trop sainte, pour permettre son "travestissement profane" aux mains d'un magistrat civil[38] ».

Cette décision fit scandale dans les milieux traditionalistes, catholiques et protestants. Elle était, d'après Billy Graham, la preuve par excellence d'une « sécularisation » accélérée de la société américaine. Elle annonçait, selon James Pike, l'évêque épiscopalien de San Francisco, la « déconsécration de la nation ». Elle signifiait, même, au dire du cardinal James McIntyre de Los Angeles, que l'« héritage philosophique » américain fondé sur un idéal de liberté religieuse était désormais abandonné au profit d'une autre philosophie incompatible avec la religion : le matérialisme soviétique et son système de « liberté embrigadée[39] ». Des décisions de la Cour suprême interdisant la lecture à l'école de versets de la Bible (1963) ou encore l'enseignement obligatoire du créationnisme (1968)[40] renforçaient les craintes des traditionalistes, exacerbées par l'immoralité apparente d'autres décisions touchant à la vie intime des individus. Les lois criminalisant la pratique de la contraception puis celle de l'avortement étaient tour à tour invalidées par la Cour suprême en 1968 et en 1973[41].

Mais c'est une décision apparemment anodine concernant le statut fiscal des écoles religieuses (évangéliques) du sud des États-Unis qui provoqua la mobilisation politique des prédicateurs évangéliques du *Deep South*. Traditionnellement, les activités charitables des Églises bénéficient d'une exemption d'impôt, accordée par les services fiscaux du gouvernement fédéral (*Internal Revenue Service*). Cette exemption présuppose cependant que son bénéficiaire respecte les lois promulguées par l'État fédéral. Or la multiplication des écoles confessionnelles au sud des États-Unis, à partir des années 1960, ne répondait pas seulement aux progrès de la religiosité évangélique chez les parents d'élèves. Elle avait une cause principale : le refus, raciste, d'accepter le mélange des élèves noirs et blancs dans les écoles publiques, conformément à la loi des droits civiques de 1964 et au fameux arrêt *Brown v. Board of Education* (1954). D'où l'émergence soudaine de milliers d'écoles privées, rebaptisées pour l'occasion, *christian academies*. Comme ces écoles restaient fermées aux Noirs, l'administration Carter crut bon de sanctionner cette façon indirecte de contourner la loi en privant ces *academies* de leur exemption fiscale. Réagissant à ces mesures punitives, et prétextant que l'administration Carter portait atteinte à la liberté religieuse des enfants et de leurs parents (qui finançaient leur éducation), un enseignant fondamentaliste, Robert Billings — proche de Jerry Falwell et de Paul Weyrich, futur stratège de la droite évangélique —, créa une organisation de défense des *christian academies*.

L'ÉMERGENCE DE LA MAJORITÉ MORALE

Fort influent lors des élections législatives de 1978, ce nouveau *lobby* élargit ensuite sa sphère d'influence en prenant la défense d'autres causes phares du conservatisme évangélique : la lutte contre l'avortement, la restauration de la prière à l'école, la dénonciation des pratiques « sécularisantes » des élites libérales. Cette action collective donna naissance à une organisation formelle, imaginée par Paul Weyrich et présidée par Jerry Falwell, la *Moral Majority Incorporated*. Son directeur exécutif n'était autre que Robert Billings — ce qui était une façon de récompenser les talents d'un administrateur bien-pensant qui avait fait ses preuves en prenant la défense des écoles libres[42]. Les préoccupations raciales se voyaient donc habilement masquées par l'affichage d'objectifs authentiquement religieux, comme l'a bien noté le juriste Noah Feldman. La création de bastions scolaires ségrégationnistes coïncidait avec un « processus de sécularisation des écoles publiques ordonné par les tribunaux[43] ». En transformant de banales écoles privées en « académies chrétiennes », les élites blanches du Sud avaient réussi à faire passer un moment de réaction raciste en un mouvement combien plus noble de défense de la chrétienté.

Cette mobilisation sans précédent des élites blanches de la *Bible Belt*, centrée sur la défense de l'école libre, ouvrit la voie à un autre mouvement d'une grande ampleur, la « nouvelle droite chrétienne » qui réussit, pour un temps, à rallier à sa cause une majorité des électeurs évangéliques du Sud et du Midwest. Pour bien signaler qu'il acceptait toutes les traditions du Sud, même les plus déplaisantes, Reagan, au lendemain de sa nomination par la Convention nationale du parti républicain en 1980, encouragé par le représentant ultraconservateur du Mississippi, Trent Lott, n'hésita pas à se rendre à Philadelphia (Mississippi) pour y faire un discours favorable à la souveraineté des États. Or c'est dans cette petite ville que, seize ans plus tôt, dans l'été de 1964, trois jeunes partisans du mouvement des droits civiques avaient été assassinés lors d'une *freedom march*. Le choix symbolique de cette étape signalait aux élites du Sud que l'ancien gouverneur de Californie était bien des leurs. Quelques jours plus tard, Reagan fit mieux encore. Il sut habilement flatter les plus conservateurs des évangéliques en visitant l'université chrétienne de Jerry Falwell, le Liberty Baptist College de Lynchburg (Virginie), pour y déclarer son attachement indéfectible à la prière à l'école : « J'ai toujours pensé qu'une prière volontaire et non confessionnelle était parfaitement appropriée et que rien ne justifiait qu'on chasse Dieu de nos classes[44]. » Reagan avait bien compris que l'organisation la plus dynamique de la nouvelle droite chrétienne était la Majorité morale de Jerry Falwell, avec ses 300 000 membres (dont 70 000 ministres du culte), ses 50 chapitres (un par État), dirigés par des fondamentalistes désignés personnellement par Falwell et dont la moitié travaillaient pour des églises contrôlant des *christian academies*[45]. Cette organisation devint ainsi le fer de lance de la stratégie sudiste du parti républicain.

En dénonçant le « déclin moral de la nation » et la perversion des valeurs familiales traditionnelles, encouragée par « des humanistes sécularisés et autres libéraux », les leaders fondamentalistes de la *Moral Majority* réussirent surtout à augmenter la participation électorale d'électeurs évangéliques jusque-là réticents à s'impliquer dans la vie politique. Les résultats furent appréciables. En l'espace de deux ans, plus de deux millions de nouveaux électeurs étaient inscrits sur les listes électorales et le taux de participation des évangéliques domiciliés dans les États du Sud est passé de 61 % en 1976 à 77 % en 1980[46].

Déclinante à la fin des années 1980, la Majorité morale de Jerry Falwell cessa de fonctionner en 1989. Elle fut remplacée par une autre organisation évangélique, la *Christian Coalition*, lancée au début de la campagne présidentielle de 1988 pour soutenir la candidature de son chef, le prédicateur pentecôtiste Pat Robertson. Cette nouvelle organisation, grâce au génie organisationnel de son directeur, Ralph Reed, disposait, au milieu des années 1990, d'un lobby bien structuré à Washington, de représentants disséminés dans 900 sections locales, de plus d'un million de membres actifs et d'un budget supérieur à 20 millions de dollars. Pour étendre son influence, la Coalition chrétienne formait plus de 7 000 « cadres » dans des écoles spécialement conçues pour mobiliser les électeurs potentiels du parti républicain et soutenir les candidats du parti les plus favorables à sa cause. Aux élections de 1994, les militants de la Coalition chrétienne réussirent à distribuer 30 millions de guides électoraux aux églises qui en faisaient la demande. Ces documents analysaient les votes des élus sortants et mesuraient leur degré de conformité à la cause de la droite évangélique. Ils eurent un impact certain dans les États où les candidats de la droite chrétienne s'opposaient à des candidats plus modérés ou plus sécularisés, et contribuèrent ainsi au triomphe électoral du parti républicain (alors dirigé par Newt Gingrich), aux élections législatives de 1994[47].

Désormais, les républicains disposaient d'un bloc électoral fidèle, essentiel à la consolidation des gains du *Grand Old Party*. Représentant entre un quart et un tiers de l'électorat total, une majorité de plus en plus importante de votes évangéliques se portait sur les candidats républicains : 63 % en 1980 (Reagan), 78 % en 1984 (Reagan), 81 % en 1988 (Bush père). Bush fils faisait presque aussi bien que son père lorsqu'il obtint, en 2004, 78 % des votes des évangéliques blancs[48]. Les résultats étaient particulièrement spectaculaires dans le Sud où Reagan l'emportait dans dix des onze États de l'ancienne Confédération en 1980, dans tous les États de la Confédération en 1988, comme d'ailleurs Bush père six ans plus tard. Face à Clinton, l'ancien gouverneur de l'Arkansas, un vrai sudiste et un évangélique modéré, Bush père perdit l'élection de 1992, mais il réussit néanmoins à préserver une majorité dans sept États du Sud : la Virginie, la Caroline du Nord, la Caroline du Sud, la Floride, l'Alabama, le Mississippi et le Texas. Clinton ne l'emportait que dans son fief de l'Arkansas, ainsi que dans le Tennessee, la Louisiane et la Géorgie. Le *Deep South*, la Géorgie exceptée, restait dominé par le parti républicain.

La stratégie sudiste du parti républicain avait donc pleinement réussi grâce à la politisation systématique de problèmes de société, centrés sur l'avortement, l'homosexualité, la prière à l'école, l'*Equal Right Amendment*, le financement public des écoles religieuses et la déségrégation scolaire. C'est ainsi que la droite évangélique, baptiste et pentecôtiste, abandonna, sans grande violence ses vieilles racines démocrates[49].

L'évangélisme conservateur de Bush fils n'avait donc rien d'exceptionnel : il était culturellement déterminé par l'environnement politique dans lequel lui-même agissait. Sa conversion, si souvent claironnée dans les milieux évangéliques, la fréquence de ses prières matinales, l'impression que Dieu avait une influence directe sur lui : tous ces traits étaient parfaitement conformes à une vieille tradition évangélique, d'abord ancrée dans le Sud, puis disséminée dans le *Midwest* et le Sud-Ouest. Et d'ailleurs, comme Reagan avant lui, George W. Bush accomplira aussi son « pèlerinage » dans le Sud, lors des primaires présidentielles de 2000. Il rendra ainsi visite à l'université Bob-Jones, à Greenville en Caroline du Sud, à une époque où ce haut lieu du fondamentalisme protestant pratiquait toujours une forme ouverte de ségrégation raciale. L'université acceptait, certes, des étudiants issus de minorités ethniques, mais elle interdisait toute forme de socialisation entre « étudiants de couleur » et étudiants blancs. Cet interdit reposait sur une lecture très particulière de la Genèse, selon laquelle Dieu, en détruisant Babel et en dispersant les constructeurs de la tour à travers le monde, avait signifié sa préférence pour un « monde divisé » en plusieurs « races[50] ». Ce voyage, qui lui fut vivement reproché par son grand rival John McCain, facilita son succès aux primaires de la Caroline du Sud et confirma l'idée, auprès des évangéliques les plus conservateurs, qu'il était bien l'un des leurs[51].

Le *modus operandi religione* de George W. Bush, si déconcertant pour un esprit français, était donc parfaitement adapté aux circonstances. Il facilitait, par la même occasion, le succès d'un parti dont la stratégie sudiste rendait possible, sur le long terme, la reconquête de la Maison-Blanche, après trente ans de domination démocrate et un court intermède républicain (l'élection de Eisenhower). Le revers électoral subi par le parti républicain lors des élections de mi-mandat de 2006 ne remet pas fondamentalement en cause cet acquis : dans les États de l'ancienne Confédération, seulement 36 % des électeurs blancs votaient pour le parti démocrate, contre 58 % dans les États du Nord et du Nord-Est. Des bastions du *Deep South*, tels que la Géorgie, l'Alabama et le Mississippi restaient sous la domination complète du parti républicain[52]. Plus généralement, l'immense majorité des électeurs évangéliques (72 % en 2006 contre 75 % en 2004), demeurait fidèle au *Grand Old Party*. C'est bien parmi eux que George W. Bush a trouvé ses plus fidèles partisans[53]. Dans le Sud, où les baptistes conservateurs appartenant à la *Southern Baptist Convention* sont les plus nombreux, et dans certains États situés à la périphérie du Sud (le Colorado, le Kansas, le Nouveau-Mexique et l'Arizona, où la *Southern Baptist Convention* est aujourd'hui particulièrement influente), le parti de Lincoln, selon le constat désabusé d'un représentant républicain du Connecticut, « s'est transformé en parti de la théocratie[54] ».

La « sudisation » du parti républicain était à ce prix : propager les valeurs d'un certain obscurantisme, mêler objectifs religieux et considérations politiques pour mieux fidéliser un électorat de chrétiens régénérés. Désormais, les élites nationales du parti républicain sont presque toutes recrutées dans le Sud. Elles pratiquent, sans la moindre gêne, un discours théocratique qui ne peut qu'embarrasser les plus modérés des républicains. Tom DeLay, lorsqu'il était chef de la majorité républicaine de la Chambre des représentants, n'hésitait pas à définir ainsi sa mission politique : « Dieu m'utilise tout le temps et partout, afin de défendre une vision biblique du monde dans tout ce que je fais, où que je sois. Il me forme [pour cet objectif][55]. »

*

Faut-il conclure, comme d'aucuns l'ont fait, que le parti républicain a réussi à transformer l'Amérique en une « nation baptisée » soumise aux adorateurs de Notre Seigneur Jésus-Christ[56] ? Faut-il prétendre que le régime dominant est une véritable « théocratie américaine » ? Ces propos sont manifestement excessifs, et la défaite électorale subie par l'administration Bush aux élections de novembre 2006 montre bien que le péril représenté par la droite évangélique, elle-même minoritaire au sein du parti républicain, paraît grandement exagéré. Il est vrai que les électeurs évangéliques sont les plus inconditionnels des partisans de George W. Bush, les plus prêts aussi à soutenir la guerre en Iraq et à en accepter les raisons et les conséquences, envers et contre tous[57]. Mais ils ne sont pas les seuls à définir la politique d'un parti qui, en dehors des États du Sud, réussit mieux à convaincre lorsqu'il fait preuve de modération et respecte une certaine laïcité. La réélection triomphale du gouverneur de Californie, Arnold Schwarzenegger, est là pour le rappeler. Les modérés ont aussi leur place dans le parti républicain, et la polarisation idéologique encouragée par les dirigeants du parti reflète mal le centrisme d'une opinion qui reste, dans sa majorité, mal disposée à l'égard des extrêmes[58]. La droite évangélique ne domine que dans les États de l'ancienne Confédération. C'est là qu'elle mobilise le mieux les suffrages des conservateurs, avec une efficacité qui n'est pas sans rappeler celle des syndicats lorsqu'ils étaient « la grande machine organisatrice » du parti démocrate dans les États industriels du Nord et du Nord-Est[59].

Le combat entre conservateurs et progressistes, croyants et non-croyants, évangéliques et protestants modérés n'est pas seulement politique. Il est aussi juridique. C'est dans l'enceinte des tribunaux fédéraux que le « mur de séparation » entre l'Église et l'État a pris forme, avant d'être soumis à de multiples interprétations et réinterprétations. Et c'est contre ce mur, d'abord imaginé par Jefferson au début du XIXe siècle, que se mobilisent le plus passionnément les élites conservatrices du parti républicain afin de rendre au religieux la place qu'il mérite dans la sphère politique. Leur échec relatif, comme nous le verrons dans le prochain chapitre, démontre bien qu'il existe toujours une « laïcité américaine », construite autour de la vieille métaphore du mur de séparation entre l'Église et l'État.

Chapitre VIII

LE « MUR DE SÉPARATION » ENTRE L'ÉGLISE ET L'ÉTAT

On l'a vu tout au long de cet ouvrage, la religion aux États-Unis nous est à la fois familière et difficilement compréhensible. Familière, puisqu'elle est l'objet d'observations nombreuses, de commentaires savants, d'affirmations souvent péremptoires. Peu compréhensible, parce qu'elle s'inscrit dans un univers historique complexe et contradictoire, ponctué d'avances et de reculs, de périodes séculières et de moments religieux. Cet univers, stratifié, comme des sédiments géologiques, laisse de nombreuses traces visibles — des chants, des devises, des serments, des commémorations — dont l'usage déconcerte parfois la sensibilité d'observateurs français. À première vue, tout baigne dans le religieux. Impossible, en effet, d'acheter une marchandise sans froisser un billet de banque orné de la célèbre devise, *In God We Trust* (« Nous avons confiance en Dieu »). Difficile, à l'école, d'éviter la récitation du serment au drapeau, plaçant les États-Unis sous le signe d'une divinité bienveillante : *One Nation Under God*. Inconcevable, pour un Américain moyen, quelle que soit son origine, de ne pas partager le plus important repas familial de l'année, le quatrième jeudi de novembre, pour fêter la *Thanksgiving* et rendre grâce à Dieu pour des faveurs accordées jadis aux premiers Pères pèlerins. Comment ignorer, au lendemain d'élections présidentielles et législatives, ces nouveaux élus qui prêtent le serment de défendre la Constitution, la main sur la Bible ? Et qui n'a pas entendu prononcer à la fin d'un discours politique ces phrases rituelles — *So Help Me God, God Bless You* ou *God Bless America* ? Il n'est pas inhabituel qu'un président, lors de son discours d'inauguration, fasse référence à des passages de l'Ancien Testament et compare son pays à une Nouvelle Jérusalem. Les discours de guerre, de Wilson à Bush, prennent des allures de croisade, et les ministres du culte se rendent à la Maison-Blanche avec une fréquence telle qu'un visiteur mal averti pourrait croire qu'il n'y a pas dans ce pays de séparation véritable entre le trône et l'autel.

« *IN GOD WE TRUST* »

Toutes ces pratiques paraissent bien étranges au regard d'un observateur français. L'explication qu'elles suscitent consiste, le plus souvent, à exagérer les différences entre nos deux pays, jusqu'à rendre la culture américaine méconnaissable. Les comparaisons, souvent sommaires, confortent de vieux préjugés : la France serait laïque et républicaine ; l'Amérique, au contraire, resterait soumise à l'ordre moral des prédicateurs évangéliques. En France, écrit un auteur influent, « nous croyons dans les Lumières » ; aux États-Unis on ne cesse d'affirmer la foi en Dieu. Chez nous, « les Églises doivent s'effacer devant l'État » ; chez eux « l'État doit s'effacer devant les Églises[1] »... On pourrait multiplier les exemples de ce genre. Lorsque les observateurs français dressent l'inventaire des références à Dieu qui prolifèrent dans l'espace public américain, ils laissent entendre que la meilleure formule pour saisir l'essence de l'Amérique serait, effectivement, *In God We Trust*[2]. Il s'agirait là d'une devise fondatrice, d'un raccourci sémantique expliquant tout le reste, la politique des Pères fondateurs, aussi bien que celle des présidents des XXe et XXIe siècles. Or, un tel essentialisme n'est possible que si l'on oublie l'histoire même de cette devise.

Son origine, tardive à l'échelle de l'histoire des États-Unis, remonte aux heures sombres de la guerre de Sécession, quand l'issue était encore incertaine. La violence inouïe de ce conflit avait particulièrement ému un groupe de prédicateurs protestants favorables à l'abolition de l'esclavage. Il fallait, croyaient-ils, apaiser la colère de Dieu en christianisant les symboles d'une république alors trop coupée, dans ses fondements, des vérités de la religion révélée. Le culte d'une divinité païenne, la déesse Liberté qui ornait les pièces de monnaie, ne pouvait qu'attiser la colère de Dieu. Pourquoi, dans ces conditions, ne pas modifier la devise monétaire ? Des pétitions furent adressées au secrétaire d'État au Trésor, Salmon Chase.

Sensible à cet argument, Chase demanda à James Pollock, le directeur de la Monnaie, de modifier la devise afin d'attester « la confiance de notre peuple en Dieu[3] ». Pollock s'exécuta d'autant plus volontiers que lui-même souhaitait, par ailleurs, christianiser la Constitution... En 1864, le Congrès autorisait la fonte de nouvelles pièces de deux *cents*, ornées de la devise *In God We Trust*[4]. Mais l'impression de cette devise sur les billets de banque ne sera autorisée qu'à partir de 1957, un an après que le 84e Congrès eut transformé la devise monétaire en devise nationale[5].

D'autres appels au divin, comme le fameux *One Nation Under God* (une nation sous l'égide de Dieu) du serment au drapeau, sont censés signaler, selon une opinion communément admise en France, le caractère religieux de la démocratie américaine. Cette idée n'est pas fausse, mais elle mérite elle aussi d'être replacée dans son contexte historique. La phrase liminaire du serment au drapeau, récité le matin dans la plupart des écoles publiques depuis 1892, était à l'origine d'un laïcisme irréprochable :

> Je prête serment au drapeau des États-Unis d'Amérique et à la République qu'il représente : Une nation, indivisible, avec la liberté et la justice pour tous.

Corrigée à partir de 1954, la phrase devenait : « [...] Une nation, *sous l'égide de Dieu*, indivisible, avec la liberté et la justice pour tous[6]. » Or, ce Dieu-là n'était ni celui des Pèlerins, ni celui des

Pères fondateurs, mais un Dieu de guerre froide, bricolé dans les années 1950 pour signaler la vraie nature du combat quasi eschatologique opposant l'Amérique chrétienne à l'empire du Mal communiste et athée. Désormais, proclamait fièrement le président Eisenhower le jour où le Congrès adoptait la loi modifiant le contenu du serment au drapeau, « [des] millions d'écoliers proclameront chaque jour, dans chaque ville, chaque village et chaque école rurale, que notre nation et notre peuple sont voués au Tout-Puissant ».

On peut donc dater précisément le moment de ces intrusions symboliques du religieux dans la sphère politique : 1776, pour le « Créateur » de la Déclaration d'indépendance ; 1862, pour l'introduction de la devise *In God We Trust* sur les pièces de monnaie ; 1954, pour la christianisation du serment au drapeau ; 1956, pour la transformation de la devise fiduciaire en devise nationale. Et ce sont bien des événements majeurs — la guerre d'Indépendance, la guerre de Sécession, la guerre froide — qui, ranimant la foi des élites politiques, précipitèrent l'adoption de ces mesures symboliques. Les formules choisies, notons-le, relèvent plus du déisme que du christianisme proprement dit. La divinité invoquée reste toujours un Dieu abstrait et désincarné. Jésus-Christ, malgré la prévalence du protestantisme aux États-Unis, n'est jamais l'objet d'une référence institutionnalisée. Et le serment sur la Bible, si prisé par les présidents (bien que rien dans la Constitution des États-Unis ne les y oblige), est presque toujours effectué sur une bible fermée, interdisant toute interprétation théologique ou confessionnelle.

N'oublions pas, enfin, que certains hymnes religieux, très populaires depuis le 11 septembre 2001, comme *God Bless America*, ont des origines profanes, fort éloignées de toute préoccupation évangélique. *God Bless America* fut en effet composé en 1918 par un immigré juif russe, Irving Berlin, génial compositeur de centaines de ritournelles et d'opérettes de Broadway. Ce chant, considéré aujourd'hui comme éminemment patriotique, avait été destiné aux danseuses d'une opérette irrévérencieuse, intitulée *Yip Yip Yap Yank*.

*

La fréquence des références à Dieu est à beaucoup d'égards trompeuse. Elle cache une réalité plus ambiguë, qui échappe à l'observateur superficiel de l'histoire des États-Unis. Car la tradition politique américaine, on le sait moins, est traversée de moments d'ignorance complète du divin. Ainsi la Constitution fédérale élaborée par les délégués à la Convention de Philadelphie, en 1787, et ratifiée l'année suivante, omet toute référence à Dieu, au Créateur ou à un quelconque Être suprême. Elle est, littéralement, « sans Dieu » et les quelques références à la religion qu'on peut y lire, sont toutes négatives[7]. Cette omission n'est pas passée inaperçue. Elle fut immédiatement dénoncée, en des termes très vifs, comme un déshonneur menaçant l'avenir même de la démocratie américaine : une façon impie d'inciter « les déistes, les juifs, les mahométans, les païens et même le pape lui-même » à s'emparer des plus hautes instances de l'État[8]. Une constitution sans Dieu, prévenait un certain Amos Singletary, ouvrait non seulement les portes du pouvoir aux papistes et aux infidèles, mais rendait probable le retour de la plus monstrueuse des hérésies : le culte du dieu Baal[9]. De la même manière, un délégué de la convention de ratification du Massachusetts s'inquiétait que, faute d'une profession de foi religieuse, « un Turc, un Juif, un Catholique romain et, pis encore, un Universaliste, pourrait un jour devenir président des États-Unis[10] ». Un article du journal antifédéraliste, le *New York Daily Advertiser* allait jusqu'à redouter le risque d'une guerre civile, au cas où le président élu serait de confession juive. Une fois institué commandant en chef des armées, un tel président ne manquerait pas, en effet, « d'exiger des nouvelles générations la reconstruction de Jérusalem[11] ».

La réponse des partisans de la nouvelle Constitution fédérale n'avait rien de rassurant pour les zélateurs d'une nation chrétienne. Un certain Elihu, l'auteur d'articles publiés dans des journaux du Connecticut et du Massachusetts, se réjouissait de l'abandon de la vieille fable selon laquelle les lois votées par les hommes sont tirées des préceptes de la Loi divine. La nouvelle Constitution, selon lui, était bien la preuve d'un nouvel âge de raison marqué par la cessation des miracles, la dissipation de l'obscurantisme clérical et le progrès décisif des Lumières[12]. Fort satisfait de l'article 6 de la Constitution fédérale qui interdit toute profession de foi religieuse, William Van Murray prédisait de son côté, dans une publication savante, que l'Amérique allait bientôt devenir « le grand théâtre philosophique du monde », puisqu'elle était ouverte à toutes les opinions religieuses, fussent-elles « chrétienne, mahométane, juive ou païenne ». Un gouvernement moderne, expliqua-t-il, ne pouvait être conforme qu'aux lois de la nature. Les rédacteurs de la Constitution avaient donc eu raison d'abolir les *religious tests*, ces serments religieux exigés des postulants aux plus hautes fonctions publiques, car ils violaient manifestement les lois de la nature[13]. John Adams, le plus modéré des Fondateurs, défendait la même position lorsqu'il affirmait, dès 1786, que les treize États unis offraient le premier exemple au monde de gouvernements fondés sur « la seule autorité naturelle du peuple, sans recours au miracle ou au mystère[14] ».

*

Refusant l'évidence, de nombreux élus conservateurs tentèrent, à différentes époques, de christianiser la Constitution en la parant d'une clause favorable à la religion. Au début de la guerre de Sécession, par exemple, les représentants d'une dizaine d'Églises protestantes, voyant dans l'omission du nom de Dieu l'une des causes probables de la guerre, proposèrent, dans une pétition au Congrès, de modifier ainsi le préambule de la Constitution : « Nous le peuple des États-Unis, reconnaissons humblement Dieu Tout-puissant comme la source de toute autorité, notre Seigneur Jésus comme le chef des nations, sa volonté révélée comme la loi suprême du pays, afin de constituer un gouvernement chrétien, et une union plus parfaite [...][15]. » Ce projet d'amendement n'aboutit pas, mais il fut réitéré à de nombreuses reprises, en des termes presque identiques, par de pieux zélateurs qui tentèrent, eux aussi sans succès, de modifier la Constitution jusqu'à la fin des années 1960[16]. Sans doute n'avaient-ils pas mesuré que la Constitution, bien que privée de référence à Dieu, est un texte sacré, presque intouchable, qui peut seulement être révisé en de rares circonstances, grâce à l'exceptionnelle mobilisation d'une supermajorité constituante[17].

In God We Trust, on vient de le voir, n'est ni la première ni la plus pertinente des devises américaines et certainement pas la « devise intime » des États-Unis. Les vraies devises fondatrices — *E Pluribus Unum, Annuit Coeptis, Novus Ordo Seclorum* — ornant le Grand Sceau des États-Unis adopté en 1782, et reproduites aujourd'hui sur les billets de un dollar, échappent à tout imaginaire chrétien. Empruntées à Virgile, ces formules sibyllines révèlent la prévalence d'une autre tradition politique, issue des Lumières et nourrie de référence à la Rome antique et républicaine.

E Pluribus Unum (« De plusieurs un seul ») est tiré d'un poème de Virgile, intitulé *Moretum*, et consacré à la préparation d'un délicieux fromage aux herbes[18]. *Novus Ordo Seclorum* (« Un nouvel ordre des siècles »), emprunté à la quatrième *Églogue* de Virgile, évoque le lancement d'un nouveau cycle historique, postérieur à l'« âge du fer », annoncé par l'oracle de la Sibylle de Cumes : *Magnus ab integro saeculorum nascitur ordo* (« La grande ordonnance des siècles commence à nouveau »). *Annuit Coeptis* (« [Il] sourit à notre entreprise ») est dérivé du premier livre des *Géorgiques*. Dans ce dernier poème, Virgile décrit la longue chaîne des dieux de l'Antiquité (Pan, Neptune, Cérès, Minerve, Sylvaner...) et, s'adressant à César, l'implore en ces termes : *Audacibus adnue coeptis* (« Sois favorable à notre audacieuse entreprise »)[19].

Reste le « Créateur » de la Déclaration d'indépendance, si souvent invoqué par la droite chrétienne pour justifier les origines religieuses du républicanisme américain. Or ce créateur est une pure construction des Lumières, un grand architecte de l'Univers, bien étranger à la tradition biblique, comme l'a brillamment démontré Walter Berns dans son analyse des sources culturelles du patriotisme américain. La Déclaration d'indépendance, dont Jefferson était le principal rédacteur, fait bien état d'un Créateur et encore d'un Dieu de nature. Rien à voir, précise Berns, avec « ce Dieu que 43 % des Américains [...] prétendent adorer régulièrement le jour du Sabbath[20] ». En effet, ce Dieu de nature n'est pas là pour culpabiliser ou châtier les hommes, puisqu'il ne leur donne pas d'ordres ni de commandements. Il ne leur promet rien et reste indifférent à leur état de grâce ou de péché. Contrairement au Dieu de l'Ancien Testament, il n'est pas un Dieu jaloux : il accorde des droits fondamentaux — « la vie, la liberté, la recherche du bonheur ». Il leur donne aussi, d'après d'autres sources souvent citées à l'époque, la liberté de conscience. Cette liberté, âprement défendue par Jefferson, Madison et Washington, entre autres, se résume à ceci : un droit fondamental et inaliénable d'adorer d'autres dieux ou de les ignorer tous. « Le seul objet du gouvernement, écrit Jefferson dans ses *Notes on the State of Virginia*, est d'interdire les actes qui lèsent les intérêts d'autrui. On ne porte pas atteinte à son voisin lorsqu'on affirme qu'il y a vingt dieux ou aucun dieu. Cela ne me vide pas les poches, ni ne me brise la jambe[21]. » Les hommes peuvent avoir une religion — elles sont toutes permises — mais ils doivent obéir à la loi, quelle que soit la nature de leur croyance.

*

Le Dieu de nature invoqué par Jefferson est d'autant moins exigeant qu'il abandonne tous ses pouvoirs aux hommes, comme le postule la Déclaration d'indépendance : c'est aux hommes, seuls souverains, de choisir la forme de gouvernement la mieux adaptée à la défense de leurs droits inaliénables. La Révolution américaine ne crée pas de théodémocratie. Elle ignore, avec superbe, l'œuvre des puritains, considérée au XVIIIe siècle comme anachronique, et elle ne tolère qu'une forme républicaine de gouvernement[22].

La démocratie américaine n'est pas chrétienne, affirment volontiers les Fondateurs. La meilleure preuve en est l'un des tout premiers traités, adopté à l'unanimité par le Sénat américain sous la présidence de John Adams : le traité de Tripoli (10 juin 1797). Ce *compact* précise, dans son article 11 : « Puisque le gouvernement des États-Unis n'est *en aucune façon fondé sur la religion chrétienne*, il ne saurait avoir de caractère hostile à l'égard des lois, de la religion ou de la tranquillité des Musulmans[23]. » On ne pouvait se montrer plus clair sur ce chapitre, quoi qu'en disent aujourd'hui encore aux États-Unis les leaders de la droite chrétienne. Un autre indice, également méconnu, est la « Bible » de Jefferson, composée par lui-même à partir d'extraits des quatre Évangiles, alors qu'il exerçait les fonctions de président. Cette Bible avait ceci de particulier qu'elle omettait toute référence à la divinité du Christ, à ses miracles et à sa résurrection. Elle se terminait abruptement avec cette citation tronquée de l'Évangile de Matthieu : « Puis il (Joseph d'Arimathie) roula une grande pierre à l'entrée du tombeau et s'en alla » — point final[24].

Faut-il, à partir de ce constat, conclure à l'existence d'un État laïque américain ? La réponse est délicate puisque le mot même de « laïcité » n'existe pas en anglais. Mais il existe des synonymes comme « séculier » (*secular*), « sécularisme » (*secularism*) ou « sécularisation » (*secularization*). Du point de vue d'un *born again christian*, les athées ou les agnostiques sont typiquement dénoncés comme des *secular humanists*. Cette dernière expression, péjorative, signifie non seulement l'irréligion, mais aussi l'adoption de toutes les valeurs hédonistes de la culture des années 1960. Pour un fondamentaliste comme Jerry Falwell, le « sécularisateur » est l'ennemi par excellence qu'il faut combattre et qu'un Dieu vengeur ne se prive pas, d'ailleurs, de punir. Dans cette perspective, toute catastrophe humaine ou naturelle, tout événement d'importance depuis la création du monde traduisent un dessein divin. Ce n'est donc pas un hasard si le principal attentat du 11 septembre 2001 visait la ville de New York, la métropole du vice, de l'impiété, de la richesse, bref, le symbole vivant d'une moderne Sodome et Gomorrhe. D'où cette explication du drame proposée par Falwell, bien peu conforme aux normes d'un patriotisme sécularisé : « Je crois vraiment que les païens, les abortionnistes, les féministes, les gays et les lesbiennes [...] et tous ceux qui ont cherché à séculariser l'Amérique [...] ont provoqué ce qui est arrivé [...]. Voilà ce qui se passe lorsqu'on chasse Dieu de notre culture : il cesse de nous protéger et nous avons ce que nous méritons[25]. » Ces propos iconoclastes furent, à l'évidence, mal reçus par la presse et les dirigeants du parti républicain. Mais Falwell refusa de faire amende honorable, expliquant qu'on avait mal interprété sa pensée, puisque son propos n'était pas politique, mais de nature théologique.

L'INVENTION D'UNE LAÏCITÉ AMÉRICAINE

La laïcité américaine n'est pas seulement l'irréligion, qui ne concerne qu'environ 14 % des

Américains[26]. C'est d'abord la lente construction d'une sortie du religieux centrée sur la reconnaissance du principe de séparation de l'Église et de l'État. En cela, la démarche américaine précède le processus français de laïcisation et lui sert de modèle.

La première défense américaine du principe de séparation de l'Église et de l'État fut exprimée par le dissident baptiste Roger Williams, le fondateur du Rhode Island[27]. Installé dès 1631 dans la colonie de la baie du Massachusetts, Williams en avait été chassé par les autorités civiles, en 1636, pour avoir dénoncé l'intolérance des puritains, et surtout pour son opposition au projet, blasphématoire à ses yeux, de création d'une république chrétienne (*Christian commonwealth*). Selon Williams, le pouvoir civil n'avait aucune vocation messianique ; un bon gouvernement se doit d'exister dans « des nations, des villes, des royaumes [...] qui n'ont jamais entendu parler du vrai Dieu ou de Son saint fils[28] ». Le magistrat civil n'a pas à se préoccuper des croyances de ses sujets ni à imposer une quelconque uniformité religieuse. Sa tâche principale consiste à garantir la paix civile et à assurer une certaine prospérité. « Le magistrat civil, affirme Williams, se satisfera de l'assurance que des hommes totalement dénués de religion peuvent posséder une morale civique qui fait d'eux d'honnêtes et utiles membres de l'État[29]. » La liberté de conscience envisagée par Williams était totale ; elle s'appliquait à tous, aux athées comme aux plus grands ennemis et persécuteurs de la religion protestante, les catholiques.

La séparation de l'Église et de l'État, telle qu'elle est défendue par Williams dans son fameux *Bloudy Tenent of Persecution* (1644), est inséparable d'un débat théologique fondamental concernant les rapports entre l'Ancien et le Nouveau Testament. Postuler la création d'une nouvelle Jérusalem ou d'une république chrétienne conduisait à une surinterprétation de l'Ancien Testament, contraire à la vérité des Évangiles. Pour Williams, à l'encontre des puritains les plus orthodoxes, la rupture entre l'Ancien et le Nouveau Testament était presque complète : si la loi mosaïque avait valeur de « type », l'Évangile en était, littéralement, l'inverse : le « contre-type[30] ». Le royaume d'Israël, dans l'Ancien Testament, était bien un régime privilégié, choisi et béni par Dieu, et qui pour sa survie devait fonctionner selon la loi juive. Les rois d'Israël étaient donc tenus de faire respecter la loi divine. En revanche, le dirigeant d'un régime chrétien n'avait aucune exigence religieuse à faire respecter, pas même les Dix Commandements : aucun texte du Nouveau Testament ne dotait le magistrat civil de la moindre autorité religieuse, et les châtiments prévus contre les violations de l'ancienne loi (le blasphème, par exemple) échappaient désormais à la compétence des autorités publiques[31].

La doctrine de la « libre grâce » de Dieu adoptée par Williams et par les plus radicaux des séparatistes interdisait l'éventualité même d'une théocratie ou d'une Église d'État, puisque aucun dirigeant ne pouvait avoir la certitude de son salut. Cette doctrine, en fait, donnait un nouveau sens à la prédestination calviniste en précisant qu'un pécheur pouvait être sauvé par Dieu malgré son imperfection. La grâce de Dieu étant gratuitement accordée, aucun dirigeant politique n'avait l'obligation de punir les contrevenants à la loi divine pour leur bien propre ou pour servir d'exemple. D'autre part, comme un pécheur pouvait être un « Saint », il était impossible de savoir *a priori* qui était le bon leader choisi par Dieu. La doctrine de la « libre grâce » de Dieu avait donc de fortes implications démocratiques, comme l'a bien montré David Wootton : le pouvoir politique n'avait plus d'origine divine ; il ne pouvait être que le résultat d'un choix humain, un pur produit de la raison naturelle[32].

Quant à l'Église, quelle qu'en soit la doctrine, elle était nécessairement dissociée du pouvoir politique. Elle n'était, après tout, qu'une « société d'adorateurs », comparable à une société commerciale ou un collège de médecins dont les querelles internes n'affectaient en rien le bien-être de la cité. En refusant de se séparer de leurs églises encore insuffisamment réformées, en interdisant toute dissidence religieuse et toute liberté de conscience, les puritains de la Nouvelle-Angleterre, selon Williams, avaient commis l'irréparable : ils accueillaient dans leurs communautés « les purs et les impurs, les troupeaux du Christ et ceux du Monde », créant ainsi une inacceptable confusion entre « le jardin et la friche (*the Garden and the Wilderness*), l'Église et le Monde[33] ». En acceptant d'ouvrir « une brèche dans [...] le mur de séparation (*Wall of separation*) entre le jardin de l'Église et la friche du monde », ils avaient commis l'irréparable. Leur comportement devait donc provoquer le châtiment divin, déjà annoncé dans le livre d'Isaïe (v, 5-6), à savoir « la destruction totale du mur [...] et la transformation du jardin en désert ». Williams, le séparatiste, souhaitait ainsi isoler complètement le jardin de *son* Église du désordre du monde[34].

Accusé d'anarchisme religieux, dénoncé pour son « antinomisme », banni de sa paroisse de Salem puis réfugié dans la baie du Narragansett, Williams obtint en 1644 une charte royale pour fonder la colonie du Rhode Island dont il fut, pour un temps, le chef de l'exécutif (de 1654 à 1656). Joignant le geste à la parole, c'est là qu'il créa l'ébauche d'un État laïque, sans Église établie, sans *test act* et sans dîmes destinées à rémunérer les clercs ou à favoriser la construction d'édifices religieux. Son régime de tolérance, ouvert à toutes les confessions, se situait même à l'opposé d'une nouvelle Jérusalem[35]. Williams restait à sa façon un calviniste convaincu ; l'idée de construire une nation chrétienne, englobant pêle-mêle des purs et des impurs selon un pacte d'alliance conclu avec Dieu, lui répugnait car il estimait que les vrais chrétiens représenteraient toujours une infime minorité en Amérique du Nord. Prétendre qu'il en allait autrement était faire preuve d'une insupportable arrogance, contraire à l'esprit du Nouveau Testament.

*

Les historiens débattent encore de l'influence de Roger Williams. S'il est bien le premier à avoir appliqué la métaphore du « mur de séparation » au Nouveau Monde, il est peu probable que ses successeurs, à commencer par Jefferson, ait eu une connaissance directe de ses écrits, tous publiés à Londres et considérés comme passablement archaïques à la fin du XVIIIe siècle. L'intérêt de son œuvre pour nous est double : c'est le premier témoignage américain d'une défense systématique d'un régime de tolérance de portée universelle ; c'est aussi l'une des sources clés de la réflexion de John Locke sur la tolérance — réflexion qui aura, à son tour, une influence décisive et bien documentée sur les écrits des Pères fondateurs. Rappelons que dans sa fameuse *Lettre sur la tolérance*, Locke cherchait à « marquer les justes bornes » qui séparent « les affaires du gouvernement civil de celles de la religion ». Il précisait que ces bornes étaient « fixes et immuables » et que toute tentative de transgression serait aussi absurde que de vouloir « confondre le ciel avec la terre[36] ». Et, comme Williams, Locke excluait la possibilité d'une Église officielle imposée aux sujets d'un État monarchique, même par consentement populaire. L'Église ne pouvait être qu'une association volontaire, librement choisie par des sujets autonomes, en dehors de toute interférence publique. Car la vraie religion était une affaire purement individuelle, la marque d'une « persuasion intérieure de l'esprit ». L'État, quant à lui, n'avait qu'un seul objet : défendre les biens temporels des hommes : leurs possessions, leur liberté, leur vie et leur santé. L'Église, dans cette logique, se trouvait « entièrement séparée et distincte de l'État[37] ».

La théorie lockienne de la séparation de l'Église et de l'État eut une influence certaine sur la pensée des *radical whigs* anglais, qui influencèrent, à leur tour, les Fondateurs de la démocratie américaine. Ainsi James Burgh, l'auteur d'un roman utopique dédié au « bon peuple de [Grande-] Bretagne du XXe siècle », s'en prenait au monstrueux « métissage des pouvoirs temporel et spirituel », réalisé par un tout-puissant *ecclesiastical establishment*. Burgh espérait que les émoluments du clergé et des éducateurs soient enfin privatisés et placés « dans les mains du peuple », selon sa volonté souveraine. Et, surtout, il proposait l'abolition des *test acts* pour tout ce qui touche aux emplois publics les plus recherchés et les plus à même de garantir une promotion sociale — à commencer par la carrière militaire, jusque-là fermée aux catholiques, aux juifs et aux *dissenters*. Il conclut, fameusement : « Construisez *un infranchissable mur de séparation* entre les domaines sacrés et les domaines civils. Ne forcez pas un officier sans grâce, sortant puant de l'étreinte d'une fille publique, à participer à un saint rite religieux, comme test de sa capacité à diriger un régiment. Profaner ainsi une religion que vous prétendez révérer est une impiété suffisante pour provoquer l'écroulement, sur vos têtes, de la voûte de l'établissement sacré ainsi avili[38]. »

En clair, les pratiques scandaleuses du *test act*, tolérées pour les hommes les plus dépravés (de même que pour certains dissidents, à condition qu'ils prétendent croire à la religion anglicane au moment de leur nomination[39]), étaient par essence corruptrices et contraires à l'objectif vertueux recherché par les *establishmentarians*. Mieux valait donc mettre fin à de telles folies en dressant un mur entre l'Église et l'État. La formule était lancée, elle sera reprise plus tard par Jefferson dans une lettre adressée à la communauté baptiste de Danbury[40].

*

Reposons notre question initiale en des termes plus familiers à un esprit français : Qu'est-ce que la laïcité ? La meilleure définition en est donnée par Ferdinand Buisson, l'ancien collaborateur de Jules Ferry, dans son *Nouveau Dictionnaire de pédagogie et d'instruction primaire* (1911). Le mot, dit-il, est neuf, mais nécessaire pour décrire la lente sécularisation de la société française, fondée sur une différenciation croissante entre les fonctions du clergé et de l'État. Cette différenciation atteignit son apogée avec la Révolution française, qui réussit à imposer « dans sa netteté entière l'idée de l'État laïque, de l'État neutre entre tous les cultes, indépendant de tous les clergés, dégagé de toute conception théologique ». Mais, ajoute Buisson, il fallut encore un siècle de combats politiques pour que la société française établisse enfin une « délimitation profonde entre le temporel et le spirituel[41] ».

Partant d'une telle définition, il est facile de démontrer, une fois de plus, l'antériorité américaine du principe de laïcité. Ce principe reçoit sans doute sa meilleure formulation dans le « projet de loi pour établir la liberté religieuse » rédigé par Jefferson en 1777, soumis au parlement de Virginie en juin 1779 et adopté le 16 janvier 1786, grâce à l'appui décisif de James Madison et de sa fameuse pétition contre les dîmes religieuses, signée par plus de 10 000 personnes[42]. La loi innovait dans de nombreux domaines : en défendant la liberté de conscience et la neutralité de l'État, et en abolissant les dîmes du clergé anglican. Elle libérait aussi l'accès aux emplois publics puisqu'elle prohibait tous les serments d'allégeance. Exceptionnellement ambitieuse, la loi offrait un véritable catalogue des droits naturels du genre humain. Elle précisait ainsi :

> Il était coupable et tyrannique de forcer un homme à payer des contributions destinées à répandre des opinions qui ne sont pas les siennes [...] ; que nos droits civils ne dépendent pas plus de nos opinions religieuses, que de nos systèmes sur les sciences naturelles ou la géométrie : qu'ainsi, déclarer un citoyen quelconque indigne de la confiance publique, l'écarter des emplois honorables ou lucratifs, à moins qu'il ne professe ou qu'il n'abjure telle ou telle opinion religieuse, c'est le priver injustement des privilèges et des avantages auxquels il a un droit naturel, ainsi que tous ses concitoyens [...]. Qu'on ne forcera personne à professer une croyance religieuse quelconque, à fréquenter un temple quelconque, à payer pour l'entretien d'un ministre quelconque ; que personne ne pourra être ni contraint, gêné ou molesté dans sa personne ou ses biens, ni inquiété ou tourmenté de quelqu'autre manière,

> à raison de ses opinions ou de sa croyance religieuse[43].

La hardiesse du ton et la portée universelle du texte jeffersonien ne passèrent pas inaperçues dans la France prérévolutionnaire. La loi fut, en effet, presque immédiatement traduite et présentée dans une notice détaillée du second volume de l'*Encyclopédie méthodique* de Démeunier. Plutôt que d'attendre — ce qui eût été logique — la parution de l'article « Virginie » prévue pour le dernier volume de l'*Encyclopédie* (1788), Démeunier préféra précipiter les choses en chahutant l'ordre des matières. Il inséra le texte de la nouvelle loi virginienne à la suite de l'article « États-Unis », assurant sa publication immédiate dès 1786. Démeunier rendait de la sorte hommage à Jefferson qui, la même année, venait d'être nommé ambassadeur des États-Unis à la cour de Versailles.

L'expérience de la Virginie n'est pas oubliée par Madison lorsqu'il propose, trois ans plus tard, au Congrès des États-Unis de compléter la Constitution fédérale en lui ajoutant un amendement interdisant l'établissement d'une religion d'État et garantissant, tout en même temps, la liberté religieuse. Il s'agissait, à l'époque, de donner des gages aux critiques de la Constitution qui craignaient une intrusion de l'État fédéral dans le domaine religieux. Pour contrer le risque d'une hypothétique tyrannie de la religion, le 1er amendement précisait que « le Congrès ne fera aucune loi qui touche l'établissement d'une religion ou qui en interdise le libre exercice[44] ». Cependant, cet amendement demeurait muet quant au rôle des législatures des États fédérés. On pouvait donc penser que celles-ci maintiendraient les privilèges religieux acquis par les églises établies (*established churches*). Mais l'influence grandissante des Églises évangéliques baptistes et méthodistes, la pression du mouvement quaker et de l'Église catholique incitèrent la plupart des États à abolir ces privilèges. Le modèle virginien s'imposait progressivement à tous. On ne trouvera plus aux États-Unis, à partir de 1833, d'Église officielle disposant de privilèges exorbitants.

*

Les baptistes de Virginie avaient obtenu gain de cause. Mais, à l'époque où Jefferson entre à la Maison-Blanche (1800), la question n'est toujours pas réglée dans les États du Massachusetts et du Connecticut[45]. Les baptistes restaient à la pointe du combat contre les privilèges acquis par les églises congrégationalistes. C'est donc tout naturellement que Jefferson accepta de nouer une correspondance avec les membres de l'association baptiste de Danbury, dans le Connecticut, pour leur expliquer le sens et la portée du 1er amendement. L'opinion du président avait d'autant plus de poids que la Cour suprême, à cette époque, ne s'était pas encore imposée comme le seul et ultime interprète de la Constitution. Voici le sens que donne Jefferson au 1er amendement : en interdisant au Congrès de prendre des mesures favorables à l'établissement d'une religion, le peuple souverain n'avait pas hésité à construire « un *mur de séparation* entre l'Église et l'État[46] ». Le message était clair : les baptistes du Connecticut avaient parfaitement raison de poursuivre leur lutte contre les congrégationalistes au nom d'une vraie liberté religieuse. Le modèle de laïcité, d'abord adopté par la Virginie, puis transféré à l'État fédéral par le biais du 1er amendement, était donc valable pour tous.

LE CREDO LAÏQUE DU JUGE HUGO BLACK

Les débats fondateurs sur la séparation de l'Église et de l'État en Virginie ou au Connecticut peuvent paraître aujourd'hui archaïques ou désuets. Et pourtant, ils eurent un impact décisif sur la grande décision de la Cour suprême qui allait donner tout son sens au principe de laïcité. Dans l'arrêt *Everson* (1947), la Cour examine la nature des rapports entre l'Église et l'État à propos de la question scolaire. Fallait-il invalider une loi du New Jersey autorisant le remboursement des frais de transports scolaires avancés par les parents d'élèves inscrits dans des écoles libres, catholiques pour la plupart ? Cette loi ne favorisait-elle pas une religion particulière au détriment des autres, violant ainsi la clause de non-établissement du 1er amendement de la Constitution américaine[47] ? Comme cette clause ne s'applique, théoriquement, qu'aux lois votées par le Congrès fédéral, il fallait justifier son application aux États de l'Union — ce que fit la Cour en invoquant la doctrine compliquée de l'« incorporation ». L'important pour nous est de comprendre comment un passé lointain est sollicité par un juge pour expliquer une situation nouvelle issue de la Seconde Guerre mondiale.

L'opinion de la Cour écrite par le juge Black offre un excellent exemple d'historiographie critique, alimentée aux meilleures sources accessibles à l'époque. Paraphrasant le vieux texte canonique du projet de loi pour établir la liberté religieuse en Virginie, Hugo Black déclarait qu'aucun pouvoir public, fédéral ou fédéré, ne pouvait aider une église ni forcer un individu à croire ou à ne pas croire. Aucun impôt ne pouvait être levé pour financer des institutions ou des activités religieuses, y compris des activités d'enseignement. Citant une décision plus ancienne de la Cour suprême, Black donnait une place centrale au contenu même de la lettre de Jefferson aux baptistes de Danbury, et il concluait avec emphase : « Le 1er Amendement a dressé un mur entre l'Église et l'État. *Ce mur sera maintenu haut et impénétrable*. Nous ne pourrions admettre la moindre brèche[48]. »

Le juge Black avait deux bonnes raisons de s'intéresser à la métaphore du mur de séparation. La première est la filiation baptiste. Hugo Black était alors le seul *Southern baptist* de la Cour suprême ; il était donc naturel qu'il s'intéresse à la pensée religieuse de Roger Williams, le plus célèbre des baptistes américains, et à celle de Jefferson et de Madison, qui avaient pris fait et cause pour la minorité baptiste de Virginie — minorité qui s'estimait persécutée par une omniprésente Église anglicane. La seconde raison est d'ordre juridique. Hugo Black, comme tout juge qui se respecte dans un pays marqué par la tradition de la *common law*, fondait sa décision sur le seul précédent juridique de la Cour suprême traitant de la liberté religieuse — l'arrêt *Reynolds* (1878). Cet arrêt soulevait une question capitale pour l'avenir du territoire de l'Utah, colonisé par les mormons : le Congrès des États-Unis avait-il le droit de légiférer sur le mariage et d'interdire la polygamie ? Du point de vue des représentants de l'Église des *Latter-day Saints*, la polygamie était non seulement une obligation sociale, mais encore un élément sacré du dogme. La Cour suprême pouvait-elle, dans ces conditions, concevoir une dérogation pour le cas particulier des mormons, au nom de la clause dite du « libre exercice » du 1er amendement[49] ? La réponse du *Chief justice* Waite, l'auteur de l'opinion de la Cour, était négative. Permettre une telle dérogation à une loi générale interdisant la polygamie reviendrait à admettre que « les croyances religieuses sont supérieures aux lois du pays », offrant ainsi à chacun la possibilité de se comporter « comme un détenteur de la loi[50] ». En mettant fin après dix ans de résistance et de désobéissance civile à une pratique jugée « odieuse » par le juge Waite, les mormons rendaient possible le rattachement de leur territoire à l'Union fédérale. En 1894, l'Utah devenait effectivement un État fédéré, autonome, disposant de tous les droits politiques des États.

On sait aujourd'hui que le juge Waite, comme son lointain successeur Hugo Black, avait entrepris un patient travail de recherche historiographique sur les conditions de l'adoption du 1er amendement. Dans l'arrêt *Reynolds*, il accordait une place importante aux débats sur la liberté religieuse en Virginie et au rôle qu'y jouèrent ses deux hérauts : Jefferson et Madison. Rien ne fut ignoré : les écrits les plus obscurs de Jefferson et de Madison étaient sollicités tour à tour pour expliquer les intentions des rédacteurs de l'amendement. Citant la lettre de Jefferson aux baptistes de Danbury, le juge Waite n'hésita pas à affirmer qu'elle constituait presque « une déclaration de principe sur la portée et les effets du 1er Amendement[51] ». D'où venait un tel intérêt pour un document déjà vieux de soixante-dix-sept ans, rédigé par un président qui n'avait participé ni à la Convention de Philadelphie ni aux travaux préparatoires du *Bill of Rights*[52] ? La réponse tient aux hasards de la vie washingtonienne. Le juge Waite avait pour voisin le grand historien George Bancroft, que nous avons rencontré plus haut, lequel s'empressa de l'aider à mieux comprendre le climat politique de l'époque, sources à l'appui. Ces sources incluaient le fameux projet de loi de Jefferson sur la liberté religieuse, la pétition de Madison contre les dîmes religieuses et, très probablement, la lettre de Jefferson aux baptistes de Danbury. Une fois l'arrêt rédigé, le juge Waite ne manqua pas, d'ailleurs, de remercier son célèbre voisin pour son aide et la transmission des « faits » historiques qui justifièrent sa décision[53].

C'est ainsi qu'un document anecdotique, une simple lettre à une congrégation religieuse du Connecticut, devint la source d'une jurisprudence dont le sens et la portée sont encore débattus aujourd'hui aux États-Unis. Notons que la position du juge Black dans l'arrêt *Everson* était, en fin de compte, nuancée puisqu'elle validait la loi du New Jersey autorisant le remboursement des frais de transports des élèves des écoles libres.

Dans son opinion dissidente, le juge Jackson s'étonna de la « discordance » frappante entre le contenu de la décision et l'évocation si éloquente du principe de laïcité jeffersonien. La métaphore du mur de séparation, écrivait Jackson, cachait une faible force de conviction, comparable à celle de Julia, cette héroïne de Byron, qui « tout en disant tout bas, "je ne consentirai jamais", consentit[54] ». Mais Black et la majorité de la Cour savaient répondre à l'objection : la loi sur les transports scolaires avait une portée universelle ; elle concernait tous les élèves de toutes les écoles, publiques comme privées. Puisque la loi était neutre et dénuée d'effets sur le contenu des enseignements, elle ne pouvait être jugée contraire à la clause de non-établissement du 1er amendement. Et Black de rappeler que l'amendement n'avait pas été conçu comme un instrument de lutte contre la religion. Il était, simplement, un dispositif d'équité exigeant « que l'État reste neutre dans ses relations avec les groupes de croyants et de non-croyants ». L'État n'était pas un « adversaire » des Églises : son objet consistait à ne pas gêner la religion sans chercher par ailleurs à la favoriser[55].

*

Les critiques américaines de la métaphore du mur de séparation sont innombrables. Elles reflètent la diversité de courants de pensée, tantôt issus du catholicisme, tantôt proches de l'évangélisme émancipateur, tantôt enfin liés à des auteurs ou à des juristes partisans d'une lecture « littéraliste » et « originaliste » de la Constitution. Pour certains milieux catholiques, très attachés à la défense de l'école libre, la métaphore est dangereuse, car elle risque, si elle est mal interprétée, de transformer le mur en « rideau de fer ». Or la survie du catholicisme et de la religion en général exigent une « libre circulation » entre les sphères politique et religieuse[56]. Un point de vue comparable est éloquemment défendu, de nos jours, par un célèbre professeur de droit. Pour Stephen Carter, l'idée même du mur de séparation entre l'Église et l'État n'est plus adaptée aux besoins de la société moderne, pas plus qu'elle n'était adaptée au grand mouvement abolitionniste du XIXe siècle ou au mouvement des droits civiques des années 1960. L'émancipation politique des Noirs était inséparable de la mobilisation politique des Églises... Aujourd'hui comme hier, il est impératif qu'il y ait « des portes dans le mur », si l'on veut, comme le souhaite Carter, réintroduire le débat religieux dans un espace public excessivement sécularisé[57].

On doit la critique la plus féroce de la métaphore jeffersonienne à William Rehnquist, l'ancien

Chief justice de la Cour suprême dont la démarche relevait à la fois d'une interprétation littérale du texte de la Constitution et d'une réflexion poussée sur les intentions d'origine des Pères fondateurs. Si l'on s'en tient, écrit-il, à la lettre du 1er amendement, rien ne fait directement référence à la notion d'une séparation entre l'Église et l'État. L'interdiction de créer une Église officielle est une chose ; développer des liens entre les deux sphères, publique et religieuse, en est une autre qui n'est pas prohibée même si la jurisprudence en l'occurrence reste encore confuse. Seule une lecture rétrospective de la lettre de Jefferson aux baptistes de Danbury pouvait faire croire à une stricte interprétation de la clause d'établissement[58]. Quant à l'analyse des intentions originelles des rédacteurs du *Bill of Rights*, elle révèle, selon Rehnquist, un souci réel de ne pas séparer les sphères du religieux et du politique au sein des États de l'Union. Les rédacteurs n'avaient pu être influencés par Jefferson, alors en poste en France. On a donc affaire, conclut Rehnquist, à une supercherie historique : « une métaphore fondée sur une mauvaise histoire, une métaphore qui s'est révélée être inutile pour guider les juges et qui devrait être, franchement et explicitement abandonnée[59]. »

Or Rehnquist se révèle manifestement un piètre historien. D'abord, parce qu'il semble ignorer que le débat sur la séparation de l'Église et de l'État est ancien et remonte, comme on l'a vu, à l'époque des puritains et de leurs critiques. Ensuite, parce qu'il omet de mentionner les liens intimes qui unissaient Madison à Jefferson dans le combat politique pour la liberté religieuse en Virginie. Madison, le principal rédacteur du projet du 1er amendement, ne faisait que prolonger ce combat ancien, pour en clarifier les enjeux dans le cadre d'un fédéralisme en construction. De plus, Jefferson entretenait une correspondance régulière avec Madison, pour l'informer du progrès des débats sur les Droits de l'homme dans les toutes premières semaines de la Révolution française. Les Français, grâce notamment à Jefferson et à ses agents d'influence, discutaient de la liberté religieuse aux États-Unis au moment même où le Congrès des États-Unis élaborait un *Bill of Rights*, traitant de la même question.

DEUX ÉCRITURES DE L'HISTOIRE

Sans entrer dans le détail d'une jurisprudence complexe et contradictoire, on peut résumer les enjeux du débat sur la séparation de l'Église et de l'État de façon très simple. Deux camps s'affrontent : les partisans du mur de séparation, plutôt situés à gauche sur l'échiquier politique, très attachés à la démarche jeffersonienne et à la clause de non-établissement du 1er amendement ; et les adversaires du mur, souvent conservateurs, proches des courants évangéliques et particulièrement favorables à la multiplication des aides de l'État aux écoles confessionnelles. Pour faciliter la discussion, j'appellerai les premiers des « séparatistes » et les seconds des « antiséparatistes ». Face à ces deux camps, représentant deux traditions historiques concurrentes, l'une issue des Lumières, l'autre du nativisme anglo-protestant, il existe une position intermédiaire qui, au nom d'un multiculturalisme bien compris, prône des assouplissements ou des dérogations au principe de séparation. J'appellerai ces derniers des « accommodateurs ».

Du point de vue des séparatistes, la métaphore du mur de séparation est à prendre au pied de la lettre. C'est un principe général, applicable à toutes les situations où la puissance publique cherche à encourager des intrusions du religieux dans l'espace public. Le mur doit demeurer haut et impénétrable : telle est la signification de la clause de non-établissement du 1er amendement. La majorité de la Cour suprême s'est manifestement ralliée à cette position lorsqu'elle a interdit toutes les formes de prières organisées dans des lieux publics, des écoles ou des universités. La Cour a ainsi censuré, tour à tour, la récitation (facultative) d'une prière multiconfessionnelle à l'école, la lecture de versets de la Bible, un moment de silence permettant la prière ou la méditation, l'ouverture d'une cérémonie de remise de diplôme scolaire par la prédication d'un ministre du culte ou d'un rabbin[60]... Toutes ces pratiques étaient invalidées parce que jugées contraires à la clause de non-établissement. Dans la même veine, la Cour a censuré l'exposition publique d'une crèche sur les marches d'un palais de justice[61] ainsi que l'affichage des Dix Commandements dans les classes des écoles publiques ou encore dans l'enceinte des tribunaux d'un État du Midwest[62].

D'autres décisions de la Cour on donné raison

aux antiséparatistes, c'est-à-dire à ceux qui cherchent à introduire des brèches dans le mur de séparation. Le plus grand succès des séparatistes touche un sujet jusque-là tabou : le financement public des écoles confessionnelles. Plutôt que d'exiger un financement direct des écoles libres — ce qui violerait la clause de non-établissement —, les antiséparatistes ont choisi une voie indirecte et individualisée : permettre à des parents d'élèves d'utiliser des « chèques scolaires » (*school vouchers*) comme ils l'entendent — soit pour compléter l'éducation de leurs enfants (mal) scolarisés dans des écoles publiques par des tutorats, soit pour couvrir les frais de scolarité d'écoles privées, jugées plus performantes. Cette position a été validée par une décision récente de la Cour suprême, précisant que l'aide de l'État est admissible, à condition qu'elle soit indirecte, qu'elle s'applique à tous les régimes scolaires, public et privé, et que le choix ultime soit réservé à des personnes privées : les parents d'élèves[63]. On assiste donc à une nouvelle formulation du principe de neutralité, ainsi formulé par le juriste Akhil Amar : « La religion en général peut être aidée par l'État, mais aucune église particulière au détriment d'une autre[64]. »

La jurisprudence de la Cour suprême est par conséquent contradictoire. D'une part, elle chasse la religion de l'espace public en interdisant la prière et certaines manifestations de religiosité trop unilatérale. D'autre part, elle permet des aides indirectes aux écoles confessionnelles. À cette contradiction s'ajoute la complexité de certaines décisions, plus rares il est vrai, qui servent la cause des accommodateurs, au nom du principe de la diversité. Par diversité, j'entends le respect de certaines identités minoritaires ou encore le refus de discriminer contre certaines formes atypiques de religiosité. Dans ce dernier cas, la Cour suprême accepte de déroger à une règle plus générale, pour préserver des pratiques cultuelles inhabituelles. Par exemple, la Cour a admis que des parents d'élèves de confession amish pouvaient retirer leurs enfants du collège après seulement huit ans d'études afin de les inciter à se consacrer aux travaux des champs ou à des formes d'artisanat n'exigeant pas d'études avancées[65]. Ou bien encore, la Cour autorise les membres d'une Église afro-cubaine de tradition santeria à pratiquer des sacrifices d'animaux jugés cruels par les autorités locales et contraires au code d'hygiène en vigueur[66]. La Cour estime ainsi que toutes les religions ont une valeur égale et qu'il serait arbitraire et injuste d'interdire les sacrifices pratiqués par les fidèles de l'Église du Lukumi Babalu Aye, alors que d'autres communautés religieuses, comme la communauté juive, procèdent en toute légalité à des abattages kasher[67]. Et lorsque la Cour refuse de tolérer des traditions « dangereuses » qui exigent, par exemple, l'usage de la mescaline pour certains rituels de méditation amérindien[68], le Congrès intervient pour rétablir la coutume au nom du principe de l'égale dignité des religions[69].

Tout bien sûr n'est pas permis, et la Cour suprême, on s'en souvient, n'a pas invalidé une loi fédérale criminalisant la pratique de la polygamie chez les mormons. Mais le résultat est là : la laïcité américaine est aujourd'hui fondée sur l'affirmation d'un principe dominant — le principe de neutralité de l'État. Tout doit être fait, à en croire la Cour, pour empêcher le retour à l'intolérance et aux guerres de Religion si fréquentes dans l'histoire de l'Europe et des États-Unis. Il faut donc éviter de prendre des mesures favorisant une religion particulière ou imposant une préférence pour la religion contre l'athéisme ou l'irréligion. Toute attitude contraire serait profondément injuste, car cela reviendrait à dire aux adhérents d'une croyance minoritaire : « Vous êtes des étrangers, vous n'êtes pas des membres à part entière de la communauté politique[70]. »

D'un point de vue historique, si l'on considère l'ensemble de la jurisprudence de la Cour suprême, on assiste à une indéniable « mise à niveau » de la religion dominante. Le christianisme n'est plus considéré par les juges comme l'élément central d'un hypothétique Credo américain ; c'est simplement une religion parmi d'autres, progressivement privée des « privilèges, avantages et usages sociaux qu'elle tenait de son statut de religion majoritaire[71] ».

La meilleure illustration d'une telle mise à niveau nous est donnée par l'évolution d'un vieux rituel patriotique : le serment de défense de la Constitution, exigé des élus et des plus hauts fonctionnaires de l'État fédéral[72]. Traditionnellement, le président et les nouveaux membres du Congrès prêtent serment, la main sur la Bible. Rien dans la Constitution n'exige la présence des Saintes Écritures, mais cette tradition ancienne, empruntée au parlementarisme anglais, perdure encore aujourd'hui.

En 2006, pour la première fois dans l'histoire des États-Unis, un musulman sunnite d'origine afro-américaine, candidat démocrate d'une circonscription de la ville de Minneapolis dans le Minnesota, a été élu à la Chambre des représentants. Comment ce nouveau représentant — Keith Ellison — allait-il prêter serment le jour de son entrée au Congrès, le 4 janvier 2007 ? Se contenterait-il d'un serment civil, en levant le bras droit ? Utiliserait-il une Bible ou bien encore le Coran ? Il choisit de jurer sur le Coran, malgré une virulente campagne de presse dénonçant l'intolérance des musulmans dans le monde et l'incompatibilité de l'islam avec des institutions républicaines. Désireux d'atténuer les effets d'un événement sans précédent, Ellison eut l'intelligence de solliciter l'histoire de la fondation de la République américaine pour déjouer les accusations de ses critiques. Il emprunta, pour son serment, un exemplaire du Coran qui avait appartenu à Jefferson. Ce faisant, il réconciliait avec pragmatisme les deux traditions contraires déjà analysées. En insistant sur l'usage du Coran, il ralliait le camp des adversaires de la séparation de l'Église et de l'État. En utilisant l'exemplaire de Jefferson, il rejoignait implicitement le camp des partisans du mur de séparation. Mais savait-il que Jefferson, le propriétaire du Coran tant convoité (traduit par l'orientaliste anglais George Sale[73] en 1734), n'était pas l'ami rêvé des religions révélées ? Jefferson n'avait sans doute pas plus de respect pour le Coran qu'il en avait eu pour la Bible, comme on l'a montré plus haut. Mais la référence était bien choisie : Jefferson était, après tout, avec George Washington et James Madison, l'un des Fondateurs de la République américaine.

*

Il n'est pas facile, aux États-Unis, d'équilibrer des positions contraires. Les divergences politiques entre séparatistes et antiséparatistes restent profondes et un observateur étranger n'est pas toujours en mesure de distinguer entre ce qui est permis et ce qui est interdit en matière de religion. Le mur de séparation est tantôt infranchissable, tantôt troué de portes, selon les circonstances et les obligations d'un multiculturalisme pluriethnique et multiconfessionnel. Deux écritures de l'histoire, on l'a vu à travers cet ouvrage, persistent et rivalisent entre elles : l'une est l'héritière des progrès fulgurants d'une religiosité évangélique qui tente, depuis le XIXe siècle, de (re)christianiser la nation américaine ; l'autre, issue du rationalisme et du paganisme des Lumières, n'hésite pas à purger l'espace public des icônes les plus sacrées de la religion chrétienne.

Comment réaliser la synthèse entre ces traditions opposées ? Certaines solutions sont rhétoriques et bricolées, comme l'atteste le serment imaginé par l'élu du Minnesota. D'autres sont plus élaborées, comme l'ont proposé d'éminents juristes et certains juges de la Cour suprême[74]. Toutes pointent vers un avenir probable : l'élaboration d'une *laïcité philo-cléricale,* soucieuse de respecter toutes les religions sans discrimination aucune, tout en préservant, autant que faire se peut, la vieille tradition américaine du mur de séparation entre l'Église et l'État.

Épilogue

LE MUR ENTRE L'ÉTAT ET L'ÉGLISE

Le président Barack Obama s'est distingué de ses prédécesseurs non élus, Al Gore et John Kerry, en accordant une place importante à la religion dans son discours politique. Le premier exemple est sans doute son intervention remarquée à la Convention du parti démocrate, le 27 juillet 2004, lorsque le jeune sénateur de l'Illinois, encore peu connu, prit la parole et fit preuve d'un brillant talent oratoire et d'un esprit de synthèse qui impressionnèrent les dirigeants de son parti. Dans ce discours, Obama utilisait déjà la formule qui fera mouche dans la campagne présidentielle de 2008 : « l'audace d'espérer[1] ». Un tel espoir, malgré les difficultés, malgré les incertitudes du temps présent, selon Obama, relevait d'un « don de Dieu à la nation américaine ». Cet espoir, bâti sur « des choses qui ne sont pas encore visibles », laissait penser qu'un avenir meilleur transformerait bientôt l'Amérique[2].

LE DISCOURS D'OBAMA SUR LA RELIGION

La philosophie religieuse de Barack Obama est explicitée lors d'une conférence organisée en juin 2006 par un pasteur progressiste, Jim Wallis, le fondateur et l'éditeur en chef de *Sojourners Magazine*. Lors de cette conférence, réunissant une cinquantaine de représentants d'Églises protestantes, Obama soulignait que les « Américains sont un peuple religieux ». 90 % des Américains croient en Dieu, 70 % appartiennent à une religion organisée, 38 % sont engagés dans des activités prosélytes ou caritatives : « Des milliers d'Américains réalisent que quelque chose leur manque. Ils savent que leur travail, leurs possessions, leurs distractions ne suffisent pas[3]. » C'est pourquoi ces Américains s'investissent dans des tâches exigeantes pour « nourrir les affamés, vêtir les pauvres dénudés, et défier les puissants de ce monde ». Les laïques (*secularists*) ont donc tort, selon Obama, de « demander aux croyants de laisser leur religion en dehors de l'espace public. Frederick Douglass, Abraham Lincoln, William Jennings Bryan, Dorothy Day, Martin Luther King et l'immense majorité des grands réformateurs de l'histoire américaine n'étaient pas seulement motivés par leur foi. Ils ne cessaient en fait d'utiliser un langage religieux pour défendre leur cause[4] ». Toujours à la recherche d'un compromis qui satisfasse à la fois les plus croyants et les moins croyants des Américains, Obama défendait une position médiane qui frisait l'équilibrisme : « Nous, les progressistes [...], nous devrions reconnaître les valeurs communes que partagent les croyants et les laïques, lorsqu'il s'agit de décider du sens moral et de la direction matériel du pays[5]. »

La foi toute personnelle revendiquée par Obama n'excluait pas des arrière-pensées politiques. Celles-ci évoquaient, à une autre époque et dans un autre contexte, le discours politique de Lincoln, le moins dévot des présidents américains, et pourtant le plus prompt à faire usage de la Bible pour défendre la cause abolitionniste[6]. De son propre aveu, Obama ne s'est pas soudainement converti à la façon d'un évangélique. Contrairement à Bush fils ou à Jimmy Carter, il n'est pas un *born again christian* (chrétien régénéré). Sa foi est plutôt une foi raisonnée, la décision calculée de partager les souffrances et l'expérience religieuse des habitants du South Side de Chicago où il mena ses activités de travailleur social. Sa conversion, affirmait-il, « n'était pas une épiphanie » ; c'était un « choix ». Et sa pratique religieuse, sans doute sincère, est inséparable d'une logique religieuse utilisée comme une technique de persuasion politique : « Le problème, disait-il, est en partie rhétorique. S'il l'on vide le langage [politique] de tout contenu religieux, on abandonne l'imagerie et la terminologie qui permirent à des millions d'Américains d'approfondir leur sens moral et d'agir pour une plus grande justice sociale. Imaginez la deuxième adresse inaugurale de Lincoln sans la mention du "jugement de Dieu", ou le discours de [Martin Luther] King — *I have a dream* — sans référence à “tous les enfants de Dieu”[7] ! » La référence à Lincoln est particulièrement révélatrice : un chef de parti qui doutait de la divinité du Christ, mais qui avait, comme Tom Paine, une excellente connaissance des Écritures et une capacité hors pair à citer des versets de la Bible pour mieux convaincre son auditoire du bien-fondé de son combat politique[8].

Et pourtant, le discours politique d'Obama n'est jamais purement et simplement religieux. Obama, contrairement à son prédécesseur à la Maison-Blanche, George W. Bush, a parfaitement conscience du danger d'un enchevêtrement trop grand du religieux et du politique aux États-Unis. Il n'ignore pas les limites qu'un homme d'État doit assigner à la sphère du pouvoir spirituel. En bon constitutionnaliste, il respecte scrupuleusement la jurisprudence de la Cour suprême lorsqu'il affirme, dans son discours inaugural, que la communauté des citoyens est inclusive et qu'elle s'étend à tous, non-croyants inclus : « Nous sommes une nation de chrétiens et de musulmans, de juifs et d'hindous, et de non-croyants[9]. »

Obama révélait ainsi son adhésion à une conception de la nation américaine qui n'est pas, strictement parlant, chrétienne, mais bien plutôt pluraliste, ouverte à toutes les confessions, qu'elles soient ou non monothéistes. Et surtout une nation suffisamment inclusive pour y admettre sans restriction aucune ceux qui rejettent par athéisme ou indifférence toute référence à la religion. Barack Obama est donc le premier président dans l'histoire des États-Unis qui ose affirmer dans son discours inaugural qu'il y a des Américains qui ne croient pas en Dieu et qui, par la même occasion, met sur pied d'égalité croyants et incroyants[10]. Ce faisant, il rendait un hommage implicite à l'indifférence religieuse de ses parents : à son père, né et élevé dans la religion musulmane, mais devenu athée à l'âge adulte ; à sa mère qui était une « sceptique » à l'égard des religions organisées, mais faisait preuve d'une exceptionnelle spiritualité[11].

Les références au passé politique des États-Unis sont nombreuses dans les discours d'Obama, mais c'est un passé sélectif qui donne une place prépondérante aux Pères fondateurs et à Lincoln, leur plus grand successeur, tout en négligeant de rappeler le rôle des Puritains et de leur utopie politico-religieuse — la « Cité sur la colline » — si chère, entre autres, à Ronald Reagan et à la plupart des conservateurs américains, Mitt Romney inclus[12]. Entre les deux récits rivaux de l'identité américaine évoqués dans ce livre, Obama a manifestement choisi celui qui était ancré dans l'époque et la philosophie des Lumières. Les Fondateurs, malgré leurs défauts (ils étaient pour la plupart propriétaires d'esclaves), ont pensé et élaboré les grands principes de la démocratie américaine : l'égalité, la liberté, la souveraineté du peuple, la possibilité d'un bonheur terrestre ouvert à tous. Et c'est à eux qu'on doit la mise en place d'un système sophistiqué de séparation de l'Église et de l'État (voir le chapitre 8).

LA PLACE DE LA RELIGION DANS LES ÉLECTIONS PRÉSIDENTIELLES DE 2004 ET 2008

Le discours politique d'Obama est nourri de références à la religion, aux œuvres caritatives menées par des institutions religieuses (*faith-based organizations*) et à sa quête toute personnelle de la foi. Comment expliquer les contradictions entre le juriste qui minimise l'importance des religions, et du christianisme en particulier, et le candidat politique si prompt à étaler sur la place publique ses états d'âme religieux[13] ?

La réponse tient au contexte politique des campagnes présidentielles américaines et à l'importance grandissante donnée aux thématiques religieuses depuis le début des années 1980. J'ai déjà expliqué les raisons politiques, géographiques et culturelles de l'émergence de la droite religieuse et de son influence au sein du parti républicain (voir le chapitre 6). À ces raisons s'ajoutent, en 2008, une certaine illusion rétrospective fondée sur une lecture erronée du résultat des élections présidentielles de 2004. Pour qu'un démocrate l'emporte aux présidentielles de 2008, il fallait qu'il évite les erreurs de son prédécesseur. Or, disait-on, Kerry avait perdu parce qu'il n'avait pas suffisamment prêté attention aux croyances de l'Américain moyen ; il avait négligé les *values voters* — les électeurs attachés aux valeurs morales traditionnelles. Trop discret sur sa propre foi, Kerry avait laissé la part belle à George W. Bush, qui réussit même à séduire une majorité des électeurs catholiques, traditionnellement plus enclins à voter pour le parti démocrate. Il est vrai que Bush avait pris des risques qu'un candidat catholique comme Kerry n'aurait pu assumer, sous peine d'être soupçonné de papisme. Bush est le premier candidat républicain qui rendit visite au pape, au Vatican, au milieu de la campagne des primaires présidentielles. L'événement était sans précédent et la récompense appréciable : 52 % des électeurs catholiques votaient pour Bush. Plus remarquable encore, 78 % des évangéliques blancs votaient pour le président sortant. Bush était donc tout à la fois le meilleur candidat des évangéliques, le meilleur candidat des catholiques et surtout le meilleur candidat des électeurs dont la pratique religieuse était « fréquente », toutes religions confondues. Le parti républicain était donc le parti des dévots, le parti démocrate, celui des mous, des indifférents et des agnostiques.

Un tel déséquilibre entre les deux partis était-il réversible ? Les démocrates pouvaient-ils espérer reconquérir une partie du vote religieux ? Oui, pensaient-ils, à condition de donner une place de choix aux questions religieuses dans les prochaines élections. C'est en tout cas ce qu'affirmaient les leaders du parti démocrate au lendemain de la défaite de 2004[14].

Mais Obama avait deux raisons de donner une place de choix à la religion. Il devait, d'abord, contrer la rumeur persistante qu'il était musulman — d'où la fréquence avec laquelle il évoquait sa quête de l'« Esprit » (de Dieu) et son baptême dans la Trinity United Church of Christ de Chicago, une Église protestante progressiste, d'origine congrégationaliste, marquée par la tradition de l'évangile social. Il devait, ensuite, réagir aux propos très excessifs et manifestement antipatriotiques du pasteur de son Église d'adoption, le révérend Jeremiah Wright. *God damn America !*, « Que l'Amérique soit damnée », avait-il dit entre autres dans un sermon recyclé *ad nauseam* sur l'Internet, YouTube et de nombreuses chaînes de télévision par les adversaires politiques d'Obama. Dans son fameux discours de Philadelphie du 18 mars 2008, Barack Obama sauva sa campagne présidentielle en donnant la meilleure réplique possible à ses critiques. La colère du révérend Wright, selon Obama, était explicable pour un Afro-Américain d'une autre génération que la sienne, qui vécut à une époque où la « ségrégation était la loi du pays et les possibilités de carrière des plus restreintes ». Mais elle devenait inexcusable à une époque où il était enfin possible de surmonter les antagonismes raciaux et autres rancœurs du passé : « L'erreur profonde du révérend Wright n'est pas d'avoir parlé du racisme dans notre société. C'est d'en avoir parlé comme si notre société était figée, comme si nous n'avions accompli aucun progrès, comme si ce pays [...] était encore prisonnier d'un passé tragique[15]. » Obama tournait la page, tout en démontrant de façon sobre et persuasive qu'il était bien un candidat postracial, dont la seule ambition était de « bâtir une coalition de Blancs et de Noirs, de Latinos et d'Asiatiques, de riches et de pauvres, de jeunes et de vieux », conformément à une philosophie politique énoncée deux cent vingt et une années plus tôt par les rédacteurs du préambule de la Constitution fédérale de 1787. La phrase liminaire de ce préambule est : « Nous Peuple des États-Unis, en vue de former une Union plus parfaite... ». La formule restait plus que jamais d'actualité et sa portée performative était indéniable. Elle signifiait, selon Obama, que l'Amérique pouvait changer. D'où cette « audace d'espérer » réaffirmée une fois de plus par Obama — ce sur quoi il fondait le « génie de la nation[16] ».

Convaincu de l'importance des valeurs traditionnelles dans l'élection présidentielle de 2008, Obama et ses conseillers consacrèrent des ressources importantes pour communiquer avec les électeurs les plus croyants de la dizaine d'États décisifs pour l'élection (les fameux *battle-ground states*). Il s'agissait, en fait, de cibler des électeurs jusque-là réticents à voter pour le parti démocrate. En nommant à la tête de son équipe chargée de stimuler le vote religieux un jeune pasteur noir pentecôtiste, Joshua DuBois, et deux coordinateurs hispaniques, l'un catholique, le professeur Miguel Diaz de St John's University, l'autre protestant évangélique, le révérend Wilfredo De Jesus[17], Obama faisait preuve d'un exceptionnel œcuménisme ethno-religieux. Son programme religieux comprenait des réunions fréquentes et discrètes avec des ministres du culte de toutes orientations théologiques, du progressiste Jim Wallis au très conservateur Franklin Graham (le fils du révérend Billy Graham), de David Neff (le rédacteur en chef de *Christianity Today*) à Richard Cizik, l'un des dirigeants de la National Association of Evangelicals[18]. Obama, par ailleurs, multiplia les visites dans les quartiers pauvres de villes où les associations d'entraide religieuses étaient particulièrement actives et il participa à de nombreuses assemblées réunissant des prédicateurs protestants et leurs fidèles. Un bon exemple de ce type d'intervention est la visite organisée en juillet 2008 par Joshua DuBois dans une zone industrielle sinistrée des Appalaches : Zanesville dans l'Ohio. Obama rencontra les organisateurs locaux d'un programme de lutte contre la pauvreté et il saisit l'occasion pour annoncer la création d'un futur Conseil d'associations confessionnelles de quartier (*Council of Faith-Based and Neighborhood Partnership*), renouvelant ainsi une initiative du président sortant, George W. Bush[19]. Obama précisait que, s'il était élu, il consacrerait 500 millions de dollars par an aux activités philanthropiques de ces associations parareligieuses. Pour justifier cette mesure inattendue, dans une région où la majorité des *born again christians* se déclaraient en faveur de McCain, Obama déclarait : « Je suis convaincu que le changement ne vient pas d'en haut, mais d'en bas, et que personne n'est plus au fait des préoccupations du peuple que nos églises, nos synagogues et nos mosquées[20]. »

Même si elle ne fut pas décisive pour expliquer la victoire de Barack Obama à l'élection présidentielle de 2008, la campagne de mobilisation du vote religieux porta ses fruits. Selon les sondages de sortie des urnes, Obama gagna une majorité du vote catholique (54 % contre 45 % en faveur de McCain). McCain emportait une majorité du vote protestant (53 % contre 46 % pour Obama). Mais Obama réussissait mieux que Kerry en 2004, avec un gain de 5 points pour le vote protestant, et de 7 points pour le vote catholique. Obama améliorait le score du parti démocrate dans la catégorie des électeurs évangéliques blancs : il obtenait 26 % de leurs suffrages alors que Kerry n'avait obtenu que 21 %, soit un gain de 5 points en l'espace de quatre ans. McCain, à l'inverse, réussissait moins bien que Bush, tout en préservant la domination du parti républicain. Il obtenait 73 % du vote des évangéliques blancs alors que Bush avait obtenu 79 % de la même catégorie d'électeurs[21].

Mais ces gains électoraux, appréciables, ne sauraient à eux seuls expliquer la victoire des démocrates. D'autres facteurs démographiques expliquent le succès d'Obama. D'abord une mobilisation exceptionnelle du vote ethnique : 95 % des Afro-Américains et 67 % des Latinos votaient pour Obama. Ensuite une forte mobilisation des jeunes électeurs : 66 % du groupe des 18 à 29 ans votaient pour Obama[22]. Enfin près de 50 % des résidents des banlieues prospères de la dizaine d'États où la bataille électorale était décisive se prononçaient aussi pour Obama. Pour ces trois catégories d'électeurs, la crise économique, la guerre en Iraq et la réforme du système de la santé étaient au centre de leurs préoccupations ; la défense des valeurs morales traditionnelles n'avait, par comparaison, que peu d'importance.

UNE LAÏCITÉ PHILO-CLÉRICALE ? LE JUSTE MILIEU SELON OBAMA

Moins idéologue que la gauche du parti démocrate ne l'avait espéré, Barack Obama est un pragmatiste qui cherche volontiers des solutions moyennes aux problèmes auxquels il est confronté, pour satisfaire à la fois la droite et la gauche de son parti et, avec moins de succès, une majorité d'élus démocrates et républicains du Congrès. Cette politique du juste milieu, ébauchée avec les plans de relance de l'économie, traverse aussi la politique étrangère du président, telle qu'elle est formulée au début de son mandat. Ainsi, le retrait annoncé des troupes d'Iraq est contrebalancé par le renforcement de la présence militaire américaine en Afghanistan ; la fin de la guerre contre la terreur est compensée par l'utilisation systématique de drones pour éliminer les ennemis de l'Amérique ; la fermeture annoncée du camp de prisonniers de Guantanamo n'a toujours pas eu lieu, quatre ans après l'élection d'Obama.

La recherche d'un compromis acceptable entre croyants et non-croyants caractérise aussi le discours religieux d'Obama. Ce discours est problématique parce qu'il choque à la fois les non-croyants, dont Obama respecte pourtant les valeurs, et les *born again christians* qu'il n'a cessé de courtiser depuis deux rencontres fortement médiatisées avec Rick Warren, le pasteur évangélique de l'une des plus grandes *megachurch* de Californie du Sud, l'Église de Saddleback à Lake Forest. Ces deux réunions amélioraient l'image d'Obama au sein de la mouvance évangélique et auprès des électeurs modérés les plus ardemment religieux. C'est pourquoi Rick Warren fut invité à titre de remerciement à invoquer, selon l'usage, la présence du Tout-Puissant lors de la prise de fonction de Barack Obama[23].

Dans son « discours du renouveau » du 28 juin 2008, Barack Obama livrait le fond de sa pensée sur sa conception des rapports entre religion et politique. Il distinguait nettement deux camps opposés : les « laïques » (*secularists*) et les « croyants » (*believers*), admonestant les uns parce qu'ils avaient tendance à rejeter toute présence du religieux dans l'espace public, et les autres parce qu'ils se croyaient seuls capables de définir les valeurs morales. En réalité, expliquait Obama, il est temps d'identifier des valeurs communes à tous, essentielles pour le bien-être de la nation — des valeurs à partir desquelles « croyants et laïques » pourraient enfin s'accorder. Obama proposa à cette fin de développer un véritable « partenariat entre les mondes de la laïcité et de la religiosité[24] ». Un tel partenariat est bien sûr difficile à mettre en œuvre, et les premières mesures prises par l'administration Obama n'échappèrent pas aux critiques.

Pour satisfaire les *secularists* de son parti, Obama, à peine élu, renversait deux décisions prises par son prédécesseur à la Maison-Blanche. Dès le 6 mars 2009, il mettait fin par décret présidentiel aux restrictions portant sur le financement fédéral des recherches consacrées aux cellules souches. D'autre part, il rendait à nouveau légal le financement des associations internationales de planning familial diffusant des informations sur la contraception et l'avortement, conformément aux valeurs affichées par son parti.

Pour satisfaire les « croyants », et surtout les plus conservateurs d'entre eux, Obama se déclarait opposé au mariage gay. En réponse à une question posée par le révérend Rick Warren lors d'un débat public, il précisait : « pour moi, en tant que chrétien », le mariage est une « union entre un homme et une femme [...]. C'est une union sacrée : Dieu est dans le mélange[25] ». Cependant, pour faire bonne mesure et ne pas trop heurter les électeurs progressistes de Californie, Obama déclarait sa ferme opposition au texte d'un référendum populaire proposant d'amender la Constitution de Californie pour y interdire définitivement le mariage entre époux du même sexe. Ce référendum, selon Obama, était inacceptable car trop « diviseur et discriminatoire »[26]. Enfin, le président annonçait, en 2010, la fin de la politique du « non-dit » à propos de la présence des homosexuels au sein des forces armées américaines. Le recrutement des gays et des lesbiennes était désormais légitimé. Deux ans plus tard, lors de l'élection présidentielle de 2012, le point de vue d'Obama marquait une nette évolution. Après mûre réflexion, le président se déclarait favorable au mariage gay, à une époque où l'opinion publique avait elle-même changé. Il inscrivait ce revirement d'opinion dans la logique du mouvement des droits civiques : plus d'égalité pour les minorités ethniques, les femmes, et désormais les minorités sexuelles. Sa prise de position était courageuse, mais non dénuée d'arrièrepensées politiques : il s'agissait, par contrecoup, de peindre un portrait plus sombre de son rival républicain, Mitt Romney, pour en donner l'image d'un homme du passé, intolérant, trop attaché aux valeurs extrêmes de l'évangélisme et du catholicisme traditionaliste — bref un captif de la droite religieuse[27]. Trois jours après la déclaration de Barack Obama sur le mariage gay, Mitt Romney pérorait sur la grandeur du mariage hétérosexuel et vantait les mérites du fondateur de la Majorité morale, Jerry Falwell, « ce champion du Christ », dans l'un des hauts lieux de la droite fondamentaliste : Liberty University à Lynchburg, en Virginie[28].

En politique étrangère, Obama dans son fameux discours du Caire satisfaisait à la fois les plus religieux et les moins religieux de ses compatriotes[29]. Son rappel explicite de l'article 11 du traité de Tripoli de 1796 était particulièrement habile : « Les États-Unis n'ont aucune intention hostile à l'égard des lois, de la religion ou de la tranquillité des musulmans[30]. » Ce rappel laissait entendre que la fondation politique et séculière des États-Unis interdisait tout esprit de croisade. Le discours du Caire était particulièrement apprécié pour son caractère anti-bushien et son rejet catégorique d'une vision manichéenne du monde, fondée sur un soi-disant choc de civilisations. Mais pour satisfaire ses interlocuteurs les plus croyants, Obama multipliait les références positives à l'Islam, au

« Saint Coran » et à son Prophète, sans oublier les « autres enfants d'Abraham » — Juifs, coptes, maronites, chrétiens aussi présents au Proche-Orient. Chacun avait sa place dans un univers de tolérance où la « liberté religieuse était essentielle à la vie commune de tous les peuples ». L'Islam était désormais placé sur pied d'égalité avec les autres religions, juive et chrétienne, et l'image des États-Unis nettement améliorée, comme le suggère ce commentaire « à chaud » d'un politologue syrien, Marwan Kabalan : « C'était le plus tolérant de tous les discours jamais prononcés par un président américain sur l'islam et les musulmans[31]. » Pour les laïques, cette vision quelque peu irénique de l'islam et des religions en général était excessive : elle minimisait l'existence de conflits religieux pourtant bien réels et violents au Proche-Orient, y compris à l'intérieur de l'Islam, et elle était trop réductionniste en terme d'identité, comme si l'Islam était la seule source de référence pour les populations concernées, alors que d'autres enjeux sociaux, ethniques, économiques et politiques étaient, eux aussi, fondamentaux[32].

En reprenant à son compte le programme des « initiatives de la foi », d'abord imaginé par le président George W. Bush, Barack Obama créait comme promis un « Conseil » chargé de promouvoir des partenariats entre associations confessionnelles de quartier. Il nommait à la tête de ce service l'ancien directeur de sa campagne de mobilisation du vote religieux, le révérend Joshua DuBois, surnommé le « Tsar de la Foi » (*faith-czar*) par les journalistes. La création d'un tel organisme, rattaché à la Maison-Blanche, était contestable car elle semblait violer le principe même de la séparation de l'Église et de l'État. Pour ses défenseurs, la séparation était respectée car les effets sociaux des initiatives de la foi étaient théoriquement neutres : aucune religion particulière n'était privilégiée, et l'argent public était distribué de façon égale entre associations religieuses et laïques. En réalité, si l'on observe les pratiques déjà développées par l'administration Bush, les associations confessionnelles (*faith based organizations*), évangéliques pour la plupart, étaient bien plus nombreuses à bénéficier de la manne fédérale que d'autres organismes caritatifs moins en vogue à cette époque, et les bénéficiaires des aides étaient trop souvent incités à participer à des activités décrites comme « sociales », mais qui relevaient souvent du prosélytisme religieux[33].

On peut donc comprendre pourquoi d'éminents juristes des facultés de droit de Columbia et de Harvard restent sceptiques à l'égard de telles initiatives. Celles-ci ne sont pas neutres ; elles contribuent à ébranler le mur de séparation entre l'Église et l'État[34]. Cependant, suivant une logique qu'on peut qualifier d'« accommodationniste », l'un de ces juristes, Noah Feldman, est prêt à admettre dans l'espace public des manifestations visibles de religiosité, à condition qu'elles soient de nature symbolique, inspirées par un déisme cérémoniel, utilisant des formules abstraites comme *In God We Trust* (« Nous croyons en Dieu »), ou *One Nation Under God* (« Une nation sous l'égide de Dieu »), ou bien même, pour innover, la création de jours fériés supplémentaires pour célébrer le Diwali et l'Aïd-El-Kébir[35]. C'est d'ailleurs ce point de vue que défendit Barack Obama dans son discours sur la religion : « Toute mention de Dieu dans l'espace public ne crée pas une brèche dans le mur de séparation. Je ne crois pas que des enfants récitant le serment au drapeau se trouvent opprimés ou soumis à un lavage de cerveau lorsqu'ils murmurent la phrase *Under God*. Ça n'était certainement pas mon cas[36]. » En revanche, dès lors qu'il s'agit d'utiliser les deniers publics pour des activités religieuses ou parareligieuses, ou le financement d'écoles confessionnelles, la réponse d'un gouvernement philo-clérical doit être particulièrement circonspecte car le risque est grand d'une neutralité mal respectée.

Si l'on suit le raisonnement des juristes et les compromis pratiques défendus par Obama, la métaphore du mur de séparation entre l'Église et l'État peut donc être reconceptualisée de la façon suivante : une cloison poreuse pour ce qui relève de vieilles coutumes ou d'une ancienne tradition politico-religieuse sanctionnée par le Congrès ; un mur infranchissable pour empêcher l'utilisation abusive ou partiale de fonds publics à des fins religieuses dans la meilleure tradition jefferso-madisonienne.

LA SÉPARATION DE L'ÉGLISE ET DE L'ÉTAT, DE KENNEDY À ROMNEY

La séparation de l'Église et de l'État est un enjeu présidentiel lorsque l'un des candidats appartient à une minorité religieuse sous-représentée dans la vie politique, d'autant plus suspecte qu'elle n'est pas considérée comme « authentiquement » américaine. Dans un tel contexte, le débat politico-théologique est indissociable d'un débat ethno-religieux avec ses habituels relents de xénophobie. En 1960, John Fitzgerald Kennedy avait dû faire face à de virulentes attaques provenant du camp républicain, et formulées par des élites protestantes encore prêtes, depuis la guerre des Bibles du XIXe siècle (voir le chapitre 4), à en découdre avec le papisme. Deux mois avant l'élection présidentielle de 1960, un certain Norman Vincent Peale, le pasteur calviniste de la très huppée Marble Collegiate Church de Manhattan et l'auteur d'un best-seller sur le pouvoir de la foi (*The Power of Positive Thinking*), organisait à Washington un meeting réunissant cent cinquante protestants, conservateurs et évangéliques dans un lieu bien nommé : le Mayflower Hotel[37]. À l'issue de ce meeting, un manifeste était publié et distribué dans la presse. Le manifeste dénonçait l'incompatibilité du catholicisme — et donc d'un président catholique — avec la tradition américaine de la séparation de l'Église et de l'État. Un catholique, d'après Peale, ne pouvait être que soumis au pouvoir arbitraire d'un « homme supposé infaillible ». Rome, d'après Nelson Bell, le beau-frère de Billy Graham et le rédacteur en chef de *Christianity Today*, n'était pas fondamentalement différent de Moscou et la parole d'un président catholique, d'après un autre pasteur influent, Harold Ockenga, n'aurait pas plus de valeur que celle d'un Khrouchtchev : l'un comme l'autre restaient soumis à des « systèmes philosophiques » autoritaires, incompatibles avec une démocratie moderne[38]. Selon Peale, l'avenir même de la « culture américaine » était en jeu et l'élection d'un catholique menaçait, littéralement, la survie des États-Unis[39].

Pour couper court à ces attaques marquées par un climat de guerre froide, John F. Kennedy choisit de répondre de la façon la plus claire et la plus ferme possible en convoquant quelques jours plus tard, le 12 septembre, une assemblée de trois cents pasteurs évangéliques à Houston (Texas) : « Je ne suis pas, disait Kennedy, un candidat catholique à la présidence des États-Unis. Je suis le candidat du parti démocrate à la présidence, et il se trouve aussi que je suis un catholique. » Face aux accusations, fondées en l'occurrence, d'une hiérarchie catholique opposée au divorce, à la contraception, et à la distribution de livres ou de films licencieux, Kennedy prenait ses distances avec la religion de ses pères :

> Quel que soit le sujet que j'aurai à traiter comme président, qu'il s'agisse de la contraception, du divorce, de la censure, des jeux de hasard ou de toute autre matière, je fonderai ma décision

> [...] en fonction de l'intérêt national, et sans jamais céder à des pressions extérieures ou à des ordres de nature religieuse[40].

Kennedy ajoutait qu'il s'engageait à ne pas nommer d'ambassadeur des États-Unis au Vatican, ni à verser de fonds publics en faveur des écoles confessionnelles. Évoquant les écrits libérateurs de Thomas Jefferson, et en particulier son « Projet de loi sur la liberté religieuse en Virginie » (voir le chapitre 8), Kennedy concluait son discours avec une véritable profession de foi jeffersonienne : « Je crois en une Amérique où la séparation de l'Église et de l'État est absolue[41]. »

Le discours de Houston marquait un tournant dans l'histoire politique des États-Unis : il mettait entre parenthèses l'appartenance religieuse d'un candidat à la présidentielle, et contribuait ainsi à la sécularisation de la vie politique du pays[42]. Cette sécularisation, fondée sur l'acceptation d'un véritable pluralisme politique et religieux sera sérieusement remise en cause dans les années 1980 avec l'apparition sur la scène politique de la Majorité morale de Jerry Falwell. Kennedy triomphait, parce qu'il avait réussi à désarmer ses critiques en évacuant toute référence au religieux dans le débat présidentiel. Vingt ans plus tard, Ronald Reagan l'emportait sur Jimmy Carter en soumettant le débat politique à la religiosité outrancière des partisans de la Majorité morale (voir le chapitre 7).

Par un curieux retournement de perspectives, les primaires présidentielles de 2012 relançaient le débat sur la séparation de l'Église et de l'État. Mais, cette fois-ci, ce furent les candidats républicains, et en particulier Rick Santorum, un catholique conservateur, et Mitt Romney, un mormon, qui dénonçèrent le président sortant pour son trop grand attachement au principe de séparation. La question du genre était inextricablement mêlée à celle de la religion lorsque l'administration Obama décida de soutenir une décision du ministère de la Santé, obligeant les institutions catholiques parareligieuses (hôpitaux, écoles, universités, organisations caritatives) à souscrire une assurance médicale couvrant les frais d'accès aux moyens contraceptifs. Pour la Conférence des évêques catholiques et la plupart des candidats républicains, cette décision, pourtant acceptée (selon les sondages) par la majorité des femmes, y compris des femmes catholiques, portait atteinte à la « liberté religieuse » des institutions ciblées. Ça n'était plus, comme à l'époque de Kennedy, l'Église catholique qu'on accusait de corrompre l'État, mais l'État fédéral qu'on soupçonnait de corrompre l'Église en encourageant les femmes à adopter des pratiques sexuelles répréhensibles, parce que « libertines », selon les propos mêmes du candidat catholique, Rick Santorum[43]. Mitt Romney ne fut pas en reste, lorsqu'il prit part à cette bataille des dévots en prétendant que la politique d'Obama portait atteinte « à nos amis de la religion catholique » et qu'elle constituait « un *assaut contre la religion*, qui prendra fin si je deviens président des États-Unis »[44].

Barack Obama répondit à ses critiques avec

une solution de compromis : les institutions para-religieuses n'auraient plus désormais l'obligation d'offrir à leur personnel féminin un système d'assurance médicale incluant le remboursement des dépenses de contraception. Cette obligation, pour ce type particulier de dépenses, serait directement transférée aux compagnies privées d'assurance médicale, dégageant ainsi les associations caritatives confessionnelles, les hôpitaux ou les écoles religieuses de toute responsabilité en la matière[45]. Mais le mal était fait ; la controverse servait à nourrir le récit négatif des adversaires du président Obama : il n'était, à leurs yeux, qu'un « laïque, méprisant à l'égard des croyants[46] » et, pis encore, il avait « déclaré la guerre contre l'église catholique[47] ».

Le discours de Kennedy avait cessé d'être un modèle d'indifférence à la question religieuse. Kennedy, l'apôtre de la séparation de l'Église et de l'État, avait, d'après Rick Santorum, « jeté sa foi sous l'autobus », et ceci lui avait donné « l'envie de vomir »[48] ! Moins excessif que Santorum, mais souscrivant aux mêmes principes conservateurs, Mitt Romney n'a jamais caché son opposition à une stricte séparation de l'Église et de l'État. Comme tous les candidats à l'élection présidentielle appartenant à une minorité religieuse, Mitt Romney se livra au début de la campagne de 2008 à l'exercice obligatoire d'un discours sur la religion, pompeusement intitulé « La Foi en Amérique » — discours prononcé dans les locaux de la Bibliothèque présidentielle de George H. W. Bush à College Station au Texas. Paraphrasant Kennedy, Romney expliqua d'abord qu'il n'était pas un candidat mormon à la présidence, mais un républicain qui, par ailleurs, se trouvait appartenir à l'Église des Saints des Derniers Jours[49]. Tout en proclamant son attachement au principe constitutionnel de la séparation de l'Église et de l'État, Mitt Romney s'empressa de dire tout le contraire avec aplomb et la volonté de doubler sur leur droite ses concurrents évangéliques : « Je crois, disait-il, que Jésus-Christ est le Fils de Dieu et le Sauveur de l'humanité[50]. » Mais surtout il précisait qu'il n'était pas question pour lui de considérer la religion comme une « simple affaire privée qui n'a pas sa place dans l'espace public ». Il était souhaitable, pour défendre la liberté politique du pays, de préserver toutes les références à Dieu déjà gravées sur la monnaie ou inscrites dans le serment d'allégeance au drapeau. Il fallait aussi parler de Dieu « dans les cours d'histoire » des écoles publiques et placer des « crèches et des ménorahs » dans les lieux publics lors des fêtes de fin d'année. Il fallait enfin nommer des juges qui « respectent la fondation religieuse » de la Constitution des États-Unis. « En aucun cas, ajoutait Romney, je ne tenterai de séparer [le peuple américain] du Dieu qui nous donna la liberté, ni de son héritage chrétien. » L'Amérique se devait de répondre à un double défi : la menace représentée par l'« Islam radical et violent » et le danger tout aussi grave du laïcisme, c'est-à-dire de ces personnes qui « cherchent à établir une nouvelle religion en Amérique : la religion de la laïcité (*secularism*)[51] ». Qui sont ces « personnes » trop attachées au principe de laïcité et à la séparation de l'Église et de l'État ? Les démocrates, bien sûr, et Obama en particulier, récemment accusé de transformer les États-Unis en une « nation moins chrétienne[52] ».

Avec de tels propos, Mitt Romney croyait satisfaire aux attentes de la droite religieuse américaine, tout en évitant d'exposer le détail de la doctrine mormone, jugée trop ésotérique sinon même bizarre par l'électeur moyen. Le mot « mormon » n'était mentionné qu'une seule fois dans son discours sur la foi, qui vantait avec lyrisme les mérites de la « symphonie des croyances religieuses[53] », propre aux États-Unis.

En 2008 comme en 2012, la stratégie sudiste du parti républicain donnait une place essentielle aux croyances et aux valeurs familiales traditionnelles, défendues par une majorité d'Américains blancs, évangéliques et conservateurs. En 2012, trois candidats à la candidature du parti républicain — deux catholiques et un mormon (Newt Gingrich, Rick Santorum et Mitt Romney) — se croyaient obligés de se comporter comme s'ils étaient de vrais sudistes pour mieux séduire la frange la plus conservatrice de leur parti[54]. Seul Rick Santorum, un catholique ultra-conservateur, proche de l'Opus Dei, adoubé par une assemblée de pasteurs évangéliques à la veille des primaires de Caroline du Sud[55], réussit à s'imposer devant Gingrich et Romney dans les États les plus conservateurs et les plus religieux du Sud : le Tennessee, l'Alabama et le Mississippi.

Prétendre, comme l'a déclaré Romney, qu'Obama

et son entourage sont « entrés en guerre contre la religion[56] » à propos d'un débat absurde et rétrograde sur la contraception révèle la permanence d'une certaine paranoïa politique, jadis dénoncée par le grand historien Richard Hofstadter[57]. Elle est la conséquence d'une instrumentalisation excessive du religieux par le politique. En défendant, corps et âme, la liberté religieuse, et en multipliant les atteintes contre le « mur de séparation » entre l'Église et l'État, ces candidats oubliaient que l'article 1er de la Déclaration des droits des États-Unis (*The Bill of Rights*) ne défend pas seulement le libre exercice de la religion[58]. Il interdit également toute religion officielle, c'est-à-dire tout favoritisme à l'égard d'une religion quelconque et tout enchevêtrement excessif du religieux et du politique, si l'on en croit la jurisprudence de la Cour suprême[59]. Or la tension entre ces deux éléments de l'article 1er du *Bill of Rights* est bien réelle et elle n'a pas été résolue par ceux-là mêmes qui sont censés dire ce qu'est la loi : les juges de la Cour suprême, les vrais gardiens de la laïcité américaine.

APPENDICES

CROYANCES ET INCROYANCES : L'ÉVOLUTION RÉCENTE

Les Américains sont croyants et pratiquants, bien plus que d'autres peuples : 39 % des Américains déclarent assister au culte ou à la messe au moins une fois par semaine, 71 % ont la certitude que Dieu existe, 33 % pensent que la Bible est la parole de Dieu et doit être lue littéralement[1], 60 % sont certains de l'existence du paradis (mais seulement 49 % croient à l'enfer), 58 % prient régulièrement au moins une fois par jour[2]... Mais on sera surpris d'apprendre que le support doctrinal qui nourrit ces croyances est étonnamment fragile. Un sondage portant sur la qualité des connaissances religieuses des Américains révélait, en 2010, que 53 % des protestants ignoraient que les « écrits et les actions » de Luther furent à la source de la Réforme protestante ; 45 % des catholiques ne savaient pas que la doctrine de la transsubstantiation

1. 59 % des Américains appartenant à une Église évangélique croient à l'inerrance biblique, contre 22 % de ceux qui appartiennent à des Églises protestantes classiques (*mainline churches*).

2. *U.S. Religious Landscape Survey* (210 pages), Pew Forum on Religion and Public Life, Pew Research Center Publications, février 2008. <http://religions.pewforum.org/pdf/report-religious-landscape-study-full.pdf>. L'enquête était réalisée en 2007 auprès d'un échantillon national de plus de 30 000 Américains. Voir aussi les résultats comparables de l'enquête « Faith Matters Surveys », réalisée en deux vagues successives en 2006 et 2007 auprès d'un échantillon de 3 108 Américains et dont les résultats sont analysés dans Robert Putnam et David Campbell, *American Grace. How Religion Divides and Unites Us*, New York, Simon and Schuster, 2010, p. 7-27.

Figure I

ÉVOLUTION DÉMOGRAPHIQUE DES GRANDS GROUPES RELIGIEUX ET DES SANS-RELIGION AUX ÉTATS-UNIS EN POURCENTAGE DE LA POPULATION ADULTE (1972 à 2006)

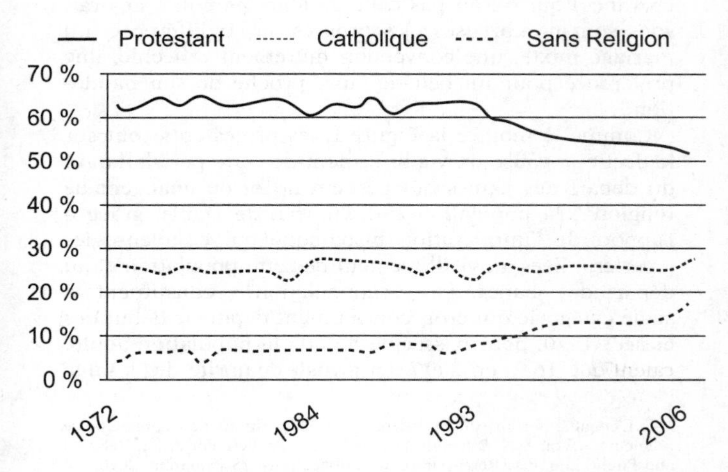

Source : Pew forum on Religion and Public Life /U.S. Religious Landscape Survey, Pew Research Center Publications, 23 juin 2008, ch. 1, « The Religious Composition of the United States », p. 18.

constituait l'un des fondements de la foi catholique ; 43 % des juifs ne savaient pas que Maïmonide était l'un des plus grands philosophes de la tradition juive. Paradoxalement, les athées, les agnostiques et les mormons étaient les mieux informés de l'ensemble de ces questions[1].

Le pluralisme religieux, tel qu'il existe aux États-Unis, crée un marché concurrentiel entre religions et entre religion et irréligion. L'évolution récente des appartenances religieuses est à cet égard frappante : 44 % des Américains professent une croyance religieuse (ou une non-croyance) qui n'était pas celle de leurs parents[2]. Les raisons sont nombreuses : les progrès de l'indifférence, un mariage mixte, une conversion mûrement réfléchie, une préférence pour un lieu de culte proche de son habitation...

Comme le montre la Figure 1, les protestants sont sur le déclin, à cause du vieillissement de cette population et du départ des jeunes qui perdent la foi ou changent de religion[3] ; la population catholique reste stable, grâce à l'apport de l'immigration hispanique qui compense les « pertes » liées au vieillissement de cette population et au départ des jeunes. Les « sans-religion[4] » constituent la seule catégorie qui croît continûment depuis le début des années 1970, pour passer de 5 % de la population adulte en 1972 à 16 % en 2006. La grande majorité des « sans-

1. L'enquête portait sur un ensemble de 32 questions de « connaissance religieuse ». Voir *U.S. Religious Knowledge Survey*, Pew Forum on Religion and Public Life, Pew Research Center Publications, 28 septembre 2010.

2. *U.S. Religious Landscape Survey*, *op. cit.*, p. 22.

3. La question du détachement des jeunes de la religion de leurs parents est bien analysée dans R. Putnam et D. Campbell, *American Grace*, *op. cit.*, p. 134-160. Voir aussi *U.S. Religious Landscape Survey*, *op. cit.*, chap. 2, « Changes in Americans' Religious Affiliation », p. 22-35.

4. Les sans-religion (ou encore les « *nones* » en anglais : ceux qui répondent « aucune religion » dans les sondages) ne sont pas nécessairement des athées. En fait, 1,6 % de la population adulte se déclare « athée », 2,4 % « agnostique », et 12,1 % « sans religion », sans indication précise, ce qui n'exclut pas une certaine spiritualité. Un peu plus du tiers des « sans-religion » (*unaffiliated* ou *nones*), soit 6 % de la population adulte, déclare garder un intérêt pour la religion. Voir *U.S. Religious Landscape Survey*, *ibid.*, p. 38.

religion » votent pour le parti démocrate[1] et ils constituent une part appréciable des jeunes électeurs : plus on est jeune, moins on est croyant et plus on vote pour le parti démocrate. L'effet de génération est spectaculaire : parmi la cohorte dite du « millénaire », c'est-à-dire les Américains qui sont nés en 1981 (et plus tard) et atteignent l'âge adulte à partir de l'an 2000, 26 % se déclarent « sans religion ». Ils sont deux fois plus nombreux que les *baby-boomers* nés entre 1945 et 1964 (13 % se déclarent sans religion) et cinq fois plus nombreux que les *seniors*, nés avant 1928 (5 % se déclarent sans religion)[2]. Quelles sont les causes d'une telle évolution, qui laisse présager une convergence accrue entre les pratiques religieuses américaines et européennes ? Les sociologues de la religion ne cessent d'en débattre et les réponses restent contradictoires[3]. Mais il est certain que l'instrumentalisation excessive du religieux par le politique rebute les jeunes générations, qui comprennent mal les passions suscitées au sein du parti républicain par le refus du mariage gay et les attaques récurrentes contre la contraception, le droit à l'avortement, le darwinisme et les recherches sur les cellules souches. Une autre conception plus consensuelle et moins politisée de la religion, centrée sur la justice sociale, dans la tradition jadis défendue par Martin Luther King, pourrait sans doute ralentir la sécularisation de la société américaine. Tout dépendra, en fait, du comportement religieux des toutes nouvelles générations

1. En 2011, 61 % des électeurs inscrits se déclarant « sans religion » dans un sondage du Pew Research Center s'identifiaient au parti démocrate, et 27 % seulement se disaient proches du parti républicain. En revanche, 61 % des évangéliques blancs (et 76 % des évangéliques pratiquants réguliers), 89 % des mormons, 49 % des catholiques non hispaniques, et 29 % des juifs se disaient proches du parti républicain. « Trends in Party Identification of Religious Groups », Pew Research Center, Forum on Religion and Public Life, 2 février 2012.

2. « Religion in the Millenial Generation », General Social Survey, Pew Research Center on Religion and Public Life, Pew Research Center Publications, 17 février 2010.

3. Sur ces débats, voir David Campbell et Robert Putnam, « God and Caesar in America. Why Mixing Religion and Politics is Bad for Both », *Foreign Affairs*, mars-avril 2012.

d'immigrés — hispaniques, asiatiques, caribéens et africains — dont les enfants, nés aux États-Unis, sont désormais plus nombreux que les enfants issus des familles d'origine européenne[1].

1. « Most Children Younger than Age 1 are Minorities, Census Bureau Reports », Newsroom, U.S. Census Bureau, 17 mai 2012 ; Sabrina Tavernise, « Whites Account for Under Half of Births in U.S., *New York Times*, 17 mai 2012. Ce dernier titre est trompeur : par « Blancs », il faut comprendre « Blancs non hispaniques ». En 2011, pour la première fois dans l'histoire des États-Unis, 50,4 % des naissances provenaient de familles appartenant à des minorités ethniques.

Figure II

TABLEAU DES CROYANCES ET CONFESSIONS RELIGIEUSES AUX ÉTATS-UNIS

PRINCIPALES CONFESSIONS RELIGIEUSES AUX ÉTATS-UNIS

	En % de la population adulte
CHRÉTIENS	**78,4**
PROTESTANTS	**51,3**
Églises protestantes évangéliques	***26,3***
Églises baptistes évangéliques	10,8
Églises méthodiques évangéliques	$\geq$ 0,3
Églises luthériennes évangéliques	1,8
Églises presbytériennes évangéliques	0,8
Églises pentecôtistes évangéliques	3,4
Églises épiscopaliennes évangéliques	$\geq$ 0,3
Églises restaurationistes évangéliques	1,7
Églises congrégationalistes évangéliques	$\geq$ 0,3
Églises de sanctification évangéliques	1,0
Églises réformées évangéliques	0,3
Églises adventistes évangéliques	0,5
Églises évangéliques indépendantes	3,4
Églises anabaptistes évangéliques	0,3

Églises piétistes évangéliques	≥ 0,3
Autres églises évangéliques/fondamentalistes	0,3
Autres protestants dans la tradition évangélique	1,9
Églises protestantes classiques/libérales	***18,1***
Églises baptistes	1,9
Églises méthodistes	5,4
Églises luthériennes	2,8
Églises presbytériennes	1,9
Églises épiscopaliennes	1,4
Églises restaurationistes	0,4
Églises congrégationalistes	0,7
Églises réformées	≥ 0,3
Églises anabaptistes	≥ 0,3
Églises des Amis	≥ 0,3
Autres dénominations	2,5
Autres protestants sans dénomination	0,9
Églises afro-américaines	***6,9***
Églises baptistes	4,4
Églises méthodistes	0,6
Églises pentecôtistes	0,9
Églises de sanctification	≥ 0,3
Autres églises afro-américaines	≥ 0,3
Autres protestants afro-américains	0,5

CATHOLIQUES	**23,9**
MORMONS	**1,7**
TÉMOINS DE JÉHOVAH	**0,7**
CHRÉTIENS ORTHODOXES	**0,6**
AUTRES CHRÉTIENS / SPIRITUALISTES	**0,3**
AUTRES RELIGIONS (non chrétiennes)	**4,7**
JUIFS	**1,7**
BOUDDHISTES	**0,7**
MUSULMANS	**0,6**
HINDOUS	**0,4**
AUTRES RELIGIONS MONDIALISÉES	≥ **0,3**
AUTRES (UNITARIENS, NEW AGE, AMÉRINDIENS)	**1,2**
SANS RELIGION	**16,1**
ATHÉES	**1,6**
AGNOSTIQUES	**2,4**
LAÏQUES, HUMANISTES, INDIFFÉRENTS ET AUTRES	**12,1**
NE SAIT PAS	**0,8**

Source : adapté de « The Religious Composition of the United States », Pew Forum on Religion and Public Life/U.S. Religious Landscape Survey (février 2008), p. 12. <http://religions.pewforum.org/pdf/report-religious-landscape-study-full.pdf>.

BIBLIOGRAPHIE GÉNÉRALE

AHLSTROM, Sidney E., *A Religious History of the American People*, New Haven, Yale University Press, 1972.

AIKMAN, David, *A Man of Faith. The Spiritual Journey of George W. Bush,* W Publishing Book, 2004.

AMAR, Akhil Reed, *The Bill of Rights. Creation and Reconstruction*, New Haven, Yale University Press, 1998.

—, *America's Constitution. A Biography*, New York, Random House, 2006.

ANBINDER, Tyler, *Nativism and Slavery. The Northern Know Nothings and the Politics of the 1850s*, New York, Oxford University Press, 1992.

ANTOINE, Agnès, *L'Impensé de la démocratie. Tocqueville, la citoyenneté et la religion*, Paris, Fayard, 2003.

APPLEBY, Joyce, HUNT, Lynn et JACOB, Margaret, *Telling the Truth about History*, New York, Norton, 1994.

ARON, Robert et DANDIEU, Arnaud, *Décadence de la nation française*, Paris, Rieder, coll. « Europe » [janvier] 1931.

—, *Le Cancer américain*, Paris, Rieder, coll. « Europe » [octobre] 1931.

BANCROFT, George, *Histoire des États-Unis*, Paris, Firmin Didot, 1861, 9 vol.

BAUBÉROT, Jean, *La morale laïque contre l'ordre moral*, Paris, Éd. du Seuil, 1997.

—, *Laïcité, 1905-2005. Entre passion et raison*, Paris, Éd. du Seuil, 2004.

BAYARD, Ferdinand-Marie, *Voyage dans l'intérieur des États-*

Unis, à Bath, Winchester, dans la vallée de Shenandoha, etc., pendant l'été de 1791, Paris, Cocheris, an V.

BEAUMONT, Gustave de, *Marie ou l'Esclavage aux États-Unis* [1835], Paris, Gosselin, 4e éd., 1850.

BEAUVOIR, Simone de, *L'Amérique au jour le jour* [1949], Paris, Gallimard, 1997.

BEEMAN, Richard, BOTEIN, Stephen et CARTER II, Edward C. (dir.), *Beyond Confederation. Origins of the Constitution and American National Identity*, Chapel Hill, University of North Carolina Press, 1987.

BELLAH, Robert N., « Civil Religion in America », *Daedalus*, hiver 1967. En français : « La religion civile en Amérique », *Archives de sociologie des religions*, n° 35, 1973.

—, *The Broken Covenant. American Civil Religion in Time of Trial*, Chicago, Chicago University Press, 2e éd., 1992.

BEN BARKA, Mokhtar, *La Droite chrétienne américaine. Les évangéliques à la Maison-Blanche ?*, Toulouse, Privat, 2006.

BÉNICHOU, Paul, *Romantismes français*, Paris, Gallimard, coll. « Quarto », 2004, 2 vol.

BENNETT, William J., *The Death of Outrage. Bill Clinton and the Assault on American Ideals*, New York, Touchstone, 1998.

BERCOVITCH, Sacvan, *The American Jeremiad*, Madison, University of Wisconsin Press, 1978.

BERGER, Peter L., *The Sacred Canopy. Elements of a Sociological Theory of Religion*, New York, Random House, 1990.

BERNANOS, Georges, *La Liberté pour quoi faire ?* [1946-1948], Paris, Gallimard, 7e éd., 1953.

—, *Essais et écrits de combat*, textes établis et présentés sous la dir. de Michel Estève, Paris, Gallimard, Bibl. de la Pléiade, 1995.

BERNS, Walter, *Making Patriots*, Chicago, University of Chicago Press, 2001.

BERTRAND, Claude-Jean, *Les Églises aux États-Unis*, Paris, PUF, coll. « Que sais-je ? », 1975.

BILLINGTON, Ray, *The Protestant Crusade, 1800-1860. A Study of the Origins of American Nativism*, Chicago, Quadrangle Books, 1938.

BIRNBAUM, Pierre, « *La France aux Français* ». *Histoire des haines nationalistes*, Paris, Éd. du Seuil, 1993.

BLACK, Earl et BLACK, Merle, *The Rise of Southern Republicans*, Cambridge (Mass.), Harvard University Press, 2002.

—, *Divided America. The Ferocious Power Struggle in American Politics*, New York, Simon and Schuster, 2007.

BLOOM, Harold, *The American Religion. The Emergence of the Post-Christian Nation*, New York, Touchstone, 1992.

BORK, Robert H., *Slouching towards Gomorrah. Modern Liberalism and American Decline*, New York, Harper Collins, 1996.

BOUTMY, Émile, *Essai d'une psychologie politique du peuple anglais au XIXe siècle*, Paris, Armand Colin, 1901.

—, *Éléments d'une psychologie politique du peuple américain*, Paris, Armand Colin, 1902.

BOYER, Paul, *When Time Shall Be No More. Prophecy Belief in Modern American Culture*, Cambridge (Mass.), Harvard University Press, 1992.

BRADFORD, William, *Histoire de la colonie de Plymouth. Chroniques du Nouveau Monde (1620-1647)*, éd. présentée par Laurie Henneton, Genève, Labor et Fides, 2004.

BREKUS, Catherine A., *Strangers and Pilgrims : Female Preaching in America, 1740-1845*, Chapel Hill, University of North Carolina Press, 1998.

BRISTED, John, *Histoire des États-Unis d'Amérique. Tableau des mœurs et usages les plus remarquables des habitants du nouveau monde [...]*, Paris s.l., 2e éd., 1832.

BROADIE, Alexander (dir.), *The Cambridge Companion to the Scottish Enlightenment*, Cambridge, Cambridge University Press, 2003.

BROWN, Stewart J. (dir.), *William Robertson and the Expansion of Empire*, Cambridge, Cambridge University Press, 1997.

BRUCE, Steve, *The Rise and Fall of the New Christian Right*, Oxford University Press, 1990.

BRUNETIÈRE, Ferdinand, « Le catholicisme aux États-Unis », *Revue des Deux Mondes*, 1er novembre 1898.

BUISSON, Ferdinand et GUILLAUME, James (éd.), *Nouveau*

Dictionnaire de pédagogie et d'instruction primaire, Paris, Hachette, 1911.

BURNS, J. H. (dir.), *The Cambridge History of Political Thought, 1450-1700*, Cambridge, Cambridge University Press, 1996.

BUSH, George W., *A Charge to Keep*, New York, William, Morrow and Co., 1999.

BUSHMAN, Richard L., *From Puritan to Yankee. Character and Social Order in Connecticut, 1690-1765*, Cambridge (Mass.), Harvard University Press, 1967.

BUTLER, Jon, *Becoming America. The Revolution before 1776*, Cambridge (Mass.), Harvard University Press, 2000.

CARPENTER, Joel, *Revive Us Again. The Reawakening of American Fundamentalism*, New York, Oxford University Press, 1997.

CARTER, Stephen L., *The Culture of Disbelief. How American Law and Politics Trivialize Religious Devotion*, New York, Basic Books, 1993.

—, *God's Name in Vain. The Wrongs and Rights of Religion in Politics*, New York, Basic Books, 2000.

CARWARDINE, Richard J., *Evangelicals and Politics in Antebellum America*, New Haven, Yale University Press, 1993.

CEASER, James W. et BUSCH, Andrew E., *The Perfect Tie. The True Story of the 2000 Presidential Election*, Lanham, Rowman and Littlefield, 2001.

—, *Red over Blue*, Lanham, Rowman and Littlefield, 2005.

CÉLINE, Louis-Ferdinand, *Voyage au bout de la nuit* [1932], in *Romans*, préface et notes de Henri Godard, Paris, Gallimard, Bibl. de la Pléiade, t. I, 1981.

CHASTELLUX, François-Jean, marquis de, *Voyages dans l'Amérique septentrionale dans les années 1780, 1781 et 1782*, Paris, Prault, 1786, 2 vol.

CHATEAUBRIAND, François-René de, *Voyage en Amérique* [1827], in *Œuvres romanesques et voyages*, éd. Maurice Regard, Paris, Gallimard, Bibl. de la Pléiade, t. I, 1969.

—, *Mémoires d'outre-tombe* [1849], Paris, Le Livre de poche, 1973, 2 vol., t. I.

—, *Essai historique, politique et moral sur les révolutions anciennes et modernes, considérées dans leurs rapports avec la Révolution française de nos jours* [1797], in *Essai sur les révolutions. Génie du christianisme*, éd. Maurice Regard, Paris, Gallimard, Bibl. de la Pléiade, 1978.

CHEVALIER, Michel, *Lettres sur l'Amérique du Nord*, Paris, Charles Gosselin, 1836, 2 vol.

CHINARD, Gilbert, *L'Amérique et le rêve exotique dans la littérature française au XVIIe et au XVIIIe siècle*, Paris, Droz, 1934.

CLARK, J. C. D., *The Language of Liberty, 1660-1832*, Cambridge, Cambridge University Press, 1994.

CLAVIÈRE, Étienne et BRISSOT DE WARVILLE, Jacques-Pierre, *De la France et des États-Unis ou De l'importance de la révolution de l'Amérique pour le bonheur de la France* [...], Londres [1787], éd. en fac-similé, préfacée par Marcel Dorigny, Paris, Éd. du CTHS, 1996.

CLINTON, Bill, *Ma vie*, Paris, Odile Jacob, 2005.

COLOSIMO, Jean-François, *Dieu est américain. De la théodémocratie aux États-Unis*, Paris, Fayard, 2006.

COMPAGNON, Antoine, *Les Antimodernes. De Joseph de Maistre à Roland Barthes*, Paris, Gallimard, 2005.

CONKIN, Paul, « The Religious Pilgrimage of Thomas Jefferson », *in* Peter Onuf (dir.), *Jeffersonian Legacies*, Charlottesville, University of Virginia Press, 1995.

CRACKNELL, Kenneth et WHITE, Susan, *An Introduction to World Methodism*, Cambridge, Cambridge University Press, 2005.

CREMIN, Lawrence (éd.), *The Republic and the School. Horace Mann on the Education of Free Man*, New York, Teachers College, Columbia University, 1957.

CRÈVECŒUR, Michel-Guillaume Jean de, *Lettres d'un cultivateur américain* [1785], Genève, Slatkine Reprints, 1979 (fac-similé), 2 vol.

CROUZET, Denis, *Jean Calvin*, Paris, Fayard, 2000.

D'EMILIO, John et FREEDMAN, Estella B., *Intimate Matters. A History of Sexuality in America*, Chicago, University of Chicago Press, 1997.

DANIELS, Bruce C., *Puritans at Play*, New York, St. Martin's Press, 1995.

DAVIS, David Brion, *Revolutions : Reflections on American Equality and Foreign Liberations*, Cambridge (Mass.), Harvard University Press, 1990.

DAWSON, Jan C., *The Unusable Past. America's Puritan Tradition, 1830 to 1930*, Chico, Scholars Press, 1984.

DEBRAY, Régis, *Contretemps. Éloges des idéaux perdus*, Paris, Gallimard, coll. « Folio », 1992.

—, *Le Feu sacré. Fonctions du religieux*, Paris, Fayard, 2003.

DECUGIS, Henri, *Le Destin des races blanches*, Paris, Librairie de France, 1936 (préface d'André Siegfried).

DEETZ, James et DEETZ, Patricia Scott, *The Times of their Lives. Life, Love, and Death in Plymouth Colony*, New York, W. H. Freeman and Co., 2000.

DELBANCO, Andrew, *The Puritan Ordeal*, Cambridge (Mass.), Harvard University Press, 1989.

—, *The Real American Dream*, Cambridge (Mass.), Harvard University Press, 1999.

DÉMEUNIER (éd.), *Encyclopédie méthodique. Économie politique et diplomatique*, Paris, Panckoucke, 1784-1788, 4 vol.

DIDEROT, Denis et D'ALEMBERT, Jean le Rond (éd.), *Encyclopédie ou Dictionnaire raisonné des sciences, des arts et des métiers*, éd. électronique, <http : // portail.atilf.fr/encyclopédie>, 17 vol.

DIONNE, E. J. et CHEN, Ming Hsu (dir.), *Sacred Places, Civic Purposes. Should Government Help Faith-Based Charity ?*, Washington, D. C., Brookings Institution Press, 2001.

DOLAN, Jay P., *The American Catholic Experience*, Notre Dame, University of Notre Dame Press, 1992.

DREISBACH, Daniel L., *Thomas Jefferson and the Wall of Separation between Church and State*, New York, New York University Press, 2002.

DUBREUIL, Hyacinthe, *Standards. Le travail américain vu par un ouvrier français*, Paris, Grasset, 1929.

DUHAMEL, Georges, *Scènes de la vie future*, Paris, Albert Guillot, 1930.

ECHEVERRIA, Durand, *Mirage in the West. A History of the French Image of American Society to 1815*, Princeton, Princeton University Press, 2e éd., 1968.

ECK, Diana L., *A New Religious America. How a « Christian Country » Has Become the World's Most Religiously Diverse Nation*, San Francisco, Harper Collins, 2001.

EGERTON, John, *The Americanization of Dixie : The Southernization of America*, New York, Harper and Row, 1974.

EICHTHAL, Eugène d', « Tocqueville et "La démocratie en Amérique" », *Revue politique et parlementaire*, avril-mai 1896.

EISENACH, Eldon J., *The Next Religious Establishment. National Identity and Political Theology in Post-Protestant America*, Lanham, Rowman and Littlefield, 2000.

EISGRUBER, Christopher L. et SAGER, Lawrence G., *Religious Freedom and the Constitution*, Cambridge (Mass.), Harvard University Press, 2007.

FACKRE, Gabriel (dir.), *Judgment Day at the White House*, Grand Rapids, William B. Eerdmans Publishing Co., 1999.

FATH, Sébastien, *Billy Graham, pape protestant ?*, Paris, Albin Michel, 2002.

—, *Dieu bénisse l'Amérique. La religion de la Maison-Blanche*, Paris, Éd. du Seuil, 2004.

FAVRE, Pierre, *Naissances de la science politique en France, 1870-1914*, Paris, Fayard, 1989.

FELDMAN, Noah, *Divided by God*, New York, Farrar, Straus and Giroux, 2005.

FERRY, Luc et GAUCHET, Marcel, *Le Religieux après la religion*, Paris, Grasset, 2004.

FINKE, Roger et STARK, Rodney, *The Churching of America, 1776-2005. Winners and Losers in Our Religious Economy*, New Brunswick, Rutgers University Press, 2006.

FIORINA, Morris P., *Culture Wars ? The Myth of a Polarized America*, New York, Pearson, 2e éd., 2006.

FOSTER, GAINES M., *Moral Reconstruction. Christian Lobbyists and the Federal Legislation of Morality, 1865-1920*, Chapel Hill, University of North Carolina Press, 2002.

FOWLER, ROBERT Booth, *et al.*, *Religion and Politics in America*, Boulder, Westview Press, 3e éd., 2004.

FOX, Richard Wightman, *Jesus in America. Personal*

Savior, Cultural Hero, National Obsession, New York, Harper Collins, 2003.

FRASER, James W., *Between Church and State. Religion and Public Education in a Multicultural America*, New York, St. Martin's Press, 1999.

FURET, François, *Penser le XXe siècle*, Paris, Robert Laffont, coll. « Bouquins », 2007.

FURTWANGLER, Albert, *The Authority of Publius*, Ithaca, Cornell University Press, 1984.

GAUCHET, Marcel, *Le Désenchantement du monde*, Paris, Gallimard, 1985.

—, *La Révolution des droits de l'homme*, Paris, Gallimard, 1989.

—, *La Religion dans la démocratie. Parcours de la laïcité*, Paris, Gallimard, 1998.

GAUSTAD, Edwin S., *Proclaim Liberty throughout the Land. A History of Church and State in America*, New York, Oxford University Press, 2003.

GENTILE, Emilio, *Les Religions de la politique. Entre démocraties et totalitarismes*, Paris, Éd. du Seuil, 2001.

GERSTLE, Gary, *American Crucible. Race and Nation in the Twentieth Century*, Princeton, Princeton University Press, 2001.

GISEL, Pierre (dir.), *Encyclopédie du protestantisme*, Genève, Labor et Fides, 1995.

GLEASON, Philip, *Speaking of Diversity*, Baltimore, Johns Hopkins University Press, 1992.

GODBEER, Richard, *Sexual Revolution in Early America*, Baltimore, Johns Hopkins University Press, 2002.

GRANT, Madison, *The Passing of the Great Race or the Racial Basis of European History*, New York, Charles Scribner's Sons, 1916.

GREENE, Jack P., *Pursuits of Happiness. The Social Development of Early Modern British Colonies and the Formation of American Culture*, Chapel Hill, University of North Carolina Press, 1988.

—, *The Intellectual Construction of America. Exceptionalism and Identity from 1492 to 1800*, Chapel Hill, University of North Carolina Press, 1993.

GUIZOT, François, *Histoire de la civilisation en Europe depuis la chute de l'Empire romain jusqu'à la Révolution française* [1828-1830], Paris, Didier, nouvelle éd., 1853.

HAMBURGER, Philip, *Separation of Church and State*, Cambridge (Mass.), Harvard University Press, 2002.

HARDING, Susan Friend, *The Book of Jerry Falwell. Fundamentalist Language and Politics*, Princeton, Princeton University Press, 2000.

HARTOG, François, *Régimes d'historicité. Présentisme et expérience du temps*, Paris, Éd. du Seuil, 2003.

HATCH, Nathan O., *The Democratization of American Christianity*, New Haven, Yale University Press, 1989.

HAWTHORNE, Nathaniel, *The Scarlet Letter* [1840], New York, Dover Publications, 1994.

HECLO, Hugh et MCCLAY, Wilfred (dir.), *Religion Returns to the Public Square. Faith and Policy in America*, Baltimore, Johns Hopkins University Press, 2003.

HEIDEGGER, Martin, *Chemins qui ne mènent nulle part*, Paris, Gallimard, 1962.

—, *Introduction à la métaphysique* [1935], Paris, Gallimard, coll. « Tel », 1967.

HEIMERT, Alan et DELBANCO, Andrew (dir.), *The Puritans in America. A Narrative Anthology*, Cambridge (Mass.), Harvard University Press, 1985.

HERBERG, Will, *Protestant, Catholic, Jew. An Essay in American Religious Sociology*, Chicago, University of Chicago Press, 1995.

HERVIEU-LÉGER, Danièle, *Le Pèlerin et le converti*, Paris, Flammarion, 1999.

—, *La Religion en miettes ou la Question des sectes*, Paris, Calmann-Lévy, 2001.

HEYRMAN, Christine Leigh, *Southern Cross. The Beginnings of the Bible Belt*, Chapel Hill, University of North Carolina Press, 1997.

HIGHAM, John, *Strangers in the Land. Patterns of American Nativism, 1860-1925* [1955], New Brunswick, Rutgers University Press, 2e éd., 1988.

HIMMELFARB, Gertrude, *The Demoralization of Society.*

From Victorian Virtues to Modern Values, New York, Vintage, 1996.

HOFSTADTER, Richard, *Social Darwinism in American Thought*, Boston, Beacon Press, 1964.

—, *The Paranoid Style in American Politics*, New York, Knopf, 1965.

HOLMES, David L., *The Religion of the Founding Fathers*, Charlottesville, Ash Lawn-Highland, 2003.

HORN, James, LEWIS, Jan Ellen et ONUF, Peter S., *The Revolution of 1800. Democracy, Race and the New Republic*, Charlottesville, University of Virginia Press, 2002.

HUNTINGTON, Samuel, *Qui sommes-nous ? Identité nationale et choc des cultures*, Paris, Odile Jacob, 2004.

HUTCHISON, William, *Religious Pluralism in America. The Contentious History of a Founding Ideal*, New Haven, Yale University Press, 2003.

JACOBSON, Gary C., *A Divider, Not a Uniter. George W. Bush and the American People*, New York, Pearson, 2007, p. 153-157.

JACOBY, Susan, *Freethinkers. A History of American Secularism*, New York, Henry Holt, 2005.

JEFFERSON, Thomas, *Notes on the State of Virginia*, Paris, Philippe-Denis Pierres, 1785.

—, *The Jefferson Bible. The Life and Morals of Jesus of Nazareth Extracted Textually from the Gospels in Greek, Latin, French and English* [1820], Washington D.C., Smithsonian edition, Smithsonian Books, 2011 (fac-similé avec des essais introductifs de Harry Rubenstein, Barbara Clark Smith et Janice Stagnitto Ellis).

—, *Political Writings*, (éd. Joyce Appleby et Terence Ball), Cambridge, Cambridge University Press, 1999.

JOHNSON, Paul E., *A Shopkeeper's Millenium. Society and Revivals in Rochester, New York, 1815-1837*, New York, Hill and Wang, 1994.

JUDT, Tony, *Un passé imparfait. Les intellectuels en France, 1944-1956*, Paris, Fayard, 1992.

KENGOR, Paul, *God and George W. Bush*, New York, Harper Collins, 2004.

KING, Desmond, *Making Americans. Immigration, Race, and the Origins of the Diverse Democracy*, Cambridge (Mass.), Harvard University Press, 2000.

KINSEY, Alfred *et al.*, *Sexual Behavior in the Human Male*, Philadelphie, W. B. Saunders, 1948.

—, *Sexual Behavior in the Human Female*, W. B. Saunders, 1953.

KRAMNICK, Isaac et MOORE, R. Laurence, *The Godless Constitution. The Case against Religious Correctness*, New York, Norton, 1996.

LA ROCHEFOUCAULD-LIANCOURT, François Alexandre Frédéric, duc de, *Voyage dans les États-Unis d'Amérique, fait en 1795, 1796 et 1797*, Paris, Du Pont, an VII, 8 vol.

LA TOUR DU PIN, marquise de, *Mémoires de la marquise de La Tour du Pin* [1778-1815], Paris, Mercure de France, 1989.

LABOULAYE, Édouard, *Histoire des États-Unis*, Paris, Charpentier, 1866.

LACORNE, Denis, RUPNIK, Jacques et TOINET, Marie-France (dir.), *L'Amérique dans les têtes*, Paris, Hachette, 1986.

LACORNE, Denis, *L'Invention de la République. Le modèle américain*, Paris, Hachette, coll. « Pluriel », 1991.

—, « Tolérance, républicanisme et laïcité. L'exemple américain », *in* Pierre Statius (dir.), *Actualité de l'école républicaine ?*, Caen, Centre régional de documentation pédagogique de Basse-Normandie, 1998, p. 85-93.

—, « Le simulacre du procès Clinton », *Justices*, n° 1, 1999, p. 151-156.

—, *La Crise de l'identité américaine. Du melting-pot au multiculturalisme*, Paris, Gallimard, coll. « Tel », 2003 (2e éd. corrigée et augmentée).

—, « *God is Near*. L'instrumentalisation du religieux par le politique aux États-Unis », *in* Thomas Ferenczi (dir.), *Religion et politique. Une liaison dangereuse ?*, Bruxelles, Complexe, 2003, p. 179-188.

—, « La séparation de l'Église et de l'État aux États-Unis », *Le Débat*, n° 127, novembre-décembre 2003, p. 63-79.

—, et JUDT, Tony (dir.), *La Politique de Babel. Du monolinguisme d'État au pluralisme des peuples*, Paris, Karthala, 2002.

LAMBERTI, Jean-Claude, *Tocqueville et les deux démocraties*, Paris, PUF, 1983.

LECOURT, Dominique, *L'Amérique entre la Bible et Darwin*, Paris, PUF, 1992.

LEHMANN, Harrmut et ROTH, Guenther (dir.), *Weber's Protestant Ethic. Origins, Evidence, Contexts*, Cambridge, Cambridge University Press, 1993.

LEITES, Edmund, *The Puritan Conscience and Modern Sexuality*, New Haven, Yale University Press, 1986.

LEROY-BEAULIEU, Pierre, *Les États-Unis au XXe siècle*, Paris, Armand Colin, 1906.

LÉVY, Bernard-Henri, *American Vertigo*, Paris, Grasset, 2006.

LIEVEN, Anatol, *Le Nouveau Nationalisme américain*, Paris, Jean-Claude Lattès, 2005.

LOCKE, John, *Lettre sur la tolérance et autres textes*, éd. Jean-Fabien Spitz, Paris, Garnier-Flammarion, 1992.

LOUBET DEL BAYLE, Jean-Louis, *Les Non-Conformistes des années 30*, Paris, Éd. du Seuil, 1969.

LOWE, Janet (éd.), *Billy Graham Speaks. Insight from the World's Greatest Preacher*, New York, John Wiley and Sons, 1999.

MACEDO, Stephen, *Diversity and Distrust. Civic Education in a Multicultural Democracy*, Cambridge (Mass.), Harvard University Press, 2000.

MADISON, James, HAMILTON, Alexander, et JAY, John, *The Federalist Papers* [1787], préface et notes de Isaac Kramnick, Harmondsworth, Penguin Books, 1987.

MAISTRE, Joseph de, *Considérations sur la France* [1797], Bruxelles, Complexe, 1988.

MANENT, Pierre, *Tocqueville et la nature de la démocratie*, Paris, Julliard, 1982.

—, *La Cité de l'homme*, Paris, Fayard, coll. « L'Esprit de la cité », 1994.

MANN, Horace, *De l'importance de l'éducation dans une république*, trad. et préface par Édouard Laboulaye, Paris, Armand Le Chevalier, 1873.

MANSFIELD, Harvey, *America's Constitutional Soul*, Baltimore, Johns Hopkins University Press, 1991.

MANSFIELD, Stephen, *The Faith of George W. Bush*, New York, Penguin, 2003.

MARIENSTRAS, Élise, *Nous, le peuple. Les origines du nationalisme américain*, Paris, Gallimard, 1988.

MARLIN, George J., *The American Catholic Voter*, South Bend, St. Augustine Press, 2004.

MARSDEN, George M., *Fundamentalism and American Culture. The Shaping of XXe Century Evangelicalism, 1870-1925*, New York, Oxford University Press, 1980.

—, *Jonathan Edwards. A life*, New Haven, Yale University Press, 2003.

MARSHALL, John, *Vie de George Washington, précédée d'un Précis de l'histoire des Colonies, fondées par les Anglais, sur le continent de l'Amérique septentrionale*, Paris, Dentu, 1807, 5 vol.

MARTIN, Jean-Pierre, *La Vertu par la loi. La prohibition aux États-Unis : 1920-1933*, Dijon, Éditions Universitaires de Dijon, 1993.

MARTY, Martin E., *Modern American Religion, 1893-1941*, Chicago, University of Chicago Press, 1997, 2 vol.

— et R. Scott APPLEBY (dir.), *The Fundamentalism Project*, Chicago, University of Chicago Press, 1991-1994, 4 vol.

MASSA, Mark S., *Anti-Catholicism in America. The Last Acceptable Prejudice*, New York, Crossroad, 2003.

MATHEWS, Donald G., *Religion in the Old South*, Chicago, Chicago University Press, 1977.

MCGREEVY, John T., *Catholicism and American Freedom*, New York, Norton, 2003.

MCLOUGHLIN, William G., *Revivals, Awakenings, and Reform*, Chicago, University of Chicago Press, 1980.

MEACHAM, Jon, *American Gospel. God, the Founding Fathers, and the Making of a Nation*, New York, Random House, 2006.

MELANDRI, Pierre, *Reagan, une biographie totale*, Paris, Robert Laffont, 1998.

MÉLONIO, Françoise, *Tocqueville et les Français*, Paris, Aubier, 1993.

MICHELOT, Vincent, *L'Empereur de la Maison-Blanche*, Paris, Armand Colin, 2004.

MILLER, Donald E., *Reinventing American Protestantism. Christianity in the New Millennium*, Berkeley, University of California Press, 1997.

MILLER, Perry, *Jonathan Edwards*, Cleveland, World Publishing Co., 1959.

—, *The Life of the Mind in America. From the Revolution to the Civil War*, New York, Harcourt, Brace and World, 1965.

—, *The New England Mind* [1939], Cambridge (Mass.), Harvard University Press, 1982, 2 vol.

— et JOHNSON, Thomas H. (dir.), *The Puritans. A Sourcebook of their Writings*, New York, Harper Torchbooks, 1963.

MONK, Maria, *Awful Disclosures*, Philadelphie, T. B. Peterson, 1836.

MONTESQUIEU, Charles de Secondat, baron de, *De l'esprit des lois* [1748], in *Œuvres complètes*, Paris, Gallimard, Bibl. de la Pléiade, t. II, 1958.

MOORE, Laurence R., *Religious Outsiders and the Making of Americans*, New York, Oxford University Press, 1986.

MORAND, Paul, *New York* [1930], Paris, Flammarion, 1988.

MORGAN, Edmund S., *The Puritan Dilemma. The Story of John Winthrop*, Boston, Little, Brown and Co., 1958.

—, *Visible Saints. The History of a Puritan Idea*, Ithaca, Cornell University Press, 1963.

—, *The Puritan Family*, New York, Harper Torchbooks, 1966.

MORONE, James A., *Hellfire Nation. The Politics of Sin in American History*, New Haven, Yale University Press, 2003.

MORTON, Andrew, *Monica's Story*, New York, St. Martin's, 1999.

MOUNIER, Emmanuel, *Mounier et sa génération. Lettres, carnets et inédits*, Paris, Éd. du Seuil, 1956.

NICOLSON, Adam, *God's Secretaries : The Making of the King James Bible*, New York, Harper Collins, 2003.

NOLL, Mark (dir.), *Religion and American Politics*, New York, Oxford University Press, 1990.

—, *America's God. From Jonathan Edwards to Abraham Lincoln*, New York, Oxford University Press, 2002.

NORA, Pierre (dir.), *Les Lieux de mémoire*, Paris, Gallimard, coll. « Quarto », Paris, 1997, 3 vol.

O'BRIEN, David M., *Animal Sacrifice and Religious Freedom*, Lawrence, University Press of Kansas, 2004.

ONUF, Peter (dir.), *Jeffersonian Legacies*, Charlottesville, University of Virginia Press, 1995.

ORREN, Karen et SKOWRONEK, Stephen, *The Search for American Political Development*, Cambridge, Cambridge University Press, 2004.

ORY, Pascal (dir.), *Nouvelle histoire des idées politiques*, Paris, Hachette, coll. « Pluriel », 2004.

PAINE, Thomas, *Droits de l'homme, en réponse à l'attaque de M. Burke sur la révolution française*, ouvrage dédié à George Washington, Président des États-Unis [1791], Paris, Buisson, 1793.

PAINE, Thomas, *Droits de l'homme. Seconde partie, réunissant les principes et la pratique*, ouvrage dédié à M. de La Fayette, Paris, Buisson, 1792.

PANGLE, Thomas L., *The Spirit of Modern Republicanism. The Moral Vision of the American Founders and the Philosophy of Locke*, Chicago, University of Chicago Press, 1988.

PAUW, Corneille de, *Recherches philosophiques sur les Américains, ou Mémoires intéressans pour servir à l'histoire de l'espèce humaine* [1772], Paris, Jean-François Bastien, an III, 7 vol.

PEACOCK, James L. et TYSON, Ruel W. Jr., *Pilgrims of Paradox. Calvinism and Experience among the Primitive Baptists of the Blue Ridge*, Washington, Smithsonian Institution Press, 1989.

PENA-RUIZ, Henri, *Qu'est-ce que la laïcité ?*, Gallimard, coll. « Folio actuel », 2003.

PHILBRICK, Nathaniel, *Mayflower. A Voyage to War*, Londres, Harper Press, 2006.

PHILIP, André, *Le Problème ouvrier aux États-Unis*, Paris, Félix Alcan, 1927.

PHILIPS, Edith, *The Good Quaker in French Legend*, Philadelphie, The University of Pennsylvania Press, 1932.

PHILLIPS, Kevin, *American Theocracy*, New York, Viking, 2006.

PIERSON, George Wilson, *Tocqueville in America* [1938], Baltimore, Johns Hopkins University Press, 1996.

POCOCK, J. G. A., *The Machiavellian Moment. Florentine Political Thought and the Atlantic Republican Tradition*, Princeton, Princeton University Press, 1975.

—, *Barbarism and Religion*, Cambridge, Cambridge University Press, 2 vol., t. II, *Narratives of Civil Government*, 1999.

PORTES, Alejandro et RUMBAUT, Ruben G., *Immigrant America. A Portrait*, Berkeley, University of California Press, 3e éd., 2006.

PORTES, Jacques, *Une fascination réticente. Les États-Unis dans l'opinion française, 1870-1914*, Nancy, Presses universitaires de Nancy, 1990.

POULAT, Émile, *Liberté-laïcité. La guerre des deux France et le principe de la modernité*, Paris, Cujas, 1987.

PROTHERO, Stephen, *American Jesus. How the Son of God Became a National Icon*, New York, Farrar, Straus and Giroux, 2003.

RAVITCH, Diane, *The Great School Wars*, New York, Basic Books, 1974.

RAYNAL, Guillaume-Thomas, *Histoire philosophique et politique des établissements et du commerce des Européens dans les deux Indes*, Genève, 1781, 10 vol.

RAYNAUD, Philippe, *Max Weber et les dilemmes de la raison moderne*, Paris, PUF, coll. « Quadrige », 1987.

RECLUS, Élisée, *Nouvelle Géographie universelle*, Paris, Hachette, 19 vol., t. XVI, *Les États-Unis*, 1892.

REICHLEY, A. James, *Religion in American Public Life*, Washington, D. C., Brookings Institution Press, 1985.

REIS, Elizabeth, *Damned Women. Sinners and Witches in Puritan New England*, Ithaca, Cornell University Press, 1997.

RÉMOND, René, *Les États-Unis devant l'opinion française, 1815-1852*, Paris, Armand Colin, 1962, 2 vol.

RENAUT, Alain et TOURAINE, Alain, *Un débat sur la laïcité*, Paris, Stock, 2005.

RICHARDS, David A. J., *Toleration and the Constitution*, New York, Oxford University Press, 1986.

RICHET, Isabelle, *La Religion aux États-Unis*, Paris, PUF, coll. « Que sais-je ? », 2001.

ROBERTSON, William, *Histoire de l'Amérique par M. Robertson, principal de l'université d'Édimbourg et historiographe de sa Majesté Britannique pour l'Écosse* [*The History of America*, trad. Suard et Morellet, Londres, Strahan, Cadell, Balfour, 1777], Paris, Panckoucke, 1778.

—, *Histoire de l'Amérique*, Paris, Janet et Cotelle, 1828, 4e éd. revue et corrigée à partir de la dernière édition anglaise de 1796, 5 vol.

ROGER, Philippe, *L'Ennemi américain. Généalogie de l'antiaméricanisme français*, Paris, Éd. du Seuil, 2002.

ROOF, Wade Clark et MCKINNEY, William, *American Mainline Religion. Its Changing Shape and Future*, New Brunswick, Rutgers University Press, 1992 (4e éd.).

—, *Spiritual Marketplace : Baby Boomers and the Remaking of American Religion*, Princeton, Princeton University Press, 1999.

ROOSEVELT, Theodore, *The Strenuous Life. Essays and Addresses by Theodore Roosevelt*, Londres, Grant Richards, 1902.

—, *The Winning of the West* [1889], New York, G. P. Putnam's Sons, 1905.

ROSANVALLON, Pierre, *Le Moment Guizot*, Paris, Gallimard, Bibliothèque des sciences humaines, 1985.

ROSEN, Christine, *Preaching Eugenics. Religious Leaders and the American Eugenics Movement*, New York, Oxford University Press, 2004.

ROSENBLUM, Nancy L. (dir.) *Obligations of Citizenship and Demands of Faith*, Princeton, Princeton University Press, 2000.

RUDELLE, Odile (éd.), *Jules Ferry. La République des citoyens*, Paris, Imprimerie nationale, 1996, 2 vol.

RUDIN, Rabbi James, *The Baptizing of America*, New York, Thunder's Mouth Press, 2006.

RUPP, I. Daniel (dir.), *An Original History of the Religious Denominations at Present Existing in the United States*, Philadelphie, J. Y. Humphreys, 1844.

SAINT-SIMON, *Nouveau Christianisme*, préface d'Enfantin, Paris, Bureau du Globe, 1832.

SARNA, Jonathan D., *Minority Faiths and the American Protestant Mainstream*, Urbana, University of Illinois Press, 1998.

SARTRE, Jean-Paul, *Situations III* [1943], Paris, Gallimard, 2003.

SCHLEIFER, James T., *The Making of Tocqueville's Democracy in America*, Indianapolis, Liberty Fund, 2e éd., 2000.

SHIBLEY, Mark A., *Resurgent Evangelicalism in the United States*, Columbia, University of South Carolina Press, 1996.

SIEGFRIED, André, *Deux mois en Amérique du Nord à la veille de la guerre*, Paris, Armand Colin, 1916.

—, *Les États-Unis d'aujourd'hui*, Paris, Armand Colin, 1927.

—, *Tableau des États-Unis* [1954], Paris, Armand Colin, 3e éd., 1958.

SIRINELLI, Jean-François, *Sartre et Aron. Deux intellectuels dans le siècle*, Paris, Hachette, coll. « Pluriel », 1999.

SLOTKIN, Richard, *Gunfighter Nation : The Myth of the Frontier in Twentieth-Century America*, New York, Macmillan, 1992.

SMITH, Gary Scott, *Faith and the Presidency. From George Washington to George W. Bush*, New York, Oxford University Press, 2006.

STARR, Kenneth W., *First among Equals. The Supreme Court in American Life*, New York, Warner Books, 2002.

STEPHANSON, Anders, *Manifest Destiny. American Expansion and the Empire of Right*, New York, Hill and Wang, 1995.

STOUT, Harry S. et HART, D. G. (dir.), *New Directions in American Religious History*, New York, Oxford University Press, 1997.

TARDIVEL, Jules, *La Situation religieuse aux États-Unis. Illusions et réalité*, Paris, Desclée de Brouwer et Cie, 1900.

TOCQUEVILLE, Alexis de, « Correspondance américaine d'Alexis de Tocqueville », in *Œuvres complètes*, éd. Françoise Mélonio, Lise Queffélec et Anthony Pleasance, Paris, Gallimard, t. VII, 1986.

—, *De la démocratie en Amérique*, éd. critique revue et augmentée de Eduardo Nolla, Paris, Vrin, 1990, 2 vol.
—, *Democracy in America*, trad., éd. et introduit par Harvey C. Mansfield et Delba Winthrop, Chicago, The University of Chicago Press, 2000.
—, *Lettres choisies. Souvenirs*, éd. Françoise Mélonio et Laurence Geullec, Paris, Gallimard, coll. « Quarto », 2003.
TROLLOPE, Fanny, *Mœurs domestiques des Américains* [1832], Paris, Charles Gosselin, 3e édition, 1841.
TURNER, Frederick Jackson, *The Frontier in American History*, New York, Henry Holt, 1920.
TURNER, Stephen (dir.), *The Cambridge Companion to Weber*, Cambridge, Cambridge University Press, 2000.
VICTOR, Barbara, *The Last Crusade. Religion and the Politics of Misdirection*, Londres, Constable, 2005.
VOLNEY, Constantin-François de Chassebœuf, comte de, *Tableau du climat et du sol des États-Unis d'Amérique* [1803], Paris, Parmantier, 2e éd., 1825.
VOLTAIRE, François-Marie Arouet, dit, *Lettres philosophiques* [1734] in *Mélanges*, éd. Jacques Van den Heuvel, Paris, Gallimard, Bibl. de la Pléiade, 1961.
—, *Examen important de Milord Bolingbroke ou le Tombeau du fanatisme* [1736], in *Mélanges*, éd. Jacques Van den Heuvel, Paris, Gallimard, Bibl. de la Pléiade, 1961.
—, *Traité sur la tolérance à l'occasion de la mort de Jean Calas* [1763], in *Mélanges*, éd. Jacques Van den Heuvel, Paris, Gallimard, Bibl. de la Pléiade, 1961.
WALD, Kenneth D., *Religion and Politics in the United States*, Washington, D. C., CQ Press, 2003.
Washington Post (éd.), *The Starr Report*, New York, Perseus Books, coll. « Public Affairs », 1998.
WEBER, Max, *L'Éthique protestante et l'esprit du capitalisme* [1904-1905], éd. traduite et présentée par Jean-Pierre Grossein, Paris, Gallimard, coll. « Tel », 2003.
WELCH, Cheryl, *De Tocqueville*, New York, Oxford University Press, 2001.
WIEBE, Robert H., *The Search for Order, 1877-1920*, New York, Hill and Wang, 1998.

WILLAIME, Jean-Paul, *La Précarité protestante. Sociologie du protestantisme contemporain*, Genève, Labor et Fides, 1992.

WILLS, Garry, *Reagan's America. Innocents at Home*, New York, Doubleday, 1987.

—, *Under God. Religion and American Politics*, New York, Simon and Schuster, 1990.

WINOCK, Michel, « *Esprit* ». *Des intellectuels dans la cité*, Paris, Éd. du Seuil, coll. « Points histoire », 1996.

WINTHROP, John, *The Journal of John Winthrop, 1630-1649*, Cambridge (Mass.), Harvard University Press, 1996 (Richard Dunn et Laetitia Yeandle, éd.).

WOLFE, Alan, *One Nation after All. What Middle-Class Americans Really Think about God/Country/Family/Racism* [...], New York, Viking, 1998.

—, *The Transformation of American Religion*, New York, Free Press, 2003.

WOOD, Gordon, *The Creation of the American Republic, 1776-1787*, New York, Norton, 1972.

—, *The Radicalism of the American Revolution*, New York, Knopf, 1992.

WUTHNOW, Robert, *The Restructuring of American Religion*, Princeton, Princeton University Press, 1988.

ZOLBERG, Aristide R., *A Nation by Design. Immigration Policy in the Fashioning of America*, Cambridge (Mass.), Harvard University Press, 2006.

ZOLLER, Élisabeth, *De Nixon à Clinton. Malentendus juridiques transatlantiques*, Paris, PUF, coll. « Béhémoth », 1999.

—, (dir.), *La Conception américaine de la laïcité*, Paris, Dalloz, 2005.

BIBLIOGRAPHIE DE L'ÉDITION AUGMENTÉE

Depuis la première édition, la bibliographie du sujet s'est largement enrichie, ce qui reflète l'importance qu'a prise ces dernières années la religion dans la politique américaine, et réciproquement la politique dans les religions aux États-Unis.

ABRAMOWITZ, Alan, *The Disappearing Center. Engaged Citizens, Polarization, and American Democracy*, New Haven, Yale University Press, 2010.

ARMITAGE, David, *The Declaration of Independence : A Global History*, Cambridge, Harvard University Press, 2007.

BAIRD, Robert (révérend), *De la religion aux États-Unis d'Amérique ; origine et progrès des églises évangéliques des États-Unis, leurs rapports avec l'État et leur condition actuelle, avec des notices sur les communions non évangéliques*, Paris, L. R. Delay, 1844, 2 vol., trad. L. Burnier.

BALMER, Randall, *God in the White House : How Faith Shaped the Presidency from John F. Kennedy to George W. Bush*, San Francisco, HarperOne, 2008.

—, *Mine Eyes Have Seen the Glory. A Journey into the Evangelical Subculture in America*, New York, Oxford University Press, 2006, 4th ed.

—, *The Making of Evangelicalism : From Revivalism to Politics and Beyond*, Waco, Baylor University Press, 2010.

BANCROFT, George, *History of the United States of America*, Boston, Little, Brown and Company, 1854-1878, 10 vol.

BARB, Amandine, « An Atheistic American is a Contradiction in Terms », *European Journal of American Studies*, n° 1, 2011.

BARRY, John, *Roger Williams and the Creation of the American Soul*, New York, Viking, 2012.

BAUBÉROT, Jean et MILO, Micheline, *Laïcités sans frontières*, Éd. du Seuil, 2011.

BAUER, Susan, *The Art of the Public Grovel. Sexual Sin and Public Confession in America*, Princeton, Princeton University Press, 2008.

BELIN, Célia, *Jésus est juif en Amérique. Droite évangélique et lobbies chrétiens pro-Israël*, Paris, Fayard, 2011.

BERLINERBLAU, Jacques, *Thumpin'It : The Use and Abuse of the Bible in Today's Presidential Politics*, Louisville, Westminster John Knox Press, 2008.

BIRNBAUM, Pierre, « On the Secularization of the Public

Square : Jews in France and in the United States », *Cardozo Law Review*, juin 2009.

BROWN, Samuel M., *In Heaven as it is on Earth : Joseph Smith and the Early Mormon Conquest of Death*, New York, Oxford University Press, 2012.

—, *Rapport sur l'instruction primaire à l'exposition universelle de Philadelphie en 1876, présenté à M. le ministre de l'Instruction publique au nom de la commission envoyée par le ministère à Philadelphie*, Paris, Imprimerie nationale, 1878.

BURGH, James, *Crito, or, Essays on Various Subjects*, Londres, Dodsley, de Hondt and Payne, 1766-67, 2 vol.

BUSHMAN, Richard Lyman, *Mormonism. A Very Short Introduction*, New York, Oxford University Press, 2008.

CASEY, Shawn, *The Making of a Catholic President. Kennedy vs. Nixon 1960*, New York, Oxford University Press, 2009.

CEASER, James W., *Nature and History in American Political Development : A Debate*, Cambridge, Harvard University Press, 2006.

CHÂTELLIER, Louis, LANGLOIS, Claude et WILLAIME Jean-Paul (dir.), *Lumières, Religions et Laïcité*, Riveneuve éditions, 2009.

COTTRET, Bernard, *La Révolution américaine : La quête du bonheur*, Paris, Perrin, 2003.

DEWOLFE HOWE, Mark Antony, *The Life and Letters of George Bancroft*, New York, Scribner's Sons, 1908, vol. 1 (1800-1846).

DÉLOYE, Yves, *École et citoyenneté. L'individualisme républicain de Jules Ferry à Vichy : controverses*, Presses de Sciences Po, 1994.

DIIULIO, Jr., John, *Godly Republic. A Centrist Blueprint for America's Faith-Based Future*, Berkeley, University of California Press, 2007.

DINER, Hasia, *The Jews of the United States, 1654 to 2000*, Berkeley, University of California Press, 2004.

DIONNE, E. J., *Souled Out. Reclaiming Faith and Politics after the Religious Right*, Princeton, Princeton University Press, 2008.

DOUTHAT, ROSS, *Bad Religion. How We Became a Nation of Heretics*, New York, Free Press, 2012.

DUNNE, Gerald T., *Hugo Black and the Judicial Revolution*, New York, Simon and Schuster, 1977.

ELKINS, Stanley et MCKITRICK, Eric, *The Age of Federalism. The Early American Republic, 1788-1800*, New York, Oxford University Press, 1993.

ESPINOSA, Gastón (dir.), *Religion and the American Presidency*, New York, Columbia University Press, 2009.

—, *Religion, Race, and the American Presidency*, Lanham, Rowman and Littlefield, 2e éd., 2011.

—, *Religion, Race and Barack Obama's New Democratic Pluralism*, New York, Routledge, 2012.

FATH, Sébastien et WILLAIME, Jean-Paul (dir.), *La Nouvelle France protestante*, Genève, Labor et Fides, 2011.

FEINGOLD, Henry (dir.), *The Jewish People in America*, Baltimore, Johns Hopkins University Press, 1992, 5 vol.

FOLEY, Michael et HOGE, Dean, *Religion and the New Immigrants. How Faith Communities Form our Newest Citizens*, New York, Oxford University Press, 2007.

FOSTER, Gaines, *Moral Reconstruction. Christian Lobbyists and the Federal Legislation of Morality, 1865-1920,* Chapel Hill, University of California Press, 2002.

FROIDEVAUX-METTERIE, Camille, *Politique et religion aux États-Unis,* Paris, la Découverte, coll. « Repères », 2009.

GAUCHET, Marcel, *Un monde désenchanté ?*, Paris, Éd. de l'Atelier, 2004.

GOODWIN, Doris Kearns, *Team of Rivals. The Political Genius of Abraham Lincoln*, New York, Simon and Schuster, 2005.

GREENAWALT, Kent, *Religion and the Constitution,* t. I, *Free Exercise and Fairness*, t. II, *Establishment and Fairness*, Princeton, Princeton University Press, 2006-2008.

GUELZO, Allen C., *Abraham Lincoln : Redeemer President*, Grand Rapids, William Eerdmans Publishing 1999.

HANDLIN, Lilian, *George Bancroft. The Intellectual as Democrat*, New York, Harper and Row, 1984.

HECLO, Hugh, *Christianity and American Democracy. With Responses by Mary Jo Bane, Michael Kazin, Alan Wolfe*, Cambridge, Harvard University Press, 2007.

HENNETON, Lauric, *Liberté, inégalité, autorité. Politique, société et construction identitaire du Massachusetts au XVIIe siècle*, Paris, Honoré Champion, 2009, 2 vol.

HOWARD, Thomas Albert, *God and the Atlantic. America, Europe and the Religious Divide*, New York, Oxford University Press, 2011.

HUDSON, Deal W., *Onward Christian Soldiers. The Growing Political Power of Catholics and Evangelicals*, New York, Threshold editions, 2008.

HUNTINGTON, Samuel, *American Politics. The Promise of Disharmony*, Cambridge, Harvard University Press, 1981

HUTSON, James H. (dir.), *Religion and the New Republic*, New York, Rowman and Littlefield, 2000.

HURET, Romain, *Les Conservateurs américains se mobilisent*, (préface de D. Lacorne), Éd. Autrement, 2008.

INBODEN, William, *Religion and American Foreign Policy, 1945-1960 : The Soul of Containment*, New York, Cambridge University Press, 2008.

ISRAEL, Jonathan I., *Enlightenment Contested : Philosophy, Modernity, and the Emancipation of Man, 1670-1752*, New York, Oxford University Press, 2006.

—, *Democratic Enlightenment : Philosophy, Revolution and Human Rights,* 1750-1790, New York, Oxford University Press, 2011.

JEFFERSON, Thomas, *The Jefferson Bible. The Life and Morals of Jesus of Nazareth Extracted Textually from the Gospels in Greek, Latin, French and English* [1820], Smithsonian edition, Smithsonian Books, 2011 (facsimilé).

JEFFRIES, John et RYAN, James, « A Political History of the Establishment Clause », *Michigan Law Review*, vol. 100, n° 2, novembre 2001.

JENKINS, Philip, *The New Anti-Catholicism. The Last Acceptable Prejudice*, New York, Oxford University Press, 2003.

JUDT, Tony, *Après-Guerre. Une histoire de l'Europe depuis 1945*, Paris, Hachette, coll. « Pluriel », 2010.

JUDT, Tony et SNYDER, Timothy, *Thinking the Twentieth Century. Intellectuals and Politics in the Twentieth Century,* New York, Random House, 2012.

KASPI, André, *Les Juifs américains. Ont-ils réellement le pouvoir qu'on leur prête ?*, Paris, Plon, 2008.

KADUX, Joke et VAN DE BILT, Eduard, *Newcomers in an Old City : The American Pilgrims in Leiden 1609-1620*, Leyde, Burgersdikj & Niermans, 2007.

KATZNELSON, Ira et JONES, Gareth S. (dir.), *Religion and the Political Imagination*, New York, Cambridge University Press, 2010.

KLOPPENBERG, James T., *Reading Obama : Dreams, Hope and the American Political Tradition*, Princeton, Princeton University Press, 2010.

KRAMNICK, Isaac, ed., *The Portable Enlightenment Reader*, New York, Penguin, 1995.

—, *Republicanism and Bourgeois Radicalism : Political Ideology in Late XVIII Century Britain and America*, Ithaca, Cornell University Press, 1990.

KURLAND, Philip et LERNER, Ralph (dir.), *The Founders'Constitution*, Chicago, University of Chicago Press, 1987, 5 vol.

KURU, Ahmet, *Secularism and State Policies Toward Religion. The United States, France and Turkey*, New York, Cambridge University Press, 2009.

LACORNE, Denis, « Mobilisations ethniques contre violences urbaines. East Palo Alto (Californie) », in *Les Politiques de la diversité. Expériences anglaise et américaine*, Paris, Presses de Sciences Po, 2010.

—, « Quelle place faut-il accorder à la religion dans la conduite de la politique étrangère des États-Unis ? », *Critique Internationale*, n° 49, octobre-décembre 2010, p. 159-169.

—, « Une laïcité à l'américaine », *Études*, vol. 409, 2008, p. 297-305.

—, *L'Invention de la République américaine*, Paris, Hachette, coll. « Pluriel », 2e édition augmentée, 2008.

LAGRÉE, Jacqueline et PORTIER, Philippe, *La Modernité contre la religion ? Pour une nouvelle approche de la laïcité*, Rennes, Presses universitaires de Rennes, 2010.

LAMBERT, Frank, *The Founding Fathers and the Place of Religion in America*, Princeton, Princeton University Press, 2003.

LEPORE, Jill, *The Whites of their Eyes. The Tea Party's Revolution and the Battle over American History*, Princeton, Princeton University Press, 2010.

LILLA, Mark, *The Stillborn God. Religion, Politics and the Modern West*, New York, Knopf, 2007.

LIND, Michael, *What Lincoln Believed. The Values and Convictions of America's Greatest President*, New York, Doubleday, 2003.

LINDSAY, Michael D., *Faith in the Halls of Power. How Evangelicals Joined the American Elite,* New York, Oxford University Press, 2007.

MCDANIEL, Eric, *Politics in the Pews : The Political Mobilization of Black Churches*, Ann Arbor, University of Michigan Press, 2008.

MELANDRI, Pierre, *Histoire des États-Unis contemporains*, Paris, André Versaille éditeur, 2008.

MERCHANT, Jennifer, *Procréation et politique aux États-Unis (1965-2005),* Paris, Belin, 2005.

MICHELOT, Vincent, *Le Président des États-Unis : un pouvoir impérial ?,* Paris, Gallimard, coll. « Découvertes », 2008.

NIEBUHR, Reinhold, *The Nature and Destiny of Man*, t. II, *Human Destiny*, New York, Charles Scribner's Sons [1943], 1964.

OBAMA, Barack, *Dreams from My Father : A Story of Race and Inheritance*, New York, Three Rivers Press, 2004.

—, *The Audacity of Hope : Thoughts on Reclaiming the American Dream*, New York, Three Rivers Press, 2006.

PERSICHINO, Roger, *Les Élections présidentielles aux États-Unis*, Paris, Gallimard, coll. « Folio », 2008.

PIERCE, Yolanda, *Hell without Fires. Slavery, Christianity and the Antebellum Spiritual Narrative,* Gainesville, University Press of Florida, 2005.

PORTIER, Philippe, « L'église catholique face au modèle français de laïcité », *Archives de Sciences sociales des religions*, 129, janvier-mars 2005.

PUTNAM, Robert et CAMPBELL, David, *American Grace. How Religion Divides and Unites Us*, New York, Simon and Schuster, 2010.

RAKOVE, Jack, *The Annotated US Constitution and Declaration of Independence*, Cambridge, Harvard University Press, 2009.

RASKIN, Jamin B., *We the Students. Supreme Court Cases for and about Students*, Washington D. C., Congressional Quarterly Press, 2003, 2e éd.

RAYNAUD, Philippe, *Trois Révolutions de la liberté : Angleterre, Amérique, France*, Paris, PUF, coll. « Léviathan », 2009.

RICHOMME, Olivier et MICHELOT, Vincent (dir.), *Le Bilan d'Obama*, Presses de Sciences Po, 2012.

ROBINSON, Greg, « Resurrection and Life : Cyrus Adler and the Jefferson Bible », *American Jewish Archives Journal*, 63, n° 1, 2011, p. 1-17.

SACHAR, Howard M., *A History of the Jews in America*, New York, Knopf, 1992.

SARNA, Jonathan, *American Judaism*, New Haven, Yale University Press, 2004.

SEELYE, John, *Memory's Nation : The Place of Plymouth Rock*, Chapel Hill, University of North Carolina Press, 1998.

SKINNER, Quentin, *The Foundations of Modern Political Thought*, t. II, *The Age of Reformation*, Cambridge (England), Cambridge University Press, 1978.

SMITH, Christian (dir.), *The Secular Revolution. Power, Interests, and Conflict in the Secularization of American Public Life*, Berkeley, University Press of California, 2003.

SMITH, Rogers, *Civic Ideals. Conflicting Visions of Citizenship in U.S. History*, New Haven, Yale University Press, 1997.

STARK, Rodney, *The Rise of Mormonism*, New York, Columbia University Press, 2005.

STEPAN, Alfred, *Arguing Comparative Politics*, New York, Oxford University Press, 2001.

STONE, Geoffrey, « The World of the Framers : A Christian Nation ? », *UCLA Law Review*, vol. 56, n° 1, 2008.

SUGRUE, Thomas J., *Not Even Past. Barack Obama and The Burden of Race*, Princeton, Princeton University Press, 2010.

SULLIVAN, Amy, *The Party Faithful. How and Why Democrats are Closing the God Gap*, New York, Scribner, 2008.

TACITUS, Cornelius, *Agricola, Germania, Dialogus* (trad. M. Hutton), Cambridge, Harvard University Press, coll. « Loeb Classical Library », 1970.

TAYLOR, Mark, *After God*, Chicago, Chicago University Press, 2007.

TOCQUEVILLE, Alexis de, *De la démocratie en Amérique*, Paris, Garnier-Flammarion, Préface de François Furet, 2 vol., 1981.

—, *De la démocratie en Amérique*, in *Œuvres*, éd. André Jardin, Jean-Claude Lamberti et James Schleifer, Paris, Gallimard, Bibliothèque de la Pléiade, 1992, t. 2.

VAN RUYMBEKE, Bertrand, *From Babylon to Eden : The Huguenots and their Migration to Colonial South Carolina*, Columbia, University of South Carolina Press, 2006.

Voltaire, *Œuvres*, Genève, Cramer et Badin, 1775, 40 vol.

WEIL, Patrick (dir.), *Politiques de la laïcité au XXe siècle*, Paris, PUF, 2007.

WELCH, Cheryl (dir.), *The Cambridge Companion to Tocqueville*, New York, Cambridge University Press, 2006.

WILLAIME, Jean-Paul, *Europe et Religions. Les enjeux du XXe siècle*, Paris, Fayard, 2004.

WILSON, Matthew J. (dir.), *From Pews to Polling Places : Faith and Politics in the American Religious Mosaic*, Washington D.C., Georgetown University Press, 2007.

WOLFE, Alan et KATZNELSON, Ira (dir.), *Religion and Democracy in the United States : Danger or Opportunity?*, Princeton et New York, Princeton University Press et Russell Sage Foundation, 2010.

WUTHNOW, Robert, *After the Baby Boomers. How Twenty- and Thirty-Somethings are Shaping the Future of American Religion*, Princeton, Princeton University Press, 2007.

—, *Boundless Faith. The Global Outreach of American Churches*, Berkeley, University of California Press, 2009.

ZOLLER, Elisabeth, et al., *Grands Arrêts de la Cour suprême des États-Unis*, Paris, PUF, 2000.

NOTES

AVANT-PROPOS

1. Cette devise est empruntée à la quatrième *Églogue* de Virgile. Elle évoque le point de départ d'un nouveau cycle historique, postérieur à l'« âge de fer », annoncé par l'oracle de la Sibylle de Cumes : *Magnus ab integro saeculorum nascitur ordo* (« La grande ordonnance des siècles commence à nouveau »).

2. Voir « A City upon a Hill », a video Gingrich production (www.gingrichproductions.com/video/cityuponahillapril.html) ; Herman Cain, débat présidentiel du 22 septembre 2011 (www.youtube.com/watch?v=_E0vlhfrn6M) ; Mitt Romney, « I'll make sure that we remain the shining city on the hill », cité dans le *Washington Examiner*, 22 janvier 2012.

3. John Winthrop, « A Model of Christian Charity » [1630], reproduit dans Richard S. Dunn et Laetitia Yeandle (éd.), *The Journal of John Winthrop, 1630-1649*, Cambridge, Harvard University Press, 1996, p. 10, ma traduction. La source de Winthrop est l'évangile de Matthieu (5,14) : « Vous êtes la lumière du monde. Une ville ne se peut cacher, qui est sise au sommet d'un mont [...]. Ainsi votre lumière doit-elle briller aux yeux des hommes pour que, voyant vos bonnes œuvres, ils en rendent gloire à votre Père qui est dans les cieux. »

4. *Id.*, p. 1-2.

5. Je reprends ici l'argument convaincant d'Andrew Delbanco, *The Puritan Ordeal*, Cambridge, Harvard University Press, 1989, p. 72-73. James A. Morone développe un argument similaire dans *Hellfire Nation. The Politics of Sin in American History*, New Haven, Yale University Press, 2003, p. 35.

6. Samuel Huntington, « The Hispanic Challenge », *Foreign Policy*, mars-avril 2004, p. 31. Le « Credo américain » (*American Creed*) tel que le définit Huntington est un extraordinaire pot-pourri de références historiques, juridiques, religieuses et économiques constituant l'essence de l'Amérique. Ce Credo essentialiste et culturaliste manifesterait un véritable exceptionnalisme américain, sans équivalent dans le reste du monde. Sa place prépondérante, contestée par de nombreux sociologues et politologues américains, rendrait difficile sinon même impossible l'intégration des nouveaux immigrés hispaniques, supposés être, contre toute évidence, réfractaires aux vertus du « Credo ». Voir Huntington, *The Promise of Disharmony*, Cambridge, Harvard University Press, 1981, p. 24-25, et *id.*, *Qui sommes nous ? Identité nationale et choc des cultures*, Paris, Odile Jacob, 2004. Pour une critique systématique des thèses de Huntington, voir D. Lacorne, « Le Péril hispanique ou le retour du "Credo américain" », article à paraître, Alan Wolfe, « Native Son : Samuel Huntington Defends the Homeland », *Foreign Affairs*, mai-juin 2004, et Francis Fukuyama, « Identity Crisis. Why We Shouldn't Worry About Mexican Immigration », *Slate Magazine*, 4 juin 2004 (www.slate.com/articles/arts/ books/2004/06/identity_crisis.html).

7. Ce rituel remonte à l'administration Eisenhower. Voir, à titre d'exemple, Julie Pace, « Obama National Prayer Breakfast Speech : President links economic policies with faith », *Huffingtonpost.com* (USA), 18 mai 2012.

I. UN EXOTISME FRANÇAIS

1. *Première Lettre,* « Sur les quakers », in *Lettres philosophiques* [1734], reproduit dans Voltaire, *Mélanges*, éd. Jacques Van den Heuvel, Paris, Gallimard, Bibl. de la Pléiade, 1961, p. 1 et 2.

2. *Ibid.*, p. 1. Voltaire avait rencontré des quakers lors de son séjour en Angleterre (1727-1728), dont un certain Edward Higginson à Wandsworth.

3. *Ibid.*, p. 3.

4. *Seconde Lettre* et *Troisième Lettre,* « Sur les quakers », in *Lettres philosophiques, op. cit.*, p. 5 et 7.

5. *Quatrième lettre,* « Sur les quakers », *ibid.*, p. 12.

6. Dans le livre IV de l'*Esprit des lois*, Montesquieu risquait un parallèle entre les deux grands hommes. Homme de paix ou homme de guerre, les deux législateurs partageaient un même objectif : fonder des peuples libres de tout préjugé et maîtres de leurs passions. *De l'esprit des lois* [1748], livre IV, chap. 6, in *Œuvres complètes*, Paris, Gallimard, Bibl. de la Pléiade, t. II, 1958, p. 268.

7. Article « Quaker », *in* Diderot et d'Alembert (éd.), *Encyclopédie ou Dictionnaire raisonné des sciences, des arts et des métiers*, t. XIII [1765], p. 648 (édition électronique, <http ://portail.atilf.fr/encyclopédie>). Rédigée par le chevalier de Jaucourt, cette notice est fortement inspirée des écrits de Montesquieu et de Voltaire.

8. Guillaume-Thomas Raynal, *Histoire philosophique et politique des établissements et du commerce des Européens dans les deux Indes*, Genève, 1781, 10 vol., t. IX, p. 18 et 9.

9. *Ibid.*, p. 15.

10. *Ibid.*, p. 39.

11. *Ibid.*, p. 15.

12. Michel-Guillaume Jean de Crèvecœur, *Lettres d'un cultivateur américain* [1785], Genève, Slatkine Reprints, 1979 (fac-similé), 2 vol., t. I, p. 164-165.

13. *Ibid.*, p. 165, 167 ; 175-176.

14. Étienne Clavière et Jacques-Pierre Brissot de Warville, *De la France et des États-Unis ou De l'importance de*

la révolution de l'Amérique pour le bonheur de la France [...], Londres [1787], Paris, Éd. du CTHS, 1996 (éd. en fac-similé, préfacée par Marcel Dorigny), p. 324-325.

15. J'emprunte cette expression et l'analyse qui suit à Marcel Gauchet, *La Révolution des droits de l'homme*, Paris, Gallimard, 1989, note 1, p. 212.

16. Rabaut Saint-Étienne, *Chronique de Paris*, 27 janvier 1793, cité dans *ibid.*, p. 212.

17. [Constantin-François de Chassebœuf, comte de] Volney, Préface au *Tableau du climat et du sol des États-Unis d'Amérique* [1803], Paris, Parmantier, 2e éd., 1825, p. V et XII.

18. *Ibid.*, note 1, p. 378, souligné dans le texte. Comme l'a bien montré Edith Philips, l'engouement pour le quakerisme est général jusqu'en 1794. Voir Edith Philips, *The Good Quaker in French Legend*, Philadelphie, The University of Pennsylvania Press, 1932, p. 148-161.

19. D'autres auteurs, comme La Rochefoucauld-Liancourt, parlent de *Dunkers*. Il s'agit en fait de mennonites.

20. Article « Pennsylvanie », *in* Démeunier (éd.), *Encyclopédie méthodique. Économie politique et diplomatique*, Paris, Panckoucke, 1784-1788, 4 vol., t. III, p. 566-568.

21. [François Alexandre Frédéric, duc de] La Rochefoucauld-Liancourt, *Voyage dans les États-Unis d'Amérique, fait en 1795, 1796 et 1797*, Paris, Du Pont, an VII, 8 vol., t. I, p. 196, 202. La Rochefoucauld, avec une parfaite indiscrétion, prétend même disposer d'un témoignage irréfutable de l'hétérosexualité de la prophétesse (p. 202-203).

22. Voir Catherine A. Brekus, *Strangers and Pilgrims : Female Preaching in America, 1740-1845*, Chapel Hill, University of North Carolina Press, 1998, p. 80-97.

23. Ferdinand-Marie Bayard, *Voyage dans l'intérieur des États-Unis, à Bath, Winchester, dans la vallée de Shenandoha, etc., pendant l'été de 1791*, Paris, Cocheris, an V, p. XII.

24. *Ibid.*, p. 222.

25. *Ibid.*, p. 270-271.

26. *Ibid.*, p. 273, souligné par moi.

27. *Ibid.*, p. 266-267.

28. Chateaubriand, *Essai historique, politique et moral*

sur les révolutions anciennes et modernes, considérées dans leurs rapports avec la Révolution française de nos jours [1797], in *Essai sur les révolutions. Génie du christianisme*, éd. Maurice Regard, Paris, Gallimard, Bibl. de la Pléiade, 1978, note F, p. 147.

29. *Ibid.*, p. 148.

30. Dans une brillante analyse des voyages de Chateaubriand, François Hartog montre la complexité et les subtilités d'un jeu à trois, opposant les Modernes aux Anciens et aux Sauvages, qui est aussi, le plus souvent, un jeu à « deux plus un : les Modernes face aux Anciens/Sauvages » (*Régimes d'historicité. Présentisme et expérience du temps*, Paris, Éd. du Seuil, 2003, p. 79).

31. Chateaubriand, *Voyage en Amérique* [1827], in *Œuvres romanesques et voyages*, éd. Maurice Regard, Paris, Gallimard, Bibl. de la Pléiade, t. I, 1969, p. 677.

32. *Ibid.*, p. 676.

33. Chateaubriand, *Mémoires d'outre-tombe* [1849], Paris, Le Livre de Poche, 1973, 2 vol., t. I, p. 268.

34. Chateaubriand, *Voyage en Amérique, op. cit.*, p. 872-873. Cette liberté, précise Chateaubriand, constitue une « mine inépuisable » où « chaque peuple est appelé à puiser ».

35. *Ibid.*, p. 677.

36. Corneille de Pauw, *Recherches philosophiques sur les Américains, ou Mémoires intéressans pour servir à l'histoire de l'espèce humaine* [1772], Paris, Jean-François Bastien, an III, 7 vol., t. I, p. 161.

37. C.-Fr. Volney, « Observations générales sur les Indiens ou Sauvages de l'Amérique-Nord », in *Tableau du climat et du sol des États-Unis d'Amérique, op. cit.*, p. 447, 450 et 454.

38. Chateaubriand, *Voyage en Amérique, op. cit.*, p. 825.

39. *Ibid.*, p. 441.

40. *Ibid.*, p. 830.

41. C.-Fr. Volney, « Observations générales sur les Indiens... », in *Tableau du climat et du sol des États-Unis d'Amérique, op. cit.*, p. 447-448.

42. *Ibid.*, p. 447.

43. Voir Fr. Hartog, *Régimes d'historicité, op. cit.*, p. 116-119.

44. Voltaire, « Avis au Public sur les Parricides » in *Mélanges, op. cit.*, p. 826.

45. Article « Puritain », *in* Diderot et d'Alembert (éd.), *Encyclopédie, op. cit.*, t. XIII, 1765, p. 581.

46. Article « Fanatisme », *ibid.*, t. VI, p. 393.

47. Voltaire, *Examen important de Milord Bolingbroke ou le Tombeau du fanatisme* [1736], in *Mélanges, op. cit.*, chap. XVII, « De la fin du monde, et de la Jérusalem nouvelle », p. 1045.

48. Article « Puritains », *in* Diderot et d'Alembert (éd.), *Encyclopédie, op. cit.*, p. 581.

49. *Ibid.*

50. Abbé Raynal, *Histoire philosophique, op. cit.*, t. VIII, p. 332 et 333.

51. *Ibid.*, p. 347.

52. *Ibid.*, p. 342.

53. *Ibid.*, p. 343-344.

54. *Ibid.*, p. 345.

55. La Rochefoucauld-Liancourt, *Voyage dans les États-Unis d'Amérique, op. cit.*, t. III, p. 226.

56. L'auteur reconnaît cependant, dans ce dernier cas, que la sanction n'est pas appliquée, soit parce que le crime n'est plus aujourd'hui commis, « soit, ce qui est plus probable encore, que la barbarie de ces lois y dérobe les coupables » (p. 226).

57. *Ibid.*, p. 230.

58. Abbé Raynal, *Histoire philosophique, op. cit.*, t. VIII, p. 348.

59. *Ibid.*, p. 345.

60. Chateaubriand, *Essai sur les révolutions, op. cit.*, chap. XXXIII, note F, p. 147-148. Dans cette note, l'auteur propose de « jeter les yeux en arrière » pour considérer l'origine de l'« empire américain ».

61. Voltaire, *Traité sur la tolérance à l'occasion de la mort de Jean Calas* [1763], in *Mélanges, op. cit.*, p. 579.

62. Voltaire, *Questions sur l'Encyclopédie* [1772], cité par Pierre Manent, *Les Libéraux*, Paris, Gallimard, coll. « Tel », 2001, p. 111.

63. J. Hector St. John de Crèvecœur [Michel Guillaume Jean de Crèvecœur], *Letters from an American Farmer* [1782], Harmondsworth, Penguin Books, 1981, p. 74-75. J'adopte ici la traduction de Crèvecœur lui-même, offerte dans ses *Lettres d'un cultivateur américain écrites à W. S. Ecuyer, depuis l'année 1770, jusqu'à 1781*, s.l. [1785], t. II, p. 292-293, souligné dans le texte. (Reproduit en fac-similé par Slatkine Reprints, Genève 1979, avec une présentation de G. Bertier de Sauvigny.)

64. Voltaire, *Traité sur la tolérance, op. cit.*, 579. Voltaire fait ici référence aux « Lois pour le gouvernement de la Caroline » rédigées par John Locke en 1668, à la demande de son protecteur anglais, Lord Ashley, futur Earl of Shaftesbury.

65. Voltaire, *Sixième Lettre*, « Sur les presbytériens », in *Lettres philosophiques, op. cit.*, p. 17-18.

66. Voir Ralph Ketcham, « James Madison and Religion. A New Hypothesis », *Journal of the Presbyterian Historical Society*, n° 2, juin 1960.

67. James Madison, Alexander Hamilton et John Jay, *The Federalist Papers*, [1787], éd. Isaac Kramnick, Harmondsworth, Penguin Books, 1987, p. 321. Rappelons qu'une « secte », au XVIIIe siècle, signifie un « culte » ou encore une « religion » et que le mot « secte » garde encore cette signification aujourd'hui aux États-Unis. Une « secte » au sens péjoratif et moderne du mot français se traduit en anglais par *a cult*.

68. Voir *Le Fédéraliste* n°s 10 et 51, in *ibid.*, p. 127 et 320.

69. Thomas Paine, *Droits de l'homme, seconde partie, réunissant les principes et la pratique*, ouvrage dédié à M. de La Fayette, Paris, Buisson 1792, p. 18 et 19.

70. *Ibid.*, p. 4 et 43.

71. *Ibid.*, p. 18, note 1.

II. LA RÉHABILITATION DES PURITAINS

1. J. G. A. Pocock, *Barbarism and Religion*, Cambridge, Cambridge University Press, 1999, 2 vol., t. II, *Narratives of Civil Government*, p. 268-288. L'essai de William

Robertson, *A View of the Progress of Society in Europe, from the Subversion of the Roman Empire to the Beginning of the Sixteenth Century*, correspond pour l'essentiel au premier volume de *The History of the Reign of the Emperor Charles V* (1769).

2. *Histoire de l'Amérique par M. Robertson, principal de l'université d'Édimbourg et historiographe de Sa Majesté Britannique pour l'Écosse* [*The History of America*, Londres, Strahan, Cadell, Balfour, 1777], trad. Suard et Morellet, Paris, Panckoucke, 1778.

3. William Robertson, *Histoire de l'Amérique*, Paris, Janet et Cotelle, 1828, 4e éd. revue et corrigée à partir de la dernière édition anglaise de 1796, 5 vol., t. IV, p. 155 et 185.

4. *Ibid.*, p. 186.

5. *Ibid.*, p. 245-246.

6. *Ibid.*, p. 245, 263, 260 respectivement.

7. C'est-à-dire des disciples de Robert Browne (1550-1633), le fondateur du mouvement congrégationaliste, qui, après des études à Cambridge et une expérience de ministre du culte au sein de l'Église anglicane, dénonça toutes les formes d'autorité épiscopale et prôna la fondation de petites communautés chrétiennes autonomes.

8. W. Robertson, *Histoire de l'Amérique, op. cit.*, p. 258.

9. *Ibid.*, p. 263.

10. La Charte de la Compagnie de la baie du Massachusetts définissait les droits politiques des nouveaux colons, leurs relations commerciales avec la mère patrie et leurs conditions d'accès à la propriété. Elle ne leur donnait pas le pouvoir de créer un gouvernement autonome.

11. W. Robertson, *Histoire de l'Amérique, op. cit.*, p. 276.

12. *Ibid.*, p. 277.

13. *Ibid.*, préface de l'auteur à la première édition de 1777, p. XV.

14. Tocqueville avait-il lu Robertson ? Sans doute, puisque la première partie de *l'Histoire de l'Amérique* (les livres I à VIII) était disponible en français depuis 1778 et les derniers livres posthumes depuis 1818. Voir John Renwick, « The Reception of William Robertson's Histori-

cal Writings in Eighteen Century France », *in* Stewart J. Brown (dir.), *William Robertson and the Expansion of Empire*, Cambridge, Cambridge University Press, 1997, p. 145-163.

15. Alexis de Tocqueville, *De la démocratie en Amérique*, éd. critique revue et augmentée d'Eduardo Nolla, Paris, Vrin, 1990, 2 vol., t. I, Ire partie, chap. 2 (« Du point de départ »), p. 25. Joseph de Maistre s'interdisait une telle extrapolation : « On nous cite l'Amérique : je ne sais rien de si impatientant que les louanges décernées à cet enfant au maillot : laissez-le grandir » (*Considérations sur la France* [1797], Bruxelles, Complexe, 1988, p. 61).

16. *Ibid.*, p. 28.

17. *Ibid.*

18. À savoir, Robert Beverley, *History of Virginia from the Earliest Period* (trad. fr. 1707) ; George Chalmers, *Political Annals of the Present United Colonies from their Settlement to the Peace of 1763* ; Thomas Hutchinson, *The History of the Colony and Province of Massachusetts-Bay* [...], Londres 1765 ; Thomas Jefferson, *Notes on the State of Virginia*, 1785 (trad. fr. 1786) ; Cotton Mather, *Magnalia Christi Americana : or the Ecclesiastical History of New England, from its first Planting, in the Year 1620, unto the Year of our Lord 1698*, Londres, 1702 ; Daniel Neal, *History of the Puritans*, Londres, 1732-1738 ; Captain John Smith, *The General History of Virginia, New England and the Summer Isles Together with the True Travels, Adventures and Observations* [...], Londres, 1627.

19. A. de Tocqueville, *De la démocratie en Amérique, op. cit.*, p. 33, 35. L'équation de l'idée de liberté avec le protestantisme est l'un des lieux communs des Lumières anglo-écossaises, comme l'a bien montré Murray Pittock à propos de Hume et de Robertson *in* St. J. Brown (dir.), *William Robertson and the Expansion of Empire, op. cit.*, p. 265.

20. *Ibid.*, p. 32 et 33.

21. Le *Bill of Rights*, présenté par le Congrès fédéral en 1789 et ratifié par les États en 1791, comprend dix articles qui sont, en fait, les dix premiers amendements de la

Constitution fédérale de 1787 (ratifiée en 1789). Sur le contenu du premier amendement et son interprétation, voir ci-dessous, chap. 8, p. 304-305.

22. John Murrin, « Religion and Politics in America from the First Settlements to the Civil War », *in* Mark Noll (dir.), *Religion and American Politics*, New York, Oxford University Press, 1990, p. 19-26.

23. Pacte du Mayflower, reproduit *in extenso* dans George Bancroft, *Histoire des États-Unis*, Paris, Firmin Didot, 1861, 9 vol., t. I, p. 343 (trad. fr. Isabelle Gatti de Gamond, révisée et soulignée par moi).

24. *De la démocratie en Amérique, op. cit.*, t. I, 1re partie, chap. 2, p. 30 (variante du manuscrit). La version que donne Tocqueville du *Mayflower compact* est tronquée. Elle omet toute référence à la monarchie et aux « sujets loyaux » du roi Jacques. En procédant ainsi, Tocqueville républicanise le *compact* pour les besoins de son argument.

25. Edmund S. Morgan, *Visible Saints. The History of a Puritan Idea*, Ithaca, Cornell University Press, 1963, p. 33-63.

26. *Ibid.*, p. 37-38.

27. Écrits puritains anonymes des années 1640, cités dans *ibid.*, p. 35.

28. Aux sceptiques, Henry Ainsworth, le plus subtil des penseurs du courant séparatiste, répondait : « La *foi* est affaire de cœur [...] et Dieu seul connaît le cœur [de l'homme] » (*Counterpoyson*, cité dans *ibid.*, p. 57-58).

29. J'emprunte ces termes à Denis Crouzet, qui les applique aux disciples de Calvin (*Jean Calvin*, Paris, Fayard, 2000, p. 198).

30. E. Morgan, *Visible Saints, op. cit.*, p. 68-70 ; 92-112 ; Perry Miller, « The Covenant of Grace » in *The New England Mind* [1939], Cambridge (Mass.), Harvard University Press, 1982, 2 vol., t. II, p. 365-397.

31. A. de Tocqueville, *De la démocratie en Amérique, op. cit.*, t. I, p. 35. John Winthrop, le leader des puritains anglais embarqués sur l'*Arbella* en 1630 et l'auteur d'un célèbre journal de voyage, fut, avec quelques intermitten-

ces, gouverneur de la Compagnie de la baie du Massachusetts de 1630 à 1649.

32. *Ibid.*, p. 33.

33. *Ibid.*, p. 31 et 33.

34. *Ibid.*, p. 30.

35. Voir Lauric Henneton, introduction à William Bradford, *Histoire de la colonie de Plymouth. Chroniques du Nouveau Monde (1620-1647)*, Genève, Labor et Fides, 2004, p. 30-36, et Nathaniel Philbrick, *Mayflower. A Voyage to War*, Londres, Harper Press, 2006, p. 35-47. Joke Kadux et Eduard van de Bilt, *Newcomers in an Old City : The American Pilgrims in Leiden 1609-1620*, Leyde, Burgersdikj et Niermans, 2007, p. 56-68, et sur le « mythe des pèlerins », James et Patricia Deetz, *The Times of their Lives. Life, Love and Death in Plymouth Colony*, New York, W.H. Freeman et Co., 2000, p. 1-22.

36. Contrairement à leurs prédécesseurs, les pèlerins, les puritains de l'entourage de Winthrop n'étaient pas des séparatistes. Leur objectif était de préserver l'Église d'Angleterre, tout en la « purifiant » de ses vices et de sa corruption.

37. Un *freeman*, dans l'Angleterre du XVIIe siècle est l'actionnaire ou le copropriétaire d'une société commerciale qui dispose d'un droit de vote. Dans les colonies d'Amérique du Nord, les *freemen* d'une Compagnie de colonisation, disposant d'une charte, devenaient, par extension, les *freemen* de la colonie tout entière.

38. Cité par G. Bancroft, *Histoire des États-Unis, op. cit.*, t. II, p. 38.

39. *De la démocratie en Amérique, op. cit.*, t. I, p. 30.

40. G. Bancroft, *Histoire des États-Unis, op. cit.*, t. II, p. 38.

41. E. Morgan, *Visible Saints, op. cit.*, p. 92, et Bancroft, *Histoire des États-Unis, op. cit.*, t. II, p. 44.

42. John Marshall, *Vie de George Washington, précédée d'un Précis de l'histoire des Colonies fondées par les Anglais, sur le continent de l'Amérique septentrionale*, Paris, Dentu, 1807, 5 vol., t. I, p. 164.

43. *Ibid.* Très loquace à propos des libertés publiques dont bénéficiaient les communes du Connecticut, Tocque-

ville ne dit mot de la situation nettement moins exemplaire des communes du Massachusetts. Sur cet oubli stratégique, voir Robert T. Gannett Jr., « Bowling Ninepins in Tocqueville's Township », *American Political Science Review*, n° 1, février 2003, p. 7.

44. G. Bancroft, *Histoire des États-Unis, op. cit.*, p. 44-45.

45. E. Morgan, *Visible Saints, op. cit.*, p. 91.

46. *Ibid.*, p. 95-96.

47. *De la démocratie en Amérique, op. cit.*, t. I, p. 35.

48. Gordon Wood, *The Creation of the American Republic, 1776-1787*, New York, Norton, 1996, p. 341.

49. Thomas Paine, *Droits de l'homme, en réponse à l'attaque de M. Burke sur la Révolution française*, ouvrage dédié à George Washington, président des États-Unis [1791], Paris, Buisson, 1793, p. 133.

50. Th. Paine, *Droits de l'homme. Seconde partie, op. cit.*, p. 52.

51. *Ibid.*, p. 56.

52. James Madison, Alexander Hamilton et John Jay, *The Federalist Papers* [1787], *op. cit.*, p. 184.

53. Lettre de John Adams à Jefferson, 15 juillet 1813, citée dans David Brion Davis, *Revolutions : Reflections on American Equality and Foreign Liberations*, Cambridge (Mass.), Harvard University Press, 1990, p. 66.

54. John Bristed, *Histoire des États-Unis d'Amérique. Tableau des mœurs et usages les plus remarquables des habitants du Nouveau Monde* [...], Paris, 2e éd., 1832, t. II, p. 76-77 (trad. fr. de *America and her Resources*, 1818).

55. François Guizot, *Histoire de la civilisation en Europe depuis la chute de l'Empire romain jusqu'à la Révolution française* [1828-1830], Paris, Didier, nouv. éd., 1853, 14e leçon, p. 358.

56. Agnès Antoine, *L'Impensé de la démocratie. Tocqueville, la citoyenneté et la religion*, Paris, Fayard, 2003, p. 193.

57. Fr. Guizot, *Histoire de la civilisation en Europe, op. cit.*, p. 7. Dans sa 12e leçon, Guizot reprenait à son compte l'argument classique des historiens anglais et américains, en affirmant que « partout où la réforme a pénétré », elle

a eu pour résultat « un immense progrès dans l'activité et la liberté de la pensée, vers l'émancipation de l'esprit humain » (p. 300).

58. G. Bancroft, *Histoire des États-Unis, op. cit.*, t. I, p. 357-358. Bancroft, comme la plupart des romantiques allemands, défend une notion organiciste de la nation, fondée sur le génie d'un peuple fondateur (*Volkgeist*). Ce n'est pas par hasard, puisqu'il séjourna 4 ans en Allemagne (1818-1822) pour y suivre les enseignements de Planck sur l'histoire des religions, de Heeren sur la méthode historique, de Weckler sur Tacite et de Schleiermacher sur la théologie chrétienne. Il fut un avide lecteur de Herder, de Friedrich Schlegel, de Lessing, de Goethe… Voir Lilian Handlin, *George Bancroft. The Intellectual as Democrat*, New York, Harper and Row, 1984, p. 50-81.

59. *Ibid.*, p. 303.

60. *Ibid.*, p. 303 et 295.

61. *Ibid.*, p. 296. Pour une critique pertinente du providentialisme de Bancroft, voir Jack P. Greene, *Pursuits of Happiness*, Chapel Hill, University of North Carolina Press, 1988, p. 1-5, et Jan C. Dawson, *The Unusable Past. America's Puritan Tradition, 1830 to 1930*, Chico, Scholars Press, 1984, p. 31 et suiv.

62. *De la démocratie en Amérique, op. cit.*, t. I, Introduction, p. 6, souligné par moi.

63. *Ibid.*, p. 3 et 6. Contrairement à Guizot et à Bancroft, Tocqueville, comme l'a bien démontré Agnès Antoine, ne voit pas d'incompatibilité entre le catholicisme et la démocratie, bien au contraire. Quinet, comme elle le souligne en note, « reprochera à Tocqueville d'avoir insuffisamment montré le rapport entre protestantisme et démocratie » (*L'Impensé de la démocratie, op. cit.*, p. 195, 381, note 82).

64. *De la démocratie en Amérique, op. cit.*, p. 8.

65. *Ibid.*, p. 7, note r (brouillon de la *Démocratie*, Yale Tocqueville Collection, Beinecke Rare Book Library).

66. Sur les idées religieuses de Tocqueville et sa sensibilité romantique, voir A. Antoine, *L'Impensé de la démocratie, op. cit.*, p. 174-177, et Cheryl Welch, *De Tocqueville*, New York, Oxford University Press, 2001, p. 178-185.

67. *De la démocratie en Amérique, op. cit.*, t. II, p. 280.

68. Les nombreuses réflexions de Tocqueville sur l'esprit aristocratique des élites sudistes, la divergence des économies du Sud et du Nord, comme les pratiques de l'esclavage indiquent qu'il disposait bien des éléments nécessaires pour tracer l'histoire parallèle d'une Amérique autoritaire et antidémocratique.

69. *De la démocratie en Amérique, op. cit.*, t. I, p. 29.

III. RÉVEILS ÉVANGÉLIQUES

1. Voir l'excellente synthèse de David D. Hall, « Narrating Puritanism », *in* Harry S. Stout et D. G. Hart (dir.), *New Directions in American Religious History*, New York, Oxford University Press, 1997, p. 51-83.

2. Voir D. Lacorne, *L'Invention de la République. Le modèle américain*, Paris, Hachette, coll. « Pluriel », 1991.

3. John M. Murrin, « A Roof without Walls : The Dilemma of American National Identity », *in* Richard Beeman, Stephen Botein et Edward C. Carter II (dir.), *Beyond Confederation*, Chapel Hill, University of North Carolina Press, 1987, p. 333-348.

4. Jonathan Edwards, « A Divine and Supernatural Light » (1734), cité dans George M. Marsden, *Jonathan Edwards. A Life*, New Haven, Yale University Press, 2003, p. 157.

5. G. M. Marsden, *op. cit.*, p. 192-200. Pour un protestant comme Edwards, Pierre n'était pas le fondateur de l'Église catholique romaine. Il situait le début probable de la papauté universelle à l'élection de Boniface III en 606 et il laissait entendre que le millenium commencerait au plus tôt en 1866, et au plus tard en l'an 2000.

6. Le fondateur du méthodisme, John Wesley, inventa à Oxford une nouvelle forme de piété ascétique, réputée pour la rigueur de sa méthode. D'où le nom de « méthodisme ». George Whitefield rejoignit ce courant religieux après le départ de John Wesley, en mission à Savannah en Géorgie. Voir Kenneth Cracknell et Susan White, *An Intro-*

duction to World Methodism, Cambridge, Cambridge University Press, 2005, p. 9-15.

7. *Ibid.*, p. 15-29. Voir également Jon Butler, *Becoming America. The Revolution before 1776*, Cambridge (Mass.), Harvard University Press, 2000, p. 185-224, et William G. McLoughlin, *Revivals, Awakenings, and Reform*, Chicago, University of Chicago Press, 1980.

8. Extrait de l'hymne n° 29, *Collection of Hymns for the Use of the People Called Methodists*, cité dans K. Cracknell et S. White, *An Introduction to World Methodisme, op. cit.*, p. 13 (ma traduction).

9. *Journal* de John Wesley (24 mai 1738), cité dans *ibid.*, p. 14, souligné dans le texte (ma traduction).

10. K. Cracknell et S. White, *op. cit.*, p. 101.

11. *Ibid.*, p. 102. Le nom de ce journal évoquait les doctrines d'Arminius (1560-1609) qui avait tenté de réfuter la doctrine de la prédestination et dont les disciples, les remonstrants, furent condamnés par le synode de Dordrecht (1618-1619).

12. Cracknell et White, p. 100-109, 44-65 (« Methodism in North America »). Voir aussi Révérend Goodrich, « Réveils religieux », *in* Robert Baird, *La Religion aux États-Unis d'Amérique* [...], Paris, L.-R. Delay, 1844 (trad. de l'anglais), t. II, p. 37-110, pour un témoignage de l'époque et, plus généralement, Sydney E. Ahlstrom, *A Religious History of the American People*, New Haven, Yale University Press, 1972, p. 415-454.

13. Aujourd'hui, pour la majorité des historiens américains, le vrai début de l'histoire de l'Amérique chrétienne commence avec les réveils évangéliques du début du XIXe siècle. Voir J. Murrin, « A Roof without Wall... », art. cité, note 88, p. 83.

14. Rév. Goodrich, « Réveils religieux », art. cité, p. 57. Ce professeur prétend avoir été le témoin de quinze réveils évangéliques, touchant une bonne partie des élèves du collège de Yale au cours d'une période de quarante ans.

15. Richard J. Carwardine, *Evangelicals and Politics in Antebellum America*, New Haven, Yale University Press, 1993, p. 44.

16. Nathan O. Hatch, *The Democratization of American Christianity*, New Haven, Yale University Press, 1989, p. 94, note 90 ; Mark A. Noll, *America's God. From Jonathan Edwards to Abraham Lincoln*, New York, Oxford University Press, 1990, p. 200.

17. N. O. Hatch, *The Democratization of American Christianity, op. cit.*, p. 37 et 26, respectivement. Voir aussi Gordon Wood, *The Radicalism of the American Revolution*, New York, Knopf, 1992.

18. N. O. Hatch, *op. cit.*, p. 10, ma traduction.

19. *Ibid.*, p. 172.

20. R. Baird, *La Religion aux États-Unis d'Amérique, op. cit.*, t. II, p. 318-337.

21. Voir Harold Bloom, « The Religion-Making Imagination of Joseph Smith », in *The American Religion. The Emergence of the Post-Christian Nation*, New York, Touchstone, 1992, p. 96-111.

22. C'est l'expression qu'utilise Baird en 1844 (*La Religion aux États-Unis, op. cit.*, t. II, p. 334).

23. N. O. Hatch, *The Democratization of American Christianity, op. cit.*, p. 70-71.

24. Voir ci-dessous, chap. 8, p. 302 et suiv.

25. Daniel L. Dreisbach, *Thomas Jefferson and the Wall of Separation between Church and State*, New York, New York University Press, 2002, p. 9-17.

26. Timothy Dwight, « The Duty of Americans, at the Present Crisis » (1798), cité dans *ibid.*, p. 19.

27. *Hudson Bee*, 7 septembre 1800, cité dans *ibid.*, p. 168, note 50.

28. *Gazette of the United States*, 11 septembre 1800, citée dans D. Dreisbach, *Jefferson and the Wall of Separation, op. cit.*, p. 18 (souligné dans le texte).

29. Marquise de La Tour du Pin, *Mémoires de la marquise de La Tour du Pin* [1778-1815], Paris, Mercure de France, 1989, p. 261.

30. *Ibid.*, p. 261-262.

31. *Ibid.*, p. 254 (c'est-à-dire du petit-lait).

32. *Ibid.*, p. 264.

33. *Ibid.*

34. *Ibid.*, p. 254.

35. Fanny Trollope, *Mœurs domestiques des Américains* [1832], Paris, Charles Gosselin, 3e éd., 1841, p. 102, 103, respectivement.

36. *Ibid.*, p. 157-158.

37. *Ibid.*, p. 161.

38. *Ibid.*, p. 162-164. L'auteur concluait avec une citation de *L'Enfer* de Dante : « *Quivi sospiri, pianti, e alti guai. Risonavan per l'aere [...] Orribili favelle* », etc.

39. Michel Chevalier, *Lettres sur l'Amérique du Nord*, Paris, Charles Gosselin, 1836, 2 vol., t. II, Note 26 : « Des sectes religieuses aux États-Unis », p. 459. L'auteur séjourne aux États-Unis entre 1833 et 1835.

40. Ces deux « sectes », assure Chevalier, chiffres à l'appui, « comprennent ensemble plus de la moitié de la population », *ibid.*, t. II, p. 185, n. 2, et p. 459-465 (Note 26, incluant un « Tableau des sectes américaines »).

41. Pour les disciples de Saint-Simon, la religion est ce qui constitue « le véritable lien social » et facilite « l'amélioration la plus rapide possible du bien-être de la classe la plus pauvre ». Voir Saint-Simon, *Nouveau christianisme*, Paris, Bureau du Globe, 1832 (préface d'Enfantin), p. 138 et 20, respectivement.

42. M. Chevalier, *Lettres sur l'Amérique du Nord, op. cit.*, t. II, p. 181-182.

43. *Ibid.*, p. 183 et 185.

44. *Ibid.*, p. 185-186.

45. Né en Caroline du Nord dans une pauvre famille d'immigrés scotto-irlandais, le général Jackson incarnait le rêve romantique du *self-made man*. Il avait réussi, malgré les obstacles et son manque d'éducation formelle, à s'imposer sur le terrain des affaires comme sur le champ de bataille, avant de triompher en politique, lors des élections présidentielles de 1828.

46. *Lettres sur l'Amérique du Nord, op. cit.*, p. 187-188.

47. *Ibid.*, p. 189 et 190.

48. Alexis de Tocqueville, *De la démocratie en Amérique, op. cit.*, t. II, 2e partie, chap. 5, p. 122-123.

49. Tocqueville, comme Michel Chevalier, donne au mot

« secte » le sens que lui prêtent les Américains de l'époque : un nouveau culte ou une nouvelle confession chrétienne. Une « église » est une secte bien établie et reconnue. Le mot secte, à l'époque, n'est pas *a priori* péjoratif.

50. *De la démocratie en Amérique, op. cit.*, p. 122, souligné par moi.

51. « Les sectes en Amérique », manuscrit inédit, redécouvert par James Schleifer en 1975 et reproduit dans le second volume de la *Démocratie en Amérique, op. cit.*, Appendice III, p. 319.

52. *Ibid.*, p. 319-320.

53. *Ibid.*, p. 320.

54. Voir ci-dessus, chap. 2, p. 73 et suiv.

55. *De la démocratie en Amérique, op. cit.*, t. II, chap. 12, p. 123.

56. Gustave de Beaumont, « Note sur le mouvement religieux aux États-Unis », in *Marie ou l'Esclavage aux États-Unis* [1835], Paris, Gosselin, 4e éd., 1850, p. 282.

57. « Les sectes en Amérique », ms. cité., p. 320.

58. G. de Beaumont, « Note sur le mouvement religieux aux États-Unis », art. cité, p. 283.

59. *Ibid.*, p. 279-280.

60. *Ibid.*, p. 269.

61. *Ibid.*, p. 280.

62. *De la démocratie en Amérique, op. cit.*, t. II, p. 33 et 36.

63. *Ibid.*, p. 36 et 37.

64. *Ibid.*, p. 33.

65. *Ibid.*, p. 33-34. On lira à ce propos le lumineux commentaire de Pierre Manent in *Tocqueville et la nature de la démocratie*, Paris, Julliard, 1982, p. 122-129. Chez Tocqueville, écrit Manent, « le cheval démocratique a le mors aux dents » (p. 130).

66. « Les sectes en Amérique », ms. cité., p. 123, note h.

67. *Ibid.*, p. 123.

68. *De la démocratie en Amérique, op. cit.*, t. II, p. 33.

IV. LA GUERRE DES DEUX AMÉRIQUES

1. A. de Tocqueville, *De la démocratie en Amérique, op. cit.*, t. I, 1re partie, chap. 2, p. 35.

2. Voir ci-dessus, chap. 3, ainsi que la lettre à Louis de Kergorlay (Yonkers, 29 juin 1831), *in* Alexis de Tocqueville, *Lettres choisies. Souvenirs*, éd. Françoise Mélonio et Laurence Geullec, Paris, Gallimard, coll. « Quarto », 2003, p. 194.

3. *Ibid.*, p. 196.

4. *Ibid.*

5. *Ibid.*, p. 197.

6. Sur Tocqueville et le catholicisme en Amérique, voir Eugène d'Eichthal, « Tocqueville et "La démocratie en Amérique" », *Revue politique et parlementaire*, avril-mai 1896 ; A. Antoine, *L'Impensé de la démocratie, op. cit.*, p. 192-200 ; Ch. Welch, *De Tocqueville, op. cit.*, p. 96-101.

7. Jay P. Dolan, *The American Catholic Experience*, Notre Dame, University of Notre Dame Press, 1992, p. 79, 87.

8. Rapport de John Carroll au cardinal Antonelli, cité dans S. Ahlstrom, *A Religious History of the American People, op. cit.*, p. 531. Sur la carrière de cet ancien jésuite, originaire du Maryland, formé à St. Omer, partisan de l'indépendance des États-Unis et collaborateur de Benjamin Franklin au cours d'une mission diplomatique, voir J. Dolan, *The American Catholic Experience, op. cit.*, p. 101-124.

9. « Par exemple, à Boston, en 1850, 62 % des travailleurs nés en Irlande étaient des ouvriers non qualifiés, 53 % à Sacramento, et 50 % à Detroit. Trente ans plus tard, on retrouvait les mêmes proportions d'ouvriers non qualifiés nés en Irlande à Boston (67 %), à Detroit (42 %) et à Sacramento en Californie (46 %). » Le salaire moyen d'un ouvrier non qualifié était de 360 dollars par an, ce qui rendait des plus précaires les conditions de vie d'une famille typique. Voir J. Dolan, *op. cit.*, p. 139.

10. Cité dans S. E. Ahlstrom, *A Religious History of the American People, op. cit.*, p. 543.

11. D'après un sermon de l'archevêque catholique de New York, John Hughes, cité dans Ray Billington, *The*

Protestant Crusade 1800-1860. A Study of the Origins of American Nativism, Chicago, Quadrangle Books, 1938, p. 291.

12. *New York Observer*, 14 novembre 1929, cité dans *ibid.*, p. 54.

13. Samuel F. B. Morse, *A Foreign Conspiracy against the Liberties of the United States* (1841). On trouvera une bonne analyse de ce recueil d'articles, d'abord publiés dans l'*Observer* de New York en 1834, dans Mark S. Massa, S. J., *Anti-Catholicism in America. The Last Acceptable Prejudice*, New York, Crossroad, 2003, p. 23-24.

14. R. Billington, *The Protestant Crusade, op. cit.*, pp. 125-127. Les plus influents des nativistes étaient Samuel Morse et le révérend Lyman Beecher, célèbre pour ses prédications enflammées contre le « complot papiste » et l'un des incitateurs de l'attaque contre le couvent des Ursulines.

15. *Ibid.*, p. 68-76.

16. Richard Hofstadter, *The Paranoid Style in American Politics*, New York, Knopf, 1965, p. 21.

17. Cité dans I. Daniel Rupp (dir.), *An Original History of the Religious Denominations at Present Existing in the United States*, Philadelphie, J. Y. Humphreys, 1844, p. 162.

18. Maria Monk, *Awful Disclosures*, Philadelphie, T. B. Peterson, 1836, p. 42, 89 et 124.

19. *Ibid.*, p. 147-150 et 160.

20. *Ibid.*, p. 148.

21. *Ibid.*, p. 82.

22. *Ibid.*, p. 84.

23. Rituel d'initiation d'une loge de l'ordre de la Bannière étoilée (l'un des noms du parti des *Know Nothings*), cité dans Tyler Anbinder, *Nativism and Slavery. The Northern Know Nothings and the Politics of the 1850s*, Oxford, Oxford University Press, 1992, p. 23.

24. Voir le recueil d'articles de l'*American Protestant Vindicator* et du *Long Island Star*, cités en annexe dans Maria Monk, *Awful Disclosures, op. cit.*, p. 187-192.

25. *Long Island Star*, 29 février 1836, cité in *ibid.*, p. 191.

26. « *To the most High and Mighty Prince James, by the Grace of God, King of Great-Britain, France, and Ireland,*

Defender of the Faith, etc. », Préface des traducteurs de *The Holy Bible. Authorized King James Version* [1611], Oxford, Oxford University Press, 1897, p. 4. Sur l'élaboration de cette Bible, voir Adam Nicolson, *God's Secretaries : The Making of the King James Bible*, New York, Harper Collins, 2003.

27. Exode, xx, 4-5. Traduction de la *Bible de Jérusalem*. Le même interdit est formulé de façon similaire dans le Deutéronome, v, 8.

28. « C'est une grand'honte de le dire, mais il est vray que les paillardes d'un bordeau sont plus chastement et modestement parées, qu'on ne voit les images des vierges aux temples » (commentaire de Calvin cité dans D. Crouzet, *Jean Calvin, op. cit.*, p. 213).

29. *Ibid.*, p. 211. Le culte des images saintes, du point de vue catholique, est justifié depuis le concile de Nicée en 787, car « il ne s'agit pas d'une adoration de l'image, mais d'une vénération de celui qui est représenté en elle : le Christ, la Vierge, les anges et les saints ». Il n'y aurait donc pas violation de l'interdit édicté dans Exode xx, 3 (*Catéchisme de l'Église catholique, op. cit.*, p. 178).

30. John T. McGreevy, *Catholicism and American Freedom*, New York, Norton, 2003, p. 8-15.

31. *American Law Register* 7 (1859), cité dans *ibid.*, p. 8.

32. J. McGreevy, *Catholicism and American Freedom*, cité dans *ibid.*, p. 8 et 9.

33. « Constitution of the American Society, to Promote the Principles of the Protestant Reformation », *American Protestant Vindicator*, 24 juin 1840, reproduit dans R. Billington, *The Protestant Crusade, op. cit.*, p. 437-438. D'autres sociétés, comme l'American Protestant Association ou l'American and Foreign Christian Union, défendaient les mêmes idées qui furent reprises, plus tard, par les fondateurs du *Know Nothing party*.

34. *Ibid.*, p. 437.

35. J. McGreevy, *Catholicism and American Freedom, op. cit.*, p. 10.

36. Horace Mann, « Twelfth Annual Report to the Massachusetts Board of Education » (1848), *in* Lawrence Cremin (éd.), *The Republic and the School. Horace Mann on*

the Education of Free Man, New York, Teachers College, Columbia University, 1957, p. 103.

37. Horace Mann, *De l'importance de l'éducation dans une république*, trad. et préfacé par Édouard Laboulaye, Paris, Armand Le Chevalier, 1873, p. 29.

38. *Ibid.*, p. 28.

39. *Ibid.*, p. 18-19.

40. H. Mann, « Twelfth Annual Report », art. cité, p. 104.

41. *Ibid.*, p. 105-112.

42. *New York Freeman's Journal*, 11 juillet 1840, cité dans Stephen Macedo, *Diversity and Distrust. Civic Education in a Multicultural Democracy*, Cambridge (Massa.), Harvard University Press, 2000, p. 69.

43. Discours de John Hughes (1840), cité dans *ibid.*, p. 69. Sur ce sujet, voir aussi Diane Ravitch, *The Great School Wars*, New York, Basic Books, 1974.

44. Comme l'avait proposé, dans un souci d'extrême conciliation, l'éducateur Theodore Sedgwick, l'un des membres les plus actifs de la Public School Society de New York. Voir S. Macedo, *Diversity and Distrust, op. cit.*, p. 71.

45. Voir T. Anbinder, *Nativism and Slavery, op. cit.*, p. 10-12.

46. Proclamations de l'*American Republican party* des 11 mars et 3 mai 1844, citées dans R. Billington, *The Protestant Crusade, op. cit.*, p. 222.

47. *Ibid.*, p. 224.

48. *Ibid.*, p. 231.

49. T. Anbinder, *Nativism and Slavery, op. cit.*, p. 12-14.

50. En 1880, plus de 400 000 enfants catholiques de familles modestes étaient inscrits dans les 2 246 écoles catholiques du pays. Voir Noah Feldman, *Divided by God*, New York, Farrar, Straus and Giroux, 2005, p. 88.

51. Message du président au Congrès, 8 décembre 1875, cité dans *ibid.*, p. 76.

52. Ferdinand Buisson, « De l'instruction religieuse », in *Rapport sur l'Instruction primaire à l'exposition universelle de Philadelphie en 1876, présenté à M. le ministre de l'Instruction publique au nom de la commission envoyée par le ministère à Philadelphie*, Paris, Imprimerie Nationale, 1878, p. 461.

53. *Princeton Review*, avril 1870, cité dans *ibid.*, p. 85.

54. *Rapport sur l'Instruction primaire, op. cit.*, p. 457.

55. A. de Tocqueville, *De la démocratie en Amérique, op. cit.*, t. II, 1re partie, chap. 6, « Du progrès du catholicisme aux États-Unis », p. 38-39.

56. C'est d'ailleurs auprès de ce clergé d'origine française que Tocqueville sera introduit, grâce aux lettres d'un ami de sa famille, Mgr de Cheverus, l'ancien archevêque de Boston. Voir Jean-Claude Lamberti, *Tocqueville et les deux démocraties*, Paris, PUF, 1983, note 94, p. 207. Sur les liens puissants entre les clergés français et américains avant la grande vague d'immigration irlandaise, voir René Rémond, *Les États-Unis devant l'opinion française, 1815-1852*, Paris, Armand Colin, 1962, 2 vol., t. I, p. 158-160.

57. C'est l'argument développé, par exemple, par W. J. Walters, dans son « History of the Roman Catholic Church », *in* I. Daniel Rupp (dir.), *An Original History of the Religious, op. cit.*, p. 164-165.

58. Voir Ferdinand Brunetière, « Le catholicisme aux États-Unis », *Revue des Deux Mondes*, 1er novembre 1898, p. 140-181, et surtout Jules Tardivel, *La Situation religieuse aux États-Unis. Illusions et réalité*, Paris, Desclée de Brouwer et Cie, 1900. Cet ouvrage, très polémique, offre une critique en règle de l'« américanisme » et des « catholiques américanisants », accompagnée d'une réfutation de la thèse et des preuves de F. Brunetière.

59. Voir ci-dessus, chap. 3, p. 127 et suiv.

60. Tocqueville, lettre à Louis de Kergorlay, *op. cit.*, p. 196. Et c'est d'ailleurs pourquoi Tocqueville, qui admettait avoir perdu la foi en pleine adolescence, agissait « comme s'il croyait », comme l'a écrit Agnès Antoine, parce qu'il était convaincu que la pratique religieuse correspondait à « l'intérêt bien entendu de tout homme démocratique » (A. Antoine, *L'Impensé de la démocratie, op. cit.*, p. 177).

61. Charles Marshall, lettre ouverte à Al Smith, *Atlantic Monthly*, avril 1928, citée dans M. Massa, *Anti-Catholicism in America, op. cit.*, p. 33.

62. *Baptist Progress*, 4 octobre 1928, cité dans *ibid.*, p. 34.

V. RELIGION, RACE, IDENTITÉ NATIONALE

1. Samuel Huntington, *Qui sommes-nous ? Identité nationale et choc des cultures*, Paris, Odile Jacob, 2004, p. 48.

2. *Ibid.*, p. 74 et 75.

3. Samuel Huntington, « The Hispanic Challenge », *Foreign Policy*, mars-avril 2004, p. 31.

4. *Ibid.*, p. 45.

5. Voir Alejandro Portes et Ruben G. Rumbaut, *Immigrant America. A Portrait*, Berkeley, University of California Press, 3e éd., 2006, p. 117-120 ; Paul Starr, « The Return of the Nativist », *New Republic*, 21 juin 2004 ; Francis Fukuyama, « Why We Shouldn't Worry about Mexican Immigration », *Slate*, 4 juin 2004.

6. Cette science prétendument inspirée des travaux de Darwin divisait l'humanité entre races supérieures et races inférieures. Voir Denis Lacorne, *La Crise de l'identité américaine. Du melting-pot au multiculturalisme*, Paris, Gallimard, coll. « Tel », 2003 (éd. revue et augmentée), p. 135-168, et le grand classique américain de John Higham, *Strangers in the Land. Patterns of American Nativism, 1860-1925* [1955], New Brunswick, Rutgers University Press, 2e éd., 1988.

7. On trouvera une brillante analyse du romantisme allemand dans la présentation d'Alain Renaut à Johann Gottlieb Fichte, *Discours à la nation allemande* [1807-1808], Paris, Imprimerie nationale, 1992, p. 7-48.

8. Fr. Guizot, *Histoire de la civilisation en Europe* [1840], *op. cit.*, p. 52.

9. *Ibid.*, p. 300.

10. Édouard Laboulaye, *Histoire des États-Unis*, Paris, Charpentier, 1866, p. 158.

11. *Ibid.*, p. 255-257, souligné par moi. La source essentielle reste bien sûr Cornelius Tacitus, « Germania » in *Agricola, Germania, Dialogus* (trad. M. Hutton), Cambridge, Harvard University Press, coll. « Loeb Classical Library », 1970, p. 128-215.

12. *Ibid.*, p. 256.

13. *Ibid.*, p. 129, note 1. Le mot *yankee*, précise Laboulaye, serait une corruption indienne du mot *english* ou *anglais*.

14. M. Chevalier, *Lettres sur l'Amérique du Nord, op. cit.*, p. 169-171. L'auteur précise en note que « le nom d'Yankée a été longtemps appliqué par dérision aux habitants des six États de la Nouvelle Angleterre. Ils ont fini par l'accepter, pensant qu'ils l'avaient ennobli ; c'est pour cela que je m'en sers » (p. 161, note 1).

15. *Ibid.*, p. 165.

16. *Ibid.*, p. 171-172.

17. Élisée Reclus, *Nouvelle Géographie universelle*, Paris, Hachette, 1892, t. XVI, p. 671. Sur l'importance de l'Œuvre de Reclus, voir *Hérodote*, n° 117, 2e trimestre 2005 (numéro spécial consacré à É. Reclus).

18. *Nouvelle Géographie universelle, op. cit.*, p. 672.

19. *Ibid.*, p. 676.

20. *Ibid.*, p. 678.

21. Madison Grant, *The Passing of the Great Race or the Racial Basis of European History*, New York, Charles Scribner's Sons, 1916, p. 43-44.

22. *Ibid.*, p. 45.

23. *Ibid.*, p. 43.

24. Les Nordiques, selon Grant, étaient des « blancs par excellence », l'expression la plus pure de « *l'Homo Europœus* » (*ibid.*, p. 150).

25. *Ibid.*, p. 228.

26. En cela, la thèse de Madison Grant se rapproche de celle de Houston Chamberlain. Voir D. Lacorne, *La Crise de l'identité américaine, op. cit.*, p. 134 et suiv., et Christine Rosen, *Preaching Eugenics. Religious Leaders and the American Eugenics Movement*, New York, Oxford University Press, 2004.

27. Émile Boutmy, *Éléments d'une psychologie politique du peuple américain*, Paris, Armand Colin, 1902 p. 63-64.

28. *Ibid.*, p. 68.

29. *Ibid.*, p. 69-72.

30. *Ibid.*, p. 102.

31. *Ibid.*, p. 87-88.

32. *Ibid.*, p. 89.
33. *Ibid.*, p. 103.
34. *Ibid.*, p. 90, 92-94.
35. *Ibid.*, p. 305.
36. *Ibid.*, p. 26.
37. *Ibid.* Cette thèse est manifestement influencée par les travaux de Frederick Jackson Turner, à commencer par son célèbre essai sur « The Significance of the Frontier in American History » (1893), reproduit dans *The Frontier in American History*, New York, Henry Holt, 1920, p. 1-38.
38. Voir Theodore Roosevelt, « The Backwoodsmen of the Alleghanies », in *The Winning of the West* [1889], New York, G. P. Putnam's Sons, 1905, 2 vol., t. I, p. 101-133. Voir aussi « Manhood and Statehood », in *The Strenuous Life. Essays and Addresses by Theodore Roosevelt*, Londres, Grant Richards, 1902, p. 245-259.
39. É. Boutmy, *Éléments d'une psychologie politique du peuple américain, op. cit.*, p. 13.
40. Alexis de Tocqueville, « Quinze jours dans le désert », in *De la démocratie en Amérique, op. cit.*, t. II, Appendice II, p. 290-318.
41. *Ibid.*, p. 297-298.
42. A. de Tocqueville, *De la démocratie en Amérique, op. cit.*, t. II, p. 297.
43. Th. Roosevelt, *The Winning of the West, op. cit.*, t. I, p. 21.
44. Sur la conception rooseveltienne de la race des pionniers, voir Gary Gerstle, *American Crucible. Race and Nation in the Twentieth Century*, Princeton, Princeton University Press, 2001, et Richard Slotkin, *Gunfighter Nation : The Myth of the Frontier in Twentieth-Century America*, New York, Macmillan, 1992.
45. Lettre à Ernest Vinet, février 1871, citée dans Eugène d'Eichthal, « L'École libre des sciences politiques », *Revue des Deux Mondes*, 1er décembre 1927, p. 2. Sur les fondateurs de cette école, voir Pierre Favre, *Naissances de la science politique en France, 1870-1914*, Paris, Fayard, 1989.
46. Émile Boutmy, *Essai d'une psychologie politique du peuple anglais au XIXe siècle*, Paris, Armand Colin, 1901.

47. André Siegfried, *Les États-Unis d'aujourd'hui*, Paris, Armand Colin, 1927, p. 8.

48. Pierre Leroy-Beaulieu, *Les États-Unis au XXe siècle*, Paris, Armand Colin, 1906, p. 16.

49. A. Siegfried, *Les États-Unis d'aujourd'hui, op. cit.*, p. 3-10 *passim*.

50. *Ibid.*, p. 141.

51. *Ibid.*, p. 140.

52. Sur Horace Kallen, l'un des premiers critiques de la thèse du melting-pot, voir D. Lacorne, *La Crise de l'identité américaine, op. cit.*, p. 268-282.

53. A. Siegfried, *Les États-Unis d'aujourd'hui, op. cit.*, p. 140.

54. *Ibid.*, p. 137, 139.

55. *Ibid.*, p. 136.

56. *American Standard* (publication bimensuelle du Ku Klux Klan), 1er octobre 1925, cité et analysé par A. Siegfried, *Les États-Unis d'aujourd'hui, op. cit.*, p. 132-134.

57. *Ibid.*, p. 141.

58. *Ibid.*, p. 6, 7, 8, 9 et 17.

59. *Ibid.*, p. 25 et 26.

60. *Ibid.*, p. 24.

61. *Ibid.*, p. 25 et 26.

62. *Ibid.*, p. 23, 24 et 25.

63. *Ibid.*, p. 20.

64. Miss Rebecca Godchaux (San Francisco), lettre du 28 mars 1927 à André Siegfried *Archives Siegfried* [2 S I 19 dr 2], conservées à la bibliothèque de l'Institut d'études politiques de Paris.

65. Je reprends ici, à dessein, les termes de la réponse de Rebecca Godchaux à une lettre de Siegfried. Celle-ci, en effet, remerciait l'auteur de sa « lettre explicative et de l'effort […] tenté pour atténuer l'impression si pénible causée par certains passages de [son] livre ». Lettre du 19 mai 1927, *Archives Siegfried* [2 S I 19 dr 4]. *Les États-Unis d'aujourd'hui* (1927) ont été réédités jusqu'en 1951. Le succès commercial du livre est indéniable avec plus de 13 000 exemplaires vendus en France dès la première année, et plus de 20 000 exemplaires la première année de la publi-

cation aux États-Unis dans sa traduction anglaise (*America Comes of Age*, New York, Harcourt, Brace et Co., 1927). Vingt-six ans plus tard, Rita Barisse, la traductrice pressentie d'un nouvel ouvrage de Siegfried (*Tableau des États-Unis*, Paris, Armand Colin, 1954), qui reprenait la plupart des formules désobligeantes du livre de 1927, exprimait une même indignation en des termes presque identiques. Plutôt que de changer son style ou ses formulations malheureuses, Siegfried préféra changer de traductrice. Voir Pierre Birnbaum, « *La France aux Français* ». *Histoire des haines nationalistes*, Paris, Éd. du Seuil, 1993, p. 157-159.

66. A. Siegfried, *Les États-Unis d'aujourd'hui, op. cit.*, p. 109 et 106.

67. *Ibid.*, p. 104. Siegfried cessa de faire preuve de sens critique et d'ironie lorsqu'il rédigea une préface fort élogieuse au traité eugénique d'Henri Decugis, *Le Destin des races blanches*, Paris, Librairie de France, 1936. Dans cet ouvrage, Decugis dénonçait en France la « multiplication des êtres dégénérés », en qui il voyait un « danger mortel » qui devait être « combattu énergiquement ». La « stérilisation des dégénérés héréditaires » et la « castration pénale » d'individus condamnés pour des affaires de mœurs lui semblaient non seulement souhaitables, mais aussi parfaitement dignes d'un « pays civilisé » (p. 405-406).

68. A. Siegfried, *Les États-Unis d'aujourd'hui, op. cit.*, p. 32.

69. *Ibid.*, p. 33 et 34.

70. *Ibid.*, p. 4.

71. Siegfried avait-il lu l'étude de Weber, d'abord publiée dans deux livraisons des *Archiv für Sozialwissenschaft und Sozialpolitik* en 1904 et en 1905 ? Rien ne l'indique à la lecture de ses archives conservées à Sciences Po. Mais ses origines et sa culture protestante, ses nombreux contacts universitaires l'avaient certainement prédisposé à utiliser ce type d'argument, fort en vogue chez les sociologues et les économistes de son temps.

72. A. Siegfried, *Les États-Unis d'aujourd'hui, op. cit.*, p. 35.

73. Max Weber, *L'Éthique protestante et l'esprit du capitalisme* [1904-1905], éd. traduite et présentée par Jean-Pierre Grossein, Paris, Gallimard, coll. « Tel », 2003, p. 118.

74. *Ibid.*, p. 118 et 119.

75. *Ibid.*, note 49, p. 121 (en référence au *Christian Directory* de Baxter).

76. *Ibid.*, p. 133.

77. *Ibid.*, p. 140.

78. *Ibid.*, p. 121-122.

79. A. Siegfried, *Les États-Unis d'aujourd'hui, op. cit.*, p. 34.

80. *Ibid.*, p. 35, 48, 85 respectivement.

81. *Ibid.*, p. 58-86. Voir aussi, plus récemment, Dominique Lecourt, *L'Amérique entre la Bible et Darwin*, Paris, PUF, 1992.

82. A. Siegfried, *Les États-Unis d'aujourd'hui, op. cit.*, p. 73.

83. S. Huntington, *Qui sommes-nous ?, op. cit.*, chap. 7, « La déconstruction de l'Amérique », p. 143-178.

84. Siegfried avait envoyé un exemplaire de son livre à Madison Grant et il reçut, en retour, un commentaire élogieux de ce chef de file du nativisme américain. (*Archives Siegfried* [2 S I 19 dr 4], lettre du 3 mai 1927).

85. S. Huntington, *Qui sommes-nous ?, op. cit.*, p. 70.

86. *Ibid.*, p. 69.

87. *Ibid.*, p. 310.

88. David Lopez, « Bilinguisme et changement ethnique en Californie », *in* Denis Lacorne et Tony Judt (dir.), *La Politique de Babel. Du monolinguisme d'État au pluralisme des peuples*, Paris, Karthala, 2002, p. 117-145 ; A. Portes et R. Rumbaut, *Immigrant America, op. cit.*, p. 204-243.

89. D. Lacorne, « Introduction », *La Politique de Babel, op. cit.*, p. 7-27.

90. S. Huntington, *Qui sommes-nous ?, op. cit.*, p. 318.

91. Sur la controverse suscitée par le livre de Huntington, voir Alan Wolfe, « Native Son : Samuel Huntington Defends the Homeland », *Foreign Affairs*, mai-juin 2004 ; James W. Ceaser, « O, My America », *Weekly Standard*, 3 mai

2004 ; Louis Menand, « The New Nativism of Samuel Huntington », *The New Yorker*, 17 mai 2004 ; Peter Skerry, « What Are We to Make of Samuel Huntington ? », *Society*, novembre-décembre 2005 ; Jack Citrin *et al.*, « Testing Huntington : Is Hispanic Immigration a Threat to American Identity ? », *Perspectives on Politics*, mars 2007.

VI. UNE AMÉRIQUE SANS DIEU

1. Voir André Citroën, « Speeding up the Automobile Industry », *European Finance*, 13 juin 1928 ; Hyacinthe Dubreuil, *Standards. Le travail américain vu par un ouvrier français*, Paris, Grasset 1929 ; André Philip, *Le Problème ouvrier aux États-Unis*, Paris, Felix Alcan, 1927, et, plus généralement, Paul Gagnon, « French Views of the Second American Revolution », *French Historical Studies*, n° 2, automne 1962, p. 430-449.

2. Jean-Louis Loubet del Bayle, *Les Non-Conformistes des années 30*, Paris, Éd. du Seuil, 1969.

3. A. Siegfried, *Les États-Unis d'aujourd'hui*, *op. cit.*, p. 345.

4. *Ibid.*, p. 346, souligné par moi.

5. *Ibid.*, p. 347-348.

6. André Siegfried, préface à A. Philip, *Le Problème ouvrier aux États-Unis*, *op. cit.*, p. x et XVI, souligné par moi.

7. Manifeste d'*Ordre nouveau*, reproduit dans J.-L. Loubet del Bayle, *Les Non-Conformistes des années 30*, *op. cit.*, p. 443. Martin Heidegger a dit à peu près la même chose dans ses écrits consacrés à la technique et au travail artisanal, qui est bien la forme supérieure de la production, car c'est là, et là seulement, que le peintre, le menuisier, le potier ou encore le grand artiste vont démontrer la « pleine maîtrise » d'un métier dont ils ont saisi la « science ». Voir « L'origine de l'œuvre d'art » [1935], in *Chemins qui ne mènent nulle part*, Paris, Gallimard, 1962, p. 24.

8. *Ibid.*, p. 442 et 443.

9. *Ibid.*, p. 351.

10. « L'Europe, affirmait Heidegger, se trouve dans un étau entre la Russie et l'Amérique, qui reviennent métaphysiquement au même quant à leur appartenance au monde et à leur rapport à l'esprit. » Le risque encouru par l'Europe était « l'émasculation de l'esprit » : *Introduction à la métaphysique* [1935], Paris, Gallimard, coll. « Tel », 1967, p. 56.

11. Robert Aron et Arnaud Dandieu, *Le Cancer américain*, Paris, Rieder [octobre] 1931, p. 14.

12. *Ibid.*, p. 16 et 18. Le même argument est repris l'année suivante par un collaborateur d'*Ordre nouveau*, Henri Daniel-Rops dans *Le Monde sans âme*, Paris, Plon, 1932.

13. R. Aron et A. Dandieu, *Le Cancer américain, op. cit.*, p. 14.

14. Robert Aron et Arnaud Dandieu, *Décadence de la nation française*, Paris, Rieder, coll. « Europe » [janvier] 1931.

15. *Ibid.*, p. 182, 207, 213, respectivement.

16. *Ibid.*, p. 207. Descartes est aussi dénoncé, de façon moins délirante, par Emmanuel Mounier dans la première livraison d'*Esprit*. « Refaire la Renaissance », *Esprit*, vol. I, n° 1, octobre 1932, p. 26.

17. J'emprunte cette expression à Marcel Gauchet (*Le Désenchantement du monde*, Paris, Gallimard, 1985 ; *La Religion dans la démocratie*, Paris, Gallimard, 1998).

18. R. Aron et A. Dandieu, *Décadence de la nation française, op. cit.*, p. 19, 119 et 120.

19. *Ibid.*, p. 220 et 221. La méthode de Binet, expliquent les auteurs, n'est rien d'autre que « le prolongement d'un *cartésianisme ossifié et châtré* » (souligné par moi).

20. *Ibid.*, p. 217-218.

21. Emmanuel Mounier, « Ce ne sont pas ceux qui disent : esprit, esprit », *La Nouvelle Revue française*, 1er décembre 1932, p. 824-826, reproduit in *Mounier et sa génération. Lettres, carnets et inédits*, Paris, Éd. du Seuil, 1956, p. 107-109.

22. Lettre à Robert Garric, 16 janvier 1932, reproduite in *Mounier et sa génération, op. cit.*, p. 81.

23. « Prospectus annonçant la fondation d'*Esprit* », février 1932, *ibid.*, p. 82.

24. *Ibid.*

25. E. Mounier, « Refaire la Renaissance », art. cité, p. 29, souligné par moi.

26. Emmanuel Mounier, « Extraits d'un rapport privé sur *Esprit* à l'usage de Mgr Courbe et de l'archevêque de Paris », in *Mounier et sa génération, op. cit.*, p. 185.

27. Lettre à Jacques Chevalier, 23 septembre 1932, in *Mounier et sa génération, op. cit.*, p. 96.

28. « Letter from France. A Personalist leader, editor of *Esprit*, sends this message to America from France », *The Commonweal*, 25 octobre 1940, cité dans Zeev Sternhell, « Emmanuel Mounier et la contestation de la démocratie libérale dans la France des années 1930 », *Revue française de sciences politiques*, n° 6, décembre 1984, p. 1176. Heidegger disait à peu près la même chose lorsqu'il dénonçait la primauté des valeurs productives en Amérique et en Russie, avec pour résultat « l'invasion de ce que nous appelons le *démoniaque* (au sens de la malveillance dévastatrice) » (*Introduction à la métaphysique, op. cit.*, p. 57, souligné par moi).

29. Voir ci-dessus, p. 209-211.

30. Mounier, « Entretiens XII », 18 mai 1941, in *Mounier et sa génération, op. cit.*, p. 300.

31. Voir ci-dessus, chap. 1, p. 52 et suiv.

32. « Entretiens XII », 8 mai 1941, *ibid.*, p. 297 et 298.

33. *Ibid.*, p. 298.

34. « Entretiens XII », 18 mai 1941, *Ibid.*, p. 300.

35. *Ibid.*

36. « Entretiens XI », 30 mars 1941, *ibid.*, p. 291-292.

37. *Ibid.*, p. 291.

38. Pierre Emmanuel, *Autobiographies* [1970], cité dans Michel Winock, « *Esprit* ». *Des intellectuels dans la cité*, Paris, Éd. du Seuil, coll. « Points histoire », 1996, p. 393.

39. Apocalypse, XXI, 2.

40. Georges Duhamel, *Scènes de la vie future*, Paris, Albert Guillot, 1930, p. 5.

41. *Ibid.*, p. 108. Voir en particulier le célèbre chapitre 8, « Royaume de la mort », consacré à une visite des abat-

toirs de Chicago, qui devait inspirer Hergé pour *Tintin en Amérique*.

42. Philippe Roger, *L'Ennemi américain. Généalogie de l'antiaméricanisme français*, Paris, Éd. du Seuil, 2002, p. 505.

43. G. Duhamel, *Scènes de la vie future, op. cit.*, p. 177-178.

44. *Ibid.*, p. 179, souligné par moi.

45. *Ibid.*, p. 114.

46. *Ibid.*, p. 118.

47. *Ibid.*, chap. 15, « Méditation sur la cathédrale du commerce », p. 175.

48. *Ibid.*, chap. 12, « Le nouveau temple », p. 136.

49. *Ibid.*, p. 179.

50. *Ibid.*, p. 9.

51. R. Aron et A. Dandieu, *Décadence de la France, op. cit.*, p. 20, 21 et 22.

52. Maurice Blanchot, *Réaction*, n° 3, juillet 1930, cité dans J.-L. Loubet del Bayle, *Les Non-Conformistes des années 30, op. cit.*, p. 254.

53. Emmanuel Mounier, *Revue de culture générale*, octobre 1930, cité dans *ibid.*, p. 258.

54. Georges Bernanos, *La France contre les Robots* [1944], in *Essais et écrits de combat*, textes établis et présentés sous la direction de Michel Estève, Paris, Gallimard, Bibl. de la Pléiade, t. II, 1995, p. 991.

55. *Ibid.*, p. 1023.

56. *Ibid.*, p. 1047.

57. Georges Bernanos, « La France devant le monde », in *La liberté pour quoi faire ?* [1946-1948], Paris, Gallimard, 7e éd., 1953, p. 17.

58. « Révolution et liberté », in *ibid.*, p. 165 (février 1947).

59. « L'esprit européen », in *ibid.*, p. 239-240 (septembre 1946).

60. *Ibid.*, p. 242. Sur la dénonciation conjointe des deux impérialismes, soviétique et américain, par des auteurs aussi différents qu'Alain de Benoist, Jean-Marie Benoist, Jean-Pierre Chevènement ou Michel Jobert, voir Denis Lacorne, Jacques Rupnik et Marie-France Toinet (dir.), *L'Amérique dans les têtes*, Paris, Hachette, 1986, p. 29-31.

61. G. Bernanos, « L'esprit européen », *op. cit.*, p. 240, souligné par moi.

62. *Ibid.*, p. 241.

63. *Ibid.*, p. 101, 164, respectivement.

64. Sartre, comme l'a bien montré Marie-Christine Granjon, exprime une vraie sympathie pour l'Amérique dans ses articles de *Combat* et du *Figaro* (voir M.-Ch. Granjon, « Sartre, Beauvoir, Aron : les passions ambiguës », *in* D. Lacorne *et al., L'Amérique dans les têtes, op. cit.*, p. 144-164).

65. Jean-Paul Sartre, « Matérialisme et révolution » (*Les Temps modernes*, juin 1946), in *Situations III* [1949], Paris, Gallimard, 2003, p. 147 et 148.

66. Jean-Paul Sartre, « La fin de la guerre » (*Les Temps modernes*, octobre 1945), in *Situations III, op. cit.*, p. 51, 53 et 55. Sartre n'exclut pas l'hypothèse de l'utilisation de la bombe par un fou ou un nouvel Hitler. De ce nouveau Führer, écrit Sartre, « nous serions tous responsables » (p. 53). Sartre est donc l'un des premiers apologistes de la guerre préventive contre un tyran disposant d'armes de destruction massive.

67. Louis-Ferdinand Céline, *Voyage au bout de la nuit* [1932], in *Romans*, préface et notes d'Henri Godard, Paris, Gallimard, Bibl. de la Pléiade, t. I, 1981, p. 192-193. Paul Morand avait dit pratiquement la même chose lors de sa visite au sein du « sanctuaire du temple » de Wall Street. Il y entend « le bruit sourd, inquiétant de tous ces dollars d'argent qui roulent, font de gros tas blancs comme des hosties et s'engloutissent d'une poche dans une autre » (*New York* [1930], Paris, Flammarion, 1988, p. 60-61).

68. Alfred Kinsey *et al.*, *Sexual Behavior in the Human Male*, Philadelphie, W. B. Saunders, 1948 ; *Sexual Behavior in the Human Female*, W. B. Saunders, 1953. Sur l'importance de ces enquêtes, voir John D'Emilio et Estella B. Freedman, *Intimate Matters. A History of Sexuality in America*, Chicago, University of Chicago Press, 1997.

69. Jean-Paul Sartre, « Individualisme et conformisme aux États-Unis » (d'abord paru dans *Le Figaro*, mars 1945), *Situations III, op. cit.*, p. 60.

70. *Ibid.*, souligné par moi.

71. J.-P. Sartre, « U.S.A. Présentation » (d'abord paru dans *Les Temps modernes*, août 1946), *Situations III, op. cit.*, p. 96.

72. *Ibid.*

73. *Ibid.*

74. Paul Bourget, *Outre-Mer. Notes sur l'Amérique* (Paris, Plon, 1894, 2 vol.), cité par Jacques Laurent dans « Paul et Jean-Paul », *Les Cahiers irréguliers*, n° 2, Paris, Grasset, 1951, p. 65. Laurent dresse un saisissant parallèle entre les voyages et les observations de Bourget et de Sartre aux États-Unis et construit un dialogue imaginaire entre les deux écrivains.

75. Simone de Beauvoir, *L'Amérique au jour le jour* [1949], avant-propos de Philippe Raynaud, Paris, Gallimard, 1997, p. 390.

76. *Ibid.*, p. 391.

77. *Ibid.*, souligné par moi.

78. *Ibid.*, p. 397.

79. *Ibid.*

80. Bernard-Henri Lévy, *American Vertigo*, Paris, Grasset, 2006, p. 185. Ce livre retrace un périple de 20 000 km aux États-Unis, et des impressions de voyage d'abord publiées en anglais pour le compte du mensuel *The Atlantic Monthly*.

81. *Ibid.*, souligné par l'auteur.

82. *Ibid.*, p. 186, souligné par moi.

VII. LE RETOUR DU RELIGIEUX

1. *La Vie*, 13 mars 2003 ; *Le Nouvel Observateur*, 26 février 2004 cités respectivement dans Sébastien Fath, *Dieu bénisse l'Amérique. La religion de la Maison-Blanche*, Paris, Éd. du Seuil, 2004, p. 23.

2. Jacques Sallebert, « Pèlerinage aux sources », *Le Point*, 19 juillet 1976.

3. *Ibid.*

4. *Playboy*, novembre 1976, entretien cité dans Olivier

Todd, « Deux champions sans punch », *Le Nouvel Observateur*, 27 septembre 1976.

5. Éditorial de Charles Lambroschini, « La ceinture de la Bible », *Le Figaro*, 24 janvier 1998.

6. P. Girard, *L'Événement du Jeudi*, 17 septembre 1998.

7. Franz-Olivier Giesbert, « Libidocratie », *Le Figaro Magazine*, 31 janvier 1998.

8. Éditorial de Jacques Amalric, *Libération*, 14 septembre 1998.

9. Titre de première page du « Magazine Idées » rédigé par Sébastien Lapaque, *Marianne*, 20 décembre 1999.

10. Clinton était déclaré non coupable des deux titres d'accusation : le parjure et l'entrave à la justice. Voir D. Lacorne, « Le simulacre du procès Clinton », *Justices*, n° 1, 1999, p. 151-156.

11. Patrick Sabatier, *Libération*, 12 février 1999, p. 3.

12. Éditorial non signé, *Le Monde*, 14 février 1999.

13. Chantal de Rudder, citant l'opinion du politologue américain Rogers Smith, dans « Amérique : La démocratie gangrénée », *Le Nouvel Observateur*, 22 octobre 1999.

14. « Transcript of President Clinton's Speech at the Religious Leaders'Prayer Breakfast, 11 september 1998 », *in* Gabriel Fackre (dir.) *Judgment Day at the White House*, Grand Rapids, William B. Eerdmans Publishing Co., 1999, p. 185-186.

15. White House Prayer Breakfast, 28 septembre 1999, cité dans le *International Herald Tribune*, 29 septembre 1999.

16. « Declaration Concerning Religion, Ethics, and the Crisis in the Clinton Presidency », *in* G. Fackre, *Judgment Day at the White House, op. cit.*, p. 1-3.

17. Discours inaugural de George W. Bush, 20 janvier 2001 (éd. électronique, <www.yale.edu/lawweb/avalon/presiden/inaug>).

18. Discours inaugural de William J. Clinton, 20 janvier 1993 (éd. électronique, *ibid)*.

19. Discours inaugural de Jimmy Carter, 20 janvier 1977, citant Michée VI, 8 (*ibid.*).

20. Discours inaugural de Thomas Jefferson, 4 mars 1801 (*ibid.*).

21. Discours inaugural de Franklin D. Roosevelt, 4 mars 1933 (*ibid.*).

22. J. C. D. Clark, *The Language of Liberty, 1660-1832*, Cambridge, Cambridge University Press, 1994, p. 30.

23. *Ibid.*, p. 383.

24. *Ibid.*, p. 384.

25. Laurie Goodstein, « A President Puts his Faith in Providence », *New York Times*, 2 septembre 2003.

26. Peter Baker, « Bush Tells Group He Sees a "Third Awakening" », *Washington Post*, 12 septembre 2006. Sur l'histoire des réveils évangéliques, voir William G. McLoughlin, *Revivals, Awakenings, and Reform, op. cit.*

27. David Aikman, *A Man of Faith. The Spiritual Journey of George W. Bush*, W Publishing Book, 2004, p. 81 ; S. Fath, *Dieu bénisse l'Amérique, op. cit.*, p. 103-111.

28. Sidney Blumenthal, *Pledging Allegiance*, New York, Harper Collins, 1999, p. 98. Rappelons que Pat Roberson avait devancé George H. W. Bush dans le caucus de l'Iowa.

29. Cité dans D. Aikman, *A Man of Faith, op. cit.*, p. 81.

30. On trouvera une spectaculaire hagiographie de Bush dans un film intitulé : « George W. Bush : Faith in the White House. See How the Power of Faith Can Change a Life, Build a Family and Shape the Destiny of a Nation… », MMIV Grissly Adams Productions, Inc., GoodTimes DVD, 05-50082, 2004, environ 70 mn.

31. Propos tenus par Bush en janvier 1999 dans la résidence du gouverneur du Texas, devant un groupe de prédicateurs évangéliques, cité dans *The Economist*, 16 décembre 2004, ma traduction.

32. Melinda Henneberger, « Gore and God : Spiritual Life Still Evolving », *New York Times*, 22 octobre 2000. Comme son père, Gore est un *Southern baptist*, qui fit deux ans d'études à la Divinity School de l'université Vanderbilt et se considère comme un *born again christian.*

33. La Louisiane, le Mississippi, l'Alabama, la Géorgie et la Caroline du Sud.

34. Earl Black et Merle Black, *The Rise of Southern Republicans*, Cambridge (Mass.), Harvard University Press, 2002, p. 204-211.

35. Cité dans A. James Reichley, *Religion in American Public Life*, Washington, D. C., Brookings Institution, 1985, p. 316.

36. Le texte de la prière était : « Seigneur Dieu, nous reconnaissons notre dépendance à Ton égard, et nous demandons Ta bénédiction pour nous, nos parents, nos professeurs et notre Pays. »

37. Pour plus de détails sur l'origine et la signification de cet amendement, voir ci-dessous, chap. 8, p. 304-305.

38. Opinion de la Cour rédigée par le juge Hugo Black, *Engel v. Vitale*, 370 US 421 (1962), ma traduction.

39. Cités dans J. Reichley, *Religion in American Public Life, op. cit.*, p. 147.

40. *Abington School District v. Schempp*, 374 US 203 (1963) ; *Epperson v. Arkansas*, 393 US 97 (1968).

41. *Griswold v. Connecticut*, 381 US 479 (1965) ; *Roe v. Wade*, 410 US 113 (1973).

42. J. Reichley, *Religion in American Public Life, op. cit.*, p. 316-320 ; Karen Orren et Stephen Skowronek, *The Search for American Political Development*, Cambridge, Cambridge University Press, 2004, p. 152-153.

43. Noah Feldman, *Divided by God. America's Church-State Problem and What We Should Do About It*, New York, Farrar, Straus and Giroux, 2005, p. 190.

44. E. et M. Black, *The Rise of Southern Republicans, op. cit.*, p. 215. Sur le fonctionnement de cette université fondamentaliste, voir Susan Friend Harding, *The Book of Jerry Falwell. Fundamentalist Language and Politics*, Princeton, Princeton University Press, 2000, p. 106-117, 139-147.

45. Steve Bruce, *The Rise and Fall of the New Christian Right*, Oxford, Oxford University Press, 1990, p. 81-90 ; J. Reichley, *Religion in American Public Life, op. cit.*, p. 320-322.

46. St. Bruce, *The Rise and Fall, op. cit.*, p. 101.

47. Robert B. Fowler, Allen Hertzke et Laura Olson, *Religion and Politics in America*, Boulder (Colorado), Westview Press, 2e éd., 1999, p. 81-82.

48. *Ibid.*, p. 94 ; James W. Ceaser et Andrew E. Busch,

Red over Blue, Lanham (Maryland), Rowman and Littlefield, 2005, p. 137.

49. Voir Kevin Phillips, *American Theocracy*, New York, Viking, 2006, p. 186-190, et S. Blumenthal, *Pledging Allegiance, op. cit.*, p. 99.

50. Site web de l'université Bob Jones, cité dans le *New York Times*, 5 mars 2000.

51. James W. Ceaser et Andrew E. Busch, *The Perfect Tie. The True Story of the 2000 Presidential Election*, New York, Rowman and Littlefield, 2001, p. 88-94.

52. Andrew Ward, « Democrats Miss the Dixieland Beat », *Financial Times*, 14 novembre 2006.

53. Scott Keeter, « Evangelicals and the GOP : an Update », Pew Research Center, 18 octobre 2006 ; « Elections 06 : Big Change in some Key Groups », Pew Research Center, 16 novembre 2006 (éd. électronique, <pewresearch.org>).

54. Christopher Shays, cité dans K. Phillips, *American Theocracy, op. cit.*, p. 217. Kevin Phillips observe qu'en 2004 les votes des sept principaux leaders républicains du Sénat étaient conformes aux instructions de la *Christian Coalition* dans 100 % des cas.

55. Tom Delay, cité dans *ibid.*, p. 216.

56. Rabbi James Rudin, *The Baptizing of America*, New York, Thunder's Mouth Press, 2006.

57. En 2004, 81,5 % des républicains évangéliques blancs pensaient que l'Iraq possédait des armes de destruction massive, contre 63 % des républicains non évangéliques et 31 % de l'ensemble des démocrates. Voir Gary C. Jacobson, *A Divider, Not a Uniter*, New York, Pearson, 2007, p. 153-157.

58. Morris P. Fiorina, *Culture Wars ? The Myth of a Polarized America*, New York, Pearson, 2e éd., 2006, p. 33-56.

59. K. Phillips, *American Theocracy, op. cit.*, p. 210.

VIII. LE « MUR DE SÉPARATION » ENTRE L'ÉGLISE ET L'ÉTAT

1. Régis Debray, « Êtes-vous démocrate ou républicain ? », *Le Nouvel Observateur*, 30 novembre 1989, reproduit dans *Contretemps. Éloge des idéaux perdus*, Paris, Gallimard, coll. « Folio », 1992, p. 23.

2. Voir, par exemple, *ibid.*, p. 25, ou encore Régis Debray, *Le Feu sacré. Fonctions du religieux*, Paris, Fayard, 2003, p. 33.

3. Cité dans U.S. Treasury, « History of "In God We Trust" », (éd. électronique, www. treasury.gov/education/fact-sheets/currency/in-god-we-trust.shtml).

4. Loi du 22 avril 1864 autorisant la fonte de pièces de deux *cents*.

5. Loi du 30 juillet 1956.

6. Loi du 14 juin 1954, souligné par moi.

7. L'article 6 de la Constitution précise : « Aucune profession de foi religieuse ne sera exigée comme condition d'aptitude aux fonctions ou charges publiques sous l'autorité des États-Unis. »

8. Selon les propos d'un délégué à la convention de ratification de la Caroline du Nord (1788), rapportés par Stephen Botein, « Religious Dimensions of the Early American State », *in* R. Beeman *et al.*, *Beyond Confederation*, *op. cit.*, p. 321.

9. Amos Singletary, délégué à la convention de ratification du Massachusetts, cité par Albert Furtwangler, *The Authority of Publius*, Ithaca, Cornell University Press, 1984, p. 108-109.

10. *New York Daily Advertiser*, cité dans Morton Borden, *Jews, Turks and Infidels*, Chapel Hill, University of North Carolina Press, 1984, p. 16.

11. *Ibid.*

12. Articles d'« Elihu » (1788), cités *in* Isaac Kramnick et R. Laurence Moore, *The Godless Constitution*, New York, Norton, 1996, p. 40.

13. William Van Murray, Esq., cité dans *ibid.*, p. 41.

14. John Adams, cité dans *ibid*. Sur ces questions, on lira aussi avec profit Susan Jacoby, *Freethinkers. A History*

of American Secularism, New York, Henry Holt, 2005, p. 13-34.

15. Cité dans Ralph C. Reynolds, « In God We Trust : All Other Pay Cash », in *Preserving the Wall*, vol. 3, n° 3, publication du Rochester Chapter de *Americans United for Separation of Church and State* (éd. électronique, <//home.flash.net/~lbartley/au/issues/godtrust.htm>).

16. Un exemple parmi des dizaines : en 1953, le sénateur du Vermont, Ralph Flanders, proposa cette nouvelle rédaction du préambule de la Constitution fédérale : « [La] nation se soumet pieusement à l'autorité et à la loi de Jésus-Christ, Sauveur et Chef des Nations, grâce auquel nous sont accordées les grâces de Dieu Tout-puissant. »

17. Pour être valable, un amendement doit être ratifié par les trois quarts des États de l'Union selon l'article 5 de la Constitution.

18. *Moretum* fait partie des poèmes mineurs de Virgile, réunis par Scaliger en 1573 dans l'*Appendix Vergiliana*. Sur la signification de ce poème qui préfigure le melting-pot américain, voir D. Lacorne, *La Crise de l'identité américaine, op. cit.*, p. 193-241.

19. Virgile, *Églogues*, IV, v. 5 ; *Géorgiques*, I, v. 40.

20. Walter Berns, *Making Patriots*, Chicago, University of Chicago Press, 2001, p. 32. Berns met bien en évidence l'influence de la *Letter Concerning Toleration* de Locke sur les écrits des Pères fondateurs, et sur Jefferson en particulier.

21. Thomas Jefferson, *Notes on the State of Virginia*, Paris, Philippe-Denis Pierres, 1785 (ma traduction). D'où le quolibet dont ses adversaires l'avaient affublé : Jefferson, « le Voltaire de la Virginie ».

22. Article 4, section 4 de la Constitution fédérale des États-Unis.

23. « Treaty of Peace and Friendship between the United States of America and the Bey and Subjects of Tripoli of Barbary », cité dans *The Avalon Project, Yale Law School* (éd. électronique, <yale.edu/lawweb/avalon/diplomacy/barbary/bar1796t.htm>). Souligné par moi.

24. Thomas Jefferson, *The Jefferson Bible. The Life and Morals of Jesus of Nazareth Extracted Textually from the*

Gospels in Greek, Latin, French and English [1820], Smithsonian edition, Smithsonian Books, 2011. La première publication officielle de ce texte est due au 57e Congrès des États-Unis (1904), qui choisit d'honorer le « Père » de la séparation de l'Église et de l'État en offrant ce livre à tous les nouveaux élus jusqu'au début des années 1940. Sur les origines de sa publication, et les controverses qu'elle suscita, voir Greg Robinson, « Resurrection and Life : Cyrus Adler and the Jefferson Bible », *American Jewish Archives Journal*, 63, n° 1, 2011, p. 1-17.

25. John Harris, « God gave us "what we deserve", Falwell says », *Washington Post*, 14 septembre 2001. Sur la sécularisation du patriotisme américain, voir Denis Lacorne, « *God is Near*. L'instrumentalisation du religieux par le politique aux États-Unis », *in* Thomas Ferenczi (dir.), *Religion et politique. Une liaison dangereuse ?*, Bruxelles, Complexe, 2003, p. 179-188.

26. D'après un sondage réalisé en 2001, 29,4 millions d'Américains n'ont pas d'attache religieuse ou de confession admise, soit 14 % de la population totale. Ils n'étaient que 14,3 millions en 1990 (8 % de la population). Les non-croyants constituent donc un groupe dont la croissance est rapide. Voir S. Jacoby, *Freethinkers, op. cit.*, p. 6-7. Par ailleurs, seulement 20 % des Américains se rendent à l'église ou au temple au moins une fois par semaine. La pratique hebdomadaire effective est donc très inférieure à la pratique déclarée (plus de 40 %). Voir Bob Smietana, « Statistical Illusion », *Christianity Today*, avril 2006, p. 85-88.

27. Je reprends ici, en les actualisant, des éléments d'un article « La séparation de l'Église et de l'État aux États-Unis », paru d'abord dans *Le Débat*, n° 127, novembre-décembre 2003, p. 63-79.

28. Cité dans I. Kramnick et L. Moore, *The Godless Constitution, op. cit.*, p. 54.

29. Cité par Jean-Fabien Spitz dans son introduction à John Locke, *Lettre sur la tolérance et autres textes*, Paris, Garnier-Flammarion, 1992, p. 40, note 58.

30. Roger Williams, *Mr. Cotton's Letter, Lately Printed, Examined and Answered* (Londres, 1644), cité *in* Philip

Hamburger, *Separation of Church and State*, Cambridge (Mass.), Harvard University Press, 2002, p. 45. Dans ce texte, Williams répondait à John Cotton, un congrégationaliste du Massachusetts qui lui avait écrit pour justifier le statut d'Église établie accordé par la monarchie anglaise aux congrégationalistes de la colonie.

31. Voir David Wootton, « Leveller democracy and the Puritan Revolution », *in* J. H. Burns (dir.), *The Cambridge History of Political Thought, 1450-1700*, Cambridge, Cambridge University Press, 1996, p. 436-444.

32. *Ibid.*, p. 441.

33. Roger Williams, *The Bloudy Tenent of Persecution*, cité *in* Ph. Hamburger, *Separation of Church and State, op. cit.*, p. 44.

34. R. Williams, *Mr. Cotton's Letter, op. cit.*, p. 44.

35. I. Kramnick and L. Moore, *The Godless Constitution, op. cit.*, chap. 3.

36. John Locke, *Lettre sur la tolérance* [1686], *op. cit.*, p. 168 et 179.

37. *Ibid.*, p. 168 et 169.

38. James Burgh, *Crito*, t. II [1767], cité *in* D. Dreisbach, *Thomas Jefferson and the Wall of Separation, op. cit.*, p. 81, souligné par moi. Sur l'influence de Burgh, voir Isaac Kramnick, *Republicanism and Bourgeois Radicalism*, Ithaca, Cornell University Press, 1990, p. 200-259.

39. La gestion, coûteuse, des guerres de l'Empire britannique justifia certaines exceptions à la règle : les soldats catholiques envoyés aux Antilles, en Irlande, au Canada et en Amérique du Nord étaient exemptés du serment protestant prévu par le *test act*.

40. Voir ci-dessous, p. 304.

41. Article « Laïcité », *in* Ferdinand Buisson (dir.), *Nouveau Dictionnaire de pédagogie et d'instruction primaire*, Paris, Hachette, 1911 (éd. électronique, <www.premiumwanadoo.com/jeunes-laïques>, souligné par moi). Sur l'origine de ce dictionnaire, voir Nora, Pierre, « Le "Dictionnaire de pédagogie" de Ferdinand Buisson », *in* P. Nora (dir.), *Les Lieux de mémoire*, Gallimard, coll. « Quarto », 1997, t. I, p. 327-347. Sur le voyage aux États-Unis de Buisson et sa découverte de la laïcité américaine, voir chap. 4, note 52, p. 171.

42. Sur l'importance de la pétition de Madison, *Memorial and Remonstrance against Religious Assessments* [1785], voir Akhil Reed Amar, *The Bill of Rights. Creation and Reconstruction*, New Haven, Yale University Press, 1998, p. 31.

43. « Acte de la république de Virginie qui établit la liberté de religion », cité dans l'article « États-Unis », *Encyclopédie méthodique. Économie politique et diplomatique, op. cit.*, t. II [1786], p. 400-401.

44. La première partie de la phrase est généralement décrite comme la « clause d'établissement » (il aurait été plus logique de dire la « clause de non-établissement »), et la seconde comme « la clause de libre exercice » du 1er amendement.

45. La Virginie était en avance sur le Connecticut et le Massachusetts, qui maintinrent respectivement des serments d'allégeance aux religions établies jusqu'à 1818 et 1833.

46. Thomas Jefferson, « Letter to the Danbury Baptist Association » (1er janvier 1802) *in* id., *Political Writings*, (édité par Joyce Appleby et Terence Ball), Cambridge, Cambridge University Press, 1999, p. 396-397, souligné par moi.

47. Voir ci-dessus, note 44.

48. *Everson v. Board of Education of Ewing Township*, 330 US 1 (1947), éd. électronique <http : // caselaw.lp.findlaw.com> ; souligné par moi.

49. Voir ci-dessus, note 44.

50. *Reynolds v. United States*, 98 US 145 (1878).

51. *Ibid.*

52. Ratifié en 1791, le *Bill of Rights* complète la Constitution et regroupe les dix premiers amendements.

53. D. Dreisbach, *Thomas Jefferson and the Wall of Separation, op. cit.*, p. 100.

54. Opinion dissidente du juge Jackson, *Everson v. Board of Education*, décision citée, p. 6-10.

55. Opinion du juge Black, *ibid.*, p. 6.

56. *Brief Amici Curiae*, des National Council of Catholic Men and National Council of Catholic Women (*Everson v. Board of Education*), cité *in* D. Dreisbach, *Thomas Jefferson and the Wall of Separation, op. cit.*, p. 101.

57. Stephen L. Carter, *The Culture of Disbelief. How American Law and Politics Trivialize Religious Devotion*, New York, Basic Books, 1993, p. 109, 272-273.

58. Voir ci-dessus, note 44, p. 305.

59. Opinion dissidente du juge Rehnquist, *Wallace v. Jaffree*, 472 US 38 (1985).

60. *Engel v. Vitale*, 370 US 421 (1962) ; *School District of Abington Township v. Schempp*, 374 US 203 (1963) ; *Wallace v. Jaffree*, 472 US 38 (1985) ; *Lee v. Weisman*, 505 US 577 (1992).

61. *County of Allegheny v. ACLU Greater Pittsburgh Chapter*, 492 US 573 (1989). La crèche est tolérée si elle est entourée d'objets ou de symboles profanes comme un sapin, un ours, des rennes, un père Noël... Voir *Lynch v. Donnelly*, 465 US 668 (1984).

62. *Stone v. Graham*, 449 US 39 (1980) ; *McCreary County, Kentucky v. ACLU of Kentucky*, 545 US 844 (27 juin 2005).

63. *Zelman v. Simmons-Harris*, 536 US 639 (2002). Ce type d'aide reste exceptionnel et n'est légalement permis que dans une dizaine d'États.

64. A. Amar, *The Bill of Rights, op. cit.*, p. 251.

65. *Wisconsin v. Yoder*, 406 US 205 (1972).

66. Les sacrifices consistent à trancher la gorge d'une variété d'animaux dont des pigeons, des canards, des poulets, des chèvres, des moutons...

67. *Church of the Lukumi Babalu Aye, Inc. v. City of Hialeah*, 508 US 520 (1993), et, plus généralement, David M. O'Brien, *Animal Sacrifice and Religious Freedom*, Lawrence, University Press of Kansas, 2004.

68. *Employment Division, Department of Human Resources of Oregon v. Smith*, 494 US 872 (1990).

69. Religious Freedom Restoration Act (1993).

70. *McCreary County v. ACLU*, décision citée, opinion du juge Souter, citant le juge O'Connor dans *Lynch v. Donnelly*, décision citée.

71. Elisabeth Zoller, « La laïcité aux États-Unis ou la séparation des Églises et de l'État dans la société pluraliste », *in* E. Zoller (dir.), *La Conception américaine de la laïcité*, Paris, Dalloz, 2005, p. 12.

72. Voir ci-dessus, p. 287-288.
73. Avocat de profession et orientaliste amateur, George Sale (1697-1736) était un membre actif de la *Society for Promoting Christian Knowledge*. Mahomet n'était pas pour lui l'équivalent d'un Moïse ou d'un Jésus-Christ, mais simplement un grand législateur dans la tradition de Numa.
74. Voir N. Feldman, *Divided by God. America's Church-State Problem and What We Should Do about It, op. cit.*; Christopher L. Eisgruber et Lawrence G. Sager, *Religious Freedom and the Constitution*, Cambridge (Mass.), Harvard University Press, 2007, et, par exemple, l'opinion du juge Souter dans *McCreary County v. ACLU*, décision citée.

ÉPILOGUE

1. Obama empruntait cette formule au titre d'un sermon mémorable de son conseiller spirituel, le révérend Jeremiah Wright, le pasteur de la United Trinity Church of Christ de Chicago. (Une première version de ce chapitre est parue en anglais dans D. Lacorne, *Religion in America. A Political History*, New York, Columbia University Press, 2011 [trad. George Holoch, avec une préface de Tony Judt], p. 161-169.)
2. Barack Obama, « 2004 Democratic National Convention Keynote Address », <www.washingtonpost.com/wp-dyn/articles/A19751-2004Jul27.html>.
3. Barack Obama, « Call to Renewal Keynote Address », *Sojourners News*, 28 juin 2006, <http://sojo.net/index.cfm?action=news.display_article&mode=C&NewsID=545>. Cette conférence est reproduite *in extenso* dans B. Obama, *The Audacity of Hope*, New York, Three Rivers Press, 2006.
4. *Ibid*.
5. *Ibid*.
6. Lincoln était un déiste et un sceptique, un « enfant des Lumières » et peut-être même le dernier des hommes politiques américains influencé par la philosophie des Lumières. Voir Allen C. Guelzo, *Abraham Lincoln : Redeemer President*, Grand Rapids, William Eerdmans Publishing

1999, p. 152, 314. Voir aussi Michael Lind, *What Lincoln Believed. The Values and Convictions of America's Greatest President*, New York, Doubleday, 2003, p. 51-52.

7. « Call to Renewal Keynote Address », *art. cit*.

8. Lincoln n'a jamais appartenu à une Église. Sur son scepticisme, sa « religion politique rationaliste », sa lecture passionnée des œuvres de Thomas Paine et de Volney, voir Andrew R. Murphy, « Religion and the Presidency of Abraham Lincoln », *in* Gastón Espinosa (dir.), *Religion and the American Presidency*, New York, Columbia University Press, 2009, p. 153-158.

9. Barack Obama, discours inaugural, <http://www.whitehouse.gov/blog/inaugural-address>. Deux ans plus tôt, dans son « Call to Renewal Keynote Address », Obama était allé plus loin encore en affirmant : « *Nous ne sommes plus seulement une nation chrétienne* ; nous sommes aussi une nation juive, une nation musulmane, une nation bouddhiste, une nation hindoue et une nation de non-croyants. » Souligné par moi.

10. Laura Meckler, « Obama Walks Religious Tightrope Spanning Faithful, Nonbelievers », *Wall Street Journal*, 24 mars 2009.

11. *Ibid*.

12. Cette expression, une « Cité sur la colline » (*a City upon a hill*), ou encore une « Cité brillante sur la colline », sans cesse ressassée par les candidats républicains aux primaires présidentielles de 2012, est empruntée à un sermon fameux de John Winthrop, le gouverneur puritain de la colonie de la Baie du Massachusetts : « A Model of Christian Charity » [1630], reproduit dans Richard S. Dunn et Laetitia Yeandle (éd.), *The Journal of John Winthrop, 1630-1649, op. cit*, p. 10. Voir ci-dessus l'Avant-propos, p. 14.

13. Dans une conférence de juillet 2008 destinée aux membres de la Convention des Africains méthodistes et épiscopaliens, Obama évoquait son expérience de travailleur social et sa conversion : « J'ai permis à Jésus d'entrer dans ma vie. J'ai appris que mes péchés me seraient pardonnés si je faisais confiance à Jésus, et que celui-ci pourrait me placer sur le chemin de la vie éter-

nelle. » Obama, cité dans John W. Kennedy, « Preach and Reach. Despite his Liberal Records, Barack Obama Is Making a Lot of Evangelicals Think Twice », *Christianity Today*, septembre 2008, p. 30.

14. Cette affirmation, reçue alors comme une évidence, reposait sur une lecture fallacieuse des sondages de sortie des urnes réalisés le jour même de l'élection présidentielle de 2004. En fait, comme l'ont bien démontré deux politologues américains, D. Sunshine Hillygus et Todd G. Shields, les valeurs morales traditionnelles — l'opposition au mariage homosexuel ou à l'avortement — n'ont eu qu'un très faible impact sur le vote des électeurs de George W. Bush. La peur du terrorisme, et les sujets économiques étaient au cœur des préoccupations des électeurs. Voir Morris P. Fiorina *et al.*, *Culture War ? The Myth of a Polarized America*, New York, Pearson/Longman, 2006, 2e éd., p. 156, 157.

15. Barack Obama, « A More Perfect Union », Philadelphie, 18 mars 2008, reproduit en version bilingue dans *De la race en Amérique*, Paris, Grasset, 2008.

16. *Ibid*.

17. Outre ses fonctions pastorales, DuBois a obtenu une licence (BA) de l'université Princeton, et un Master d'affaires publiques de la Woodrow Wilson School of International Affairs, toujours à Princeton. De Jesus est le premier pasteur de la New Life Covenant Church, une *megachurch* de Chicago, très impliquée dans le travail social et l'aide aux plus démunis. Le Dr. Miguel Diaz, ancien professeur de théologie au Séminaire de théologie de l'université St John est, depuis 2009, ambassadeur des États-Unis auprès du Saint-Siège.

18. Selon Cizik, qui assista à une réunion informelle de quarante ministres du culte, invités par Obama à Chicago en juin 2008, c'était la première fois depuis vingt-huit ans qu'un candidat démocrate avait sollicité les conseils d'un représentant de la très conservatrice NAE. Voir John W. Kennedy, « Preach and Reach », art. cité, p. 28. Pour plus de détails sur la stratégie religieuse d'Obama, voir Gastón Espinosa (dir.), *Religion, Race and the American Presidency*, Lanham, Rowman and Littlefield, 2e éd., 2011, et G. Espinosa (dir.), *Religion, Race and Barack Obama's New Democratic Pluralism*, New York, Routledge, 2012.

19. Pour une analyse critique des « initiatives de la foi » de George W. Bush par un ancien conseiller de ce président, voir John J. DiIulio, Jr., *Godly Republic. A Centrist Blueprint for America's Faith-Based Future*, Berkeley, University of California Press, 2007.

20. Amy Chozick et Douglas Belkin, « Obama Courts Religious Vote in Appalachian Ohio », *Wall Street Journal*, 2 juillet 2008.

21. Sondages de sortie des urnes, « Pew Forum : How the Faithful Voted », 10 novembre 2008, <http://pewforum.org/docs/?DocID=367>.

22. Exit polls, Elections Results 2008, Edison Media Research/Mitofsky International, *New York Times*, 5 novembre 2008. Pour une excellente analyse de ces sondages et de la montée démographique du vote ethnique, voir Alan I. Abramowitz, *The Disappearing Center. Engaged Citizens, Polarization, and American Democracy*, New Haven, Yale University Press, 2010, p. 111-138.

23. Voir Rick Warren, « Inaugural Invocation », 10 janvier 2009, <blog.christianitytoday.com/ctpolitics/2009/01/rick_warrens_in.html>.

24. B. Obama, « Call to Renewal Keynote Address », art. cité.

25. Saddleback Presidential Candidates Forum, 16 août 2008, éd. électronique, CNN.com-transcripts.

26. Le référendum (dit « Proposition 8 ») était approuvé par une majorité d'électeurs californiens (52,3 %). Mais une minorité seulement d'électeurs démocrates se prononcèrent en sa faveur (36 %). On notera cependant, d'après les sondages de sortie des urnes, que 70 % des Afro-Américains et 53 % des Hispaniques votaient pour l'interdiction du mariage gay. Voir Kenneth P. Miller, « The Democratic Coalition's Religious Divide : Why California Voters Supported Obama but not Same Sex Marriage », *Revue française d'études américaines*, n° 119, 2009.

27. D'après un sondage national du *Washington Post-ABC News* du 8 mars 2012, 52 % des adultes interrogés souhaitaient légaliser le mariage gay (64 % des démocrates étaient en sa faveur, 54 % des indépendants et 39 %

seulement des républicains). Pour Obama, il s'agissait d'envoyer un message positif aux jeunes et aux femmes — des catégories clés de son électorat —, très favorables à l'évolution de la législation. Voir Karen Tumulty, « Obama's Gay-Marriage Stance Brings Uncertain Political Fallout », *Washington Post*, 10 mai 2012 ; Adam Nagourney, « A Watershed Move, Both Risky and Inevitable », *New York Times*, 9 mai 2012 ; Andrew Sullivan, « I Cried as Obama Finally Came Out », *Sunday Times* (Londres), 13 mai 2012 et Denis Lacorne, « En se prononçant pour le mariage gay, "Obama a été habile" », Entretien avec Catherine Gouëset, *L'Express.fr*, 11 mai 2012, <www.lexpress.fr/actualite/monde/amerique/en-se-prononcant-pour-le-mariage-gay-obama-a-ete-habile_1113738.html>.

28. Voir le discours de Mitt Romney à la Liberty University, 12 mai 2012 (université fondée par Jerry Falwell, le fondateur de la Majorité morale), cité et commenté par Ashley Parker, « Romney Tells Evangelicals their Values Are His, Too », *New York Times*, 12 mai 2012.

29. Discours du Caire, *New York Times*, 4 juin 2009.

30. Mais Obama omettait de citer un passage clé du traité de Tripoli, décrit dans le chapitre 8 de cet ouvrage : « *Comme le gouvernement des États-Unis n'est en aucune façon fondé sur la religion chrétienne*, il ne saurait avoir d'intention hostile à l'égard des lois, de la religion ou de la tranquillité des musulmans... » (souligné par moi).

31. Marwan Kabalan, professeur à l'université de Damas, cité dans Isabel Kershner, Robert Worth et Michael Slackman, « A Word for Every Flavor of Mideast Opinion », *New York Times*, 5 juin 2009.

32. Gilles Kepel, « Barack Obama a fait de l'islam une religion américaine », *Le Monde*, 5 juin 2009.

33. En général, les Églises évangéliques étaient favorisées au détriment des Églises protestantes non évangéliques, des synagogues, des mosquées, ou des associations caritatives séculières. Sur ce type de critiques fort pertinentes, voir Kent Greenawalt, *Religion and the Constitution*, t. II, *Establishment and Fairness*, Princeton, Princeton University Press, 2008, p. 369-378.

34. Voir K. Greenawalt, *ibid.*, et Noah Feldman, *Divided by God : America's Church-State Problem and What We Should Do about it*, New York, Farrar, Straus and Giroux, 2005, p. 235-251.

35. N. Feldman, *ibid.*, p. 242-243.

36. B. Obama, « Call to Renewal Keynote Address », art. cité.

37. Le meeting, organisé le 8 septembre 1960 sous la direction de N. V. Peale par la National Conference of Citizens for Religious Freedom, réunissait les principaux leaders du protestantisme américain. Voir Mark S. Massa, S. J., *Anti-Catholicism in America. The Last Acceptable Prejudice*, New York, Crossroad Publishing Co., 2003, p. 77-99, Sidney E. Ahlstrom, *A Religious History of the American People*, New Haven, Yale University Press, 1972, p. 1033-1036, et Shawn Casey, *The Making of a Catholic President. Kennedy vs. Nixon 1960*, New York, Oxford University Press, 2009, p. 123 et suiv.

38. Cités dans M. Massa, *ibid.*, p. 78.

39. Peale, cité par Thomas J. Carty, « Religion and the Presidency of John F. Kennedy », *in* G. Espinosa (dir.), *Religion and the American Presidency*, *op. cit.*, p. 296.

40. Discours de Kennedy au Greater Houston Ministerial Association, 12 septembre 1960, <www.npr.org/templates/story/story.php?storyld=16920600>.

41. *Ibid.*

42. M. Massa, *Anti-Catholicism in America*, *op. cit.*, p. 83.

43. Rick Santorum, cité par Gerald Seib, « On Contraception, Framing the Debate is Key », *Wall Street Journal*, 21 février 2012. Voir aussi Andrew Sullivan, « The Right Chokes on Obama's Pill », *Sunday Times* (Londres), 19 février 2012. 98 % des femmes catholiques aux États-Unis ont eu recours à la contraception.

44. Romney cité par Anna Field, « Religion and Same-Sex Marriage Take Center Stage », *Financial Times*, 9 février 2012, souligné par moi.

45. Voir Dana Goldstein, « Obama Birth Control Compromise Defuses Religion Issue », *The Daily Beast*,

10 février 2012, et Andrew Sullivan, « The Right Chokes on Obama's Pill », *Sunday Times* (Londres), 19 février 2012. La plus grande association d'hôpitaux catholiques, la Catholic Health Association, dirigée par une religieuse, Sister Carol Keehan, approuvait le compromis proposé par Obama. Mais la Conférence des évêques catholiques des États-Unis maintenait son opposition et plusieurs organisations catholiques ont décidé de poursuivre en justice l'administration fédérale pour violation du libre exercice de la religion.

46. Melinda Henneberger, « Obama Ruling Requires Catholic Institutions to Violate Church Teachings » (Blog : « She The People »), *Washington Post*, 2 février 2012. Et pourtant une majorité d'Américains (56 %) et de catholiques américains (57 %) ne pensent pas que la liberté religieuse soit aujourd'hui menacée par la décision de l'administration Obama sur la contraception. Voir Kirsten Powers, « Majority Don't See Loss of Liberty in Obama Contraception Rules », *The Daily Beast*, 16 mars 2012.

47. Newt Gingrich, cité par M. Henneberger, *ibid.*

48. Felicia Sonmez, « Santorum Says He "Almost Threw Up" After Reading JFK Speech on Separation of Church and State », *Washington Post*, 26 février 2012.

49. M. Romney, « Faith in America », 6 décembre 2007, <www.npr.org/templates/story/story.php?storyId=16969460>. Sur le mormonisme en général, on lira avec profit, Richard Lyman Bushman, *Mormonism. A Very Short Introduction*, New York, Oxford University Press, 2008, Rodney Stark, *The Rise of Mormonism*, New York, Columbia University Press, 2005 et, plus récemment, Samuel M. Brown, *In Heaven as it is on Earth : Joseph Smith and the Early Mormon Conquest of Death*, New York, Oxford University Press, 2012.

50. « Faith in America, » *ibid.*

51. *Ibid.*

52. Romney, cité par Jodi Kantor, « Romney's Faith. Silent but Deep », *New York Times*, 19 mai 2012.

53. « Faith in America », *op. cit.* Tolérant à l'excès, Romney disait même : « J'aime la sérieuse cérémonie de la messe catholique, la proximité de Dieu dans les prières des

évangéliques, la tendresse de l'esprit chez les pentecôtistes, l'esprit d'indépendance des luthériens, les anciennes traditions des Juifs, inchangées depuis des siècles, et cet engagement des musulmans à prier si souvent. » Et pourtant, lors des primaires républicaines de 2012, plus des deux tiers des votes des *born again christians* étaient recueillis par les candidats catholiques — Newt Gingrich et Rick Santorum. Pour un évangélique, le mormonisme est une apostasie, une secte, incompatible avec la culture et les valeurs chrétiennes du pays.

54. Denis Lacorne, « Breaking down the Wall of separation from JFK to Santorum », *Huffington Post* (USA), 27 février 2012, <www.huffingtonpost.com/denis-lacorne/breaking-down-the-wall-of-church-state-separation_b1300382.html>.

55. Voir Felicia Sonmez, « Santorum wins support of evangelical leaders at Texas meeting », *Washington Post*, (Election 2012 Blog), 14 janvier 2012.

56. Nelson Jones, « Romney attacks Obama's "Secular Agenda" », *Newstatesman*, 22 février 2012, <www.newstatesman.com/blogs/nelson-jones>.

57. Richard Hofstadter, « The Paranoid Style in American Politics », *Harper's Magazine*, novembre 1964, p. 77-86.

58. Rappelons que les dix premiers amendements de la Constitution fédérale de 1787, votés par le Congrès le 25 septembre 1789 et ratifiés par les États le 15 décembre 1791, constituent la Déclaration des droits des États-Unis. L'article 1er (le Premier amendement) stipule que « le Congrès ne fera aucune loi concernant l'établissement de la religion (*an establishment of religion*), ou en interdisant le libre exercice ». Par « l'établissement de la religion », il faut comprendre l'imposition ou la légitimation par le Congrès d'une Église officielle, ou de pratiques favorisant une religion particulière.

59. *Lemon v. Kurtzman*, 403 U.S. 602 (1971).

INDEX DES NOMS

APPENDICES

DU MÊME AUTEUR

LES NOTABLES ROUGES. LA CONSTRUCTION MUNICIPALE DE L'UNION DE LA GAUCHE, Paris, Presses de la Fondation nationale des sciences politiques, 1980.

L'INVENTION DE LA RÉPUBLIQUE. LE MODÈLE AMÉRICAIN, Paris, Hachette, coll. « Pluriel », 1991 ; rééd. : *L'invention de la République américaine*, Hachette, coll. « Pluriel », 2008.

LA CRISE DE L'IDENTITÉ AMÉRICAINE. DU MELTING-POT AU MULTICULTURALISME, Paris, Fayard, 1997 ; rééd. Gallimard, coll. « Tel », 2003.

RELIGION IN AMERICA. A POLITICAL HISTORY (traduit par George Holoch avec une préface de Tony Judt), New York, Columbia University Press, 2011.

Direction d'ouvrages collectifs

L'AMÉRIQUE DANS LES TÊTES. UN SIÈCLE DE FASCINATIONS ET D'AVERSIONS, Paris, Hachette, 1986 (codirigé avec Jacques Rupnik et Marie-France Toinet).

LA POLITIQUE DE BABEL. DU MONOLINGUISME D'ÉTAT AU PLURILINGUISME DES PEUPLES, Paris, Karthala, 2002 (codirigé avec Tony Judt).

WITH US OR AGAINST US. STUDIES IN GLOBAL ANTI-AMERICANISM, New York, Palgrave, 2005 (codirigé avec Tony Judt).

LES ÉTATS-UNIS, Paris, Fayard, coll. « CERI », 2006.

LA PRÉSIDENCE IMPÉRIALE AUX ÉTATS-UNIS, Paris, Odile Jacob, 2007 (codirigé avec Justin Vaïsse).

LES POLITIQUES DE LA DIVERSITÉ. EXPÉRIENCES ANGLAISE ET AMÉRICAINE, Paris, Presses de Sciences Po, 2010 (codirigé avec Emmanuelle Le Texier et Olivier Esteves).

DANS LA COLLECTION FOLIO / ESSAIS

252 Jean-Marie Donegani et Marc Sadoun : *La démocratie imparfaite (Essai sur le parti politique).*
253 Pierre Cabanne : *André Derain.*
254 Antoni Tàpies : *La pratique de l'art.*
255 George Steiner : *Réelles présences (Les arts du sens).*
256 Roland Omnès : *Philosophie de la science contemporaine.*
258 Michel Tournier : *Le vol du vampire.*
259 Benedetto Croce : *Histoire de l'Europe au XIXe siècle.*
260 Nicolas Malebranche : *Conversations chrétiennes* suivi de *Entretiens sur la métaphysique, sur la religion et sur la mort.*
261 Régis Debray : *Vie et mort de l'image.*
262 Alain : *Mars ou La guerre jugée (1921).*
263 Alice Becker-Ho : *Les Princes du Jargon.*
264 Hegel : *Morceaux choisis.*
265 Spinoza : *Traité de la réforme de l'entendement.*
266 Gaëtan Picon : *Lecture de Proust.*
267 Bruno Latour : *La science en action.*
268 Denis Hollier : *Le Collège de Sociologie 1937-1939.*
269 Jean Giono : *Le poids du ciel.*
270 Mircea Eliade : *Méphistophélès et l'androgyne.*
271 Ananda K. Coomaraswamy : *Hindouisme et Bouddhisme.*
272 Yves Bonnefoy : *La Vérité de parole* et autres essais.
274 Georges Bernanos : *La liberté, pour quoi faire ?*
275 Montesquieu : *De l'Esprit des lois, I.*
276 Montesquieu : *De l'Esprit des lois, II.*
277 Sous la direction de Denis Kambouchner : *Notions de philosophie, I.*
278 Sous la direction de Denis Kambouchner : *Notions de philosophie, II.*
279 Sous la direction de Denis Kambouchner : *Notions de philosophie, III.*

280 Pierre Hadot : *Qu'est-ce que la philosophie antique ?*
281 Jean-Jacques Rousseau : *Émile ou De l'éducation.*
282 Jean Bastaire : *Péguy tel qu'on l'ignore.*
283 Pascal Engel : *Philosophie et psychologie.*
284 Jean-Paul Sartre : *L'existentialisme est un humanisme.*
285 Jean Prévost : *La création chez Stendhal.*
286 Carlos Castaneda : *Le second anneau de pouvoir.*
287 André Breton : *Les Vases communicants.*
288 Jean-Noël Schifano : *Désir d'Italie.*
289 Francis Bacon : *Entretiens avec Michel Archimbaud.*
290 Roger Caillois : *Babel* précédé de *Vocabulaire esthétique.*
291 C. G. Jung : *Un mythe moderne.*
292 Paul Valéry : *Tel quel.*
293 Jorge Luis Borges et Alicia Jurado : *Qu'est-ce que le bouddhisme ?*
294 Witold Gombrowicz : *Testament.*
295 Gaëtan Picon : *1863. Naissance de la peinture moderne.*
296 Thomas Pavel : *L'art de l'éloignement (Essai sur l'imagination classique).*
297 Stendhal : *Histoire de la peinture en Italie.*
298 André Malraux : *La politique, la culture.*
299 Gérard Mairet : *Le principe de souveraineté (Histoires et fondements du pouvoir moderne).*
300 André Malraux : *Le Musée Imaginaire.*
301 Jean-Marc Lévy-Leblond : *La pierre de touche (La science à l'épreuve...).*
302 Pierre Hadot : *Plotin ou la simplicité du regard.*
303 Marc Jimenez : *Qu'est-ce que l'esthétique ?*
304 Jean-Jacques Rousseau : *Discours sur les sciences et les arts.*
305 Albert Camus : *Actuelles (Écrits politiques).*
306 Miguel de Unamuno : *Le sentiment tragique de la vie.*
307 Benjamin Constant : *Écrits politiques.*
308 Platon : *Les Lois.*
309 Fernand Léger : *Fonctions de la peinture.*
310 Carlos Castaneda : *Le don de l'Aigle.*
311 Bertrand Vergely : *La souffrance.*
312 Régis Debray : *L'État séducteur.*

313 Édouard Glissant : *Le discours antillais.*
315 Françoise Dolto : *Les étapes majeures de l'enfance.*
316 Simone Weil : *Réflexions sur les causes de la liberté et de l'oppression sociale.*
317 Bruno Bettelheim : *La Forteresse vide.*
318 Sigmund Freud : *La question de l'analyse profane.*
319 Raymond Aron : *Marxismes imaginaires (D'une sainte famille à l'autre).*
320 Antonin Artaud : *Messages révolutionnaires.*
322 Paul Klee : *Théorie de l'art moderne.*
323 Paul Valéry : *Degas Danse Dessin.*
324 Carlos Castaneda : *Le feu du dedans.*
325 Georges Bernanos : *Français, si vous saviez…*
326 Édouard Glissant : *Faulkner, Mississippi.*
327 Paul Valéry : *Variété I et II.*
328 Paul Bénichou : *Selon Mallarmé.*
329 Alain : *Entretiens au bord de la mer (Recherche de l'entendement).*
330 Sous la direction d'Henri-Charles Puech : *Histoire des religions I*.*
331 Sous la direction d'Henri-Charles Puech : *Histoire des religions I**.*
332 Sous la direction d'Henri-Charles Puech : *Histoire des religions II*.*
333 Sous la direction d'Henri-Charles Puech : *Histoire des religions II**.*
334 Sous la direction d'Henri-Charles Puech : *Histoire des religions III*.*
335 Sous la direction d'Henri-Charles Puech : *Histoire des religions III**.*
336 Didier Anzieu : *Beckett.*
337 Sous la direction de Brice Parain : *Histoire de la philosophie I, vol. 1.*
338 Sous la direction de Brice Parain : *Histoire de la philosophie I, vol. 2.*
339 Sous la direction d'Yvon Belaval : *Histoire de la philosophie II, vol. 1.*
340 Sous la direction d'Yvon Belaval : *Histoire de la philosophie II, vol. 2.*

341 Sous la direction d'Yvon Belaval : *Histoire de la philosophie III, vol. 1.*
342 Sous la direction d'Yvon Belaval : *Histoire de la philosophie III, vol. 2.*
343 Rémi Brague : *Europe, la voie romaine.*
344 Julien Offroy de La Mettrie : *L'Homme-Machine.*
345 Yves Bonnefoy : *Le nuage rouge.*
346 Carlos Castaneda : *La force du silence (Nouvelles leçons de don Juan).*
347 Platon : *Gorgias* suivi de *Ménon.*
348 Danilo Martuccelli : *Sociologies de la modernité (L'itinéraire du XXe siècle).*
349 Robert Castel : *Les métamorphoses de la question sociale (Une chronique du salariat).*
350 Gabriel Marcel : *Essai de philosophie concrète.*
351 J.-B. Pontalis : *Perdre de vue.*
352 Patrick Chamoiseau, Raphaël Confiant : *Lettres créoles.*
353 Annie Cohen-Solal : *Sartre 1905-1980.*
354 Pierre Guenancia : *Lire Descartes.*
355 Julia Kristeva : *Le temps sensible (Proust et l'expérience littéraire).*
357 Claude Lefort : *Les formes de l'histoire (Essais d'anthropologie politique).*
358 Collectif : *Narcisses.*
359 Collectif : *Bisexualité et différence des sexes.*
360 Werner Heisenberg : *La nature dans la physique contemporaine.*
361 Gilles Lipovetsky : *Le crépuscule du devoir (L'éthique indolore des nouveaux temps démocratiques).*
362 Alain Besançon : *L'image interdite (Une histoire intellectuelle de l'iconoclasme).*
363 Wolfgang Köhler : *Psychologie de la forme (Introduction à de nouveaux concepts en psychologie).*
364 Maurice Merleau-Ponty : *Les aventures de la dialectique.*
365 Eugenio d'Ors : *Du Baroque.*
366 Trinh Xuan Thuan : *Le chaos et l'harmonie (La fabrication du Réel).*
367 Jean Sulivan : *Itinéraire spirituel.*
368 Françoise Dolto : *Les chemins de l'éducation.*

369 Collectif : *Un siècle de philosophie 1900-2000.*
370 Collectif : *Genre et politique (Débats et perspectives).*
371 Denys Riout : *Qu'est-ce que l'art moderne ?*
372 Walter Benjamin : *Œuvres I.*
373 Walter Benjamin : *Œuvres II.*
374 Walter Benjamin : *Œuvres III.*
375 Thomas Hobbes : *Léviathan (ou Matière, forme et puissance de l'État chrétien et civil).*
376 Martin Luther : *Du serf arbitre.*
377 Régis Debray : *Cours de médiologie générale.*
378 Collectif : *L'enfant.*
379 Schmuel Trigano : *Le récit de la disparue (Essai sur l'identité juive).*
380 Collectif : *Quelle philosophie pour le XXIe siècle ?*
381 Maurice Merleau-Ponty : *Signes.*
382 Collectif : *L'amour de la haine.*
383 Collectif : *L'espace du rêve.*
384 Ludwig Wittgenstein : *Grammaire philosophique.*
385 George Steiner : *Passions impunies.*
386 Sous la direction de Roland-Manuel : *Histoire de la musique I, vol. 1. Des origines à Jean-Sébastien Bach.*
387 Sous la direction de Roland-Manuel : *Histoire de la musique I, vol. 2. Des origines à Jean-Sébastien Bach.*
388 Sous la direction de Roland-Manuel : *Histoire de la musique II, vol. 1. Du XVIIIe siècle à nos jours.*
389 Sous la direction de Roland-Manuel : *Histoire de la musique II, vol. 2. Du XVIIIe siècle à nos jours.*
390 Geneviève Fraisse : *Les deux gouvernements : la famille et la Cité.*
392 J.-B. Pontalis : *Ce temps qui ne passe pas* suivi de *Le compartiment de chemin de fer.*
393 Françoise Dolto : *Solitude.*
394 Marcel Gauchet : *La religion dans la démocratie. Parcours de la laïcité.*
395 Theodor W. Adorno : *Sur Walter Benjamin.*
396 G. W. F. Hegel : *Phénoménologie de l'Esprit, I.*
397 G. W. F. Hegel : *Phénoménologie de l'Esprit, II.*
398 D. W. Winnicott : *Jeu et réalité.*
399 André Breton : *Le surréalisme et la peinture.*

400 Albert Camus : *Chroniques algériennes 1939-1958 (Actuelles III).*
401 Jean-Claude Milner : *Constats.*
402 Collectif : *Le mal.*
403 Schmuel Trigano : *La nouvelle question juive (L'avenir d'un espoir).*
404 Paul Valéry : *Variété III, IV et V.*
405 Daniel Andler, Anne Fagot-Largeault et Bertrand Saint-Sernin : *Philosophie des sciences, I.*
406 Daniel Andler, Anne Fagot-Largeault et Bertrand Saint-Sernin : *Philosophie des sciences, II.*
407 Danilo Martuccelli : *Grammaires de l'individu.*
408 Sous la direction de Pierre Wagner : *Les philosophes et la science.*
409 Simone Weil : *La Condition ouvrière.*
410 Colette Guillaumin : *L'idéologie raciste (Genèse et langage actuel).*
411 Jean-Claude Lavie : *L'amour est un crime parfait.*
412 Françoise Dolto : *Tout est langage.*
413 Maurice Blanchot : *Une voix venue d'ailleurs.*
414 Pascal Boyer : *Et l'homme créa les dieux (Comment expliquer la religion).*
415 Simone de Beauvoir : *Pour une morale de l'ambiguïté* suivi de *Pyrrhus et Cinéas.*
416 Shihâboddîn Yahya Sohravardî : *Le livre de la sagesse orientale (Kitâb Hikmat al-Ishrâq).*
417 Daniel Arasse : *On n'y voit rien (Descriptions).*
418 Walter Benjamin : *Écrits français.*
419 Sous la direction de Cécile Dogniez et Marguerite Harl : *Le Pentateuque (La Bible d'Alexandrie).*
420 Harold Searles : *L'effort pour rendre l'autre fou.*
421 Le Talmud : *Traité Pessahim.*
422 Ian Tattersall : *L'émergence de l'homme (Essai sur l'évolution et l'unicité humaine).*
423 Eugène Enriquez : *De la horde à l'État (Essai de psychanalyse du lien social).*
424 André Green : *La folie privée (Psychanalyse des cas-limites).*
425 Pierre Lory : *Alchimie et mystique en terre d'Islam.*

426 Gershom Scholem : *La Kabbale (Une introduction. Origines, thèmes et biographies).*
427 Dominique Schnapper : *La communauté des citoyens.*
428 Alain : *Propos sur la nature.*
429 Joyce McDougall : *Théâtre du corps.*
430 Stephen Hawking et Roger Penrose : *La nature de l'espace et du temps.*
431 Georges Roque : *Qu'est-ce que l'art abstrait ?*
432 Julia Kristeva : *Le génie féminin, I. Hannah Arendt.*
433 Julia Kristeva : *Le génie féminin, II. Melanie Klein.*
434 Jacques Rancière : *Aux bords du politique.*
435 Herbert A. Simon : *Les sciences de l'artificiel.*
436 Vincent Descombes : *L'inconscient malgré lui.*
437 Jean-Yves et Marc Tadié : *Le sens de la mémoire.*
438 D. W Winnicott : *Conversations ordinaires.*
439 Patrick Pharo : *Morale et sociologie (Le sens et les valeurs entre nature et culture).*
440 Joyce McDougall : *Théâtres du je.*
441 André Gorz : *Les métamorphoses du travail.*
442 Julia Kristeva : *Le génie féminin, III. Colette.*
443 Michel Foucault : *Philosophie (Anthologie).*
444 Annie Lebrun : *Du trop de réalité.*
445 Christian Morel : *Les décisions absurdes.*
446 C. B. Macpherson : *La theorie politique de l'individualisme possessif.*
447 Frederic Nef : *Qu'est-ce que la métaphysique ?*
448 Aristote : *De l'âme.*
449 Jean-Pierre Luminet : *L'Univers chiffonné.*
450 André Rouillé : *La photographie.*
451 Brian Greene : *L'Univers élégant.*
452 Marc Jimenez : *La querelle de l'art contemporain.*
453 Charles Melman : *L'Homme sans gravité.*
454 Nûruddîn Abdurrahmân Isfarâyinî : *Le Révélateur des Mystères.*
455 Harold Searles : *Le contre-transfert.*
456 Le Talmud : *Traité Moed Katan.*
457 Annie Lebrun : *De l'éperdu.*
458 Pierre Fédida : *L'absence.*
459 Paul Ricœur : *Parcours de la reconnaissance.*

460 Pierre Bouvier : *Le lien social.*
461 Régis Debray : *Le feu sacré.*
462 Joëlle Proust : *La nature de la volonté.*
463 André Gorz : *Le traître* suivi de *Le vieillissement.*
464 Henry de Montherlant : *Service inutile.*
465 Marcel Gauchet : *La condition historique.*
466 Marcel Gauchet : *Le désenchantement du monde.*
467 Christian Biet et Christophe Triau : *Qu'est-ce que le théâtre ?*
468 Trinh Xuan Thuan : *Origines (La nostalgie des commencements).*
469 Daniel Arasse : *Histoires de peintures.*
470 Jacqueline Delange : *Arts et peuple de l'Afrique noire (Introduction à une analyse des créations plastiques).*
471 Nicole Lapierre : *Changer de nom.*
472 Gilles Lipovetsky : *La troisième femme (Permanence et révolution du féminin).*
473 Michael Walzer : *Guerres justes et injustes (Argumentation morale avec exemples historiques).*
474 Henri Meschonnic : *La rime et la vie.*
475 Denys Riout : *La peinture monochrome (Histoire et archéologie d'un genre).*
476 Peter Galison : *L'Empire du temps (Les horloges d'Einstein et les cartes de Poincaré).*
477 George Steiner : *Maîtres et disciples.*
479 Henri Godard : *Le roman modes d'emploi.*
480 Theodor W. Adorno/Walter Benjamin : *Correspondance 1928-1940.*
481 Stéphane Mosès : *L'ange de l'histoire (Rosenzweig, Benjamin, Scholem).*
482 Nicole Lapierre : *Pensons ailleurs.*
483 Nelson Goodman : *Manières de faire des mondes.*
484 Michel Lallement : *Le travail (Une sociologie contemporaine).*
485 Ruwen Ogien : *L'Éthique aujourd'hui (Maximalistes et minimalistes).*
486 Sous la direction d'Anne Cheng, avec la collaboration de Jean-Philippe de Tonnac : *La pensée en Chine aujourd'hui.*

487 Merritt Ruhlen : *L'origine des langues (Sur les traces de la langue mère).*
488 Luc Boltanski : *La souffrance à distance (Morale humanitaire, médias et politique)* suivi de *La présence des absents.*
489 Jean-Marie Donegani et Marc Sadoun : *Qu'est-ce que la politique ?*
490 G. W. F. Hegel : *Leçons sur l'histoire de la philosophie.*
491 Collectif : *Le royaume intermédiaire* (*Psychanalyse, littérature, autour de J.-B. Pontalis*).
492 Brian Greene : *La magie du Cosmos* (*L'espace, le temps, la réalité : tout est à repenser*).
493 Jared Diamond : *De l'inégalité parmi les sociétés* (*Essai sur l'homme et l'environnement dans l'histoire*).
494 Hans Belting : *L'histoire de l'art est-elle finie ?* (*Histoire et archéologie d'un genre*).
495 J. Cerquiglini-Toulet, F. Lestringant, G. Forestier et E. Bury (sous la direction de J.-Y. Tadié) : *La littérature française : dynamique et histoire I.*
496 M. Delon, F. Mélonio, B. Marchal et J. Noiray, A. Compagnon (sous la direction de J.-Y. Tadié) : *La littérature française : dynamique et histoire II.*
497 Catherine Darbo-Peschanski : *L'*Historia (*Commencements grecs*).
498 Laurent Barry : *La parenté.*
499 Louis Van Delft : *Les moralistes. Une apologie.*
500 Karl Marx : *Le Capital* (*Livre I*).
501 Karl Marx : *Le Capital* (*Livres II et III*).
502 Pierre Hadot : *Le voile d'Isis* (*Essai sur l'histoire de l'idée de Nature*).
503 Isabelle Queval : *Le corps aujourd'hui.*
504 Rémi Brague : *La loi de Dieu* (*Histoire philosophique d'une alliance*).
505 George Steiner : *Grammaires de la création.*
506 Alain Finkielkraut : *Nous autres modernes (Quatre leçons).*
507 Trinh Xuan Thuan : *Les voies de la lumière (Physique et métaphysique du clair-obscur).*
508 Marc Augé : *Génie du paganisme.*

509 François Recanati : *Philosophie du langage (et de l'esprit).*
510 Leonard Susskind : *Le paysage cosmique (Notre univers en cacherait-il des millions d'autres ?)*
511 Nelson Goodman : *L'art en théorie et en action.*
512 Gilles Lipovetsky : *Le bonheur paradoxal (Essai sur la société d'hyperconsommation).*
513 Jared Diamond : *Effondrement (Comment les sociétés décident de leur disparition et de leur survie).*
514 Dominique Janicaud : *La phénoménologie dans tous ses états (Le tournant théologique de la phénoménologie française* suivi de *La phénoménologie éclatée).*
515 Belinda Cannone : *Le sentiment d'imposture.*
516 Claude-Henri Chouard : *L'oreille musicienne (Les chemins de la musique de l'oreille au cerveau).*
517 Stanley Cavell : *Qu'est-ce que la philosophie américaine ? (De Wittgenstein à Emerson, une nouvelle Amérique encore inapprochable* suivi de *Conditions nobles et ignobles* suivi de *Status d'Emerson).*
518 Frédéric Worms : *La philosophie en France au XXe siècle (Moments).*
519 Lucien X. Polastron : *Livres en feu (Histoire de la destruction sans fin des bibliothèques).*
520 Galien : *Méthode de traitement.*
521 Arthur Schopenhauer : *Les deux problèmes fondamentaux de l'éthique (La liberté de la volonté — Le fondement de la morale).*
522 Arthur Schopenhauer : *Le monde comme volonté et représentation I.*
523 Arthur Schopenhauer : *Le monde comme volonté et représentation II.*
524 Catherine Audard : *Qu'est-ce que le libéralisme ? (Éthique, politique, société).*
525 Frédéric Nef : *Traité d'ontologie pour les non-philosophes (et les philosophes).*
526 Sigmund Freud : *Sur la psychanalyse (Cinq conférences).*
527 Sigmund Freud : *Totem et tabou (Quelques concor-*

dances entre la vie psychique des sauvages et celle des névrosés).
528 Sigmund Freud : *Conférences d'introduction à la psychanalyse.*
529 Sigmund Freud : *Sur l'histoire du mouvement psychanalytique.*
530 Sigmund Freud : *La psychopathologie de la vie quotidienne (Sur l'oubli, le lapsus, le geste manqué, la superstition et l'erreur).*
531 Jared Diamond : *Pourquoi l'amour est un plaisir (L'évolution de la sexualité humaine).*
532 Marcelin Pleynet : *Cézanne.*
533 John Dewey : *Le public et ses problèmes.*
534 John Dewey : *L'art comme expérience.*
535 Jean-Pierre Cometti : *Qu'est-ce que le pragmatisme ?*
536 Alexandra Laignel-Lavastine : *Esprits d'Europe (Autour de Czeslaw Milosz, Jan Patočka, Istán Bibó. Essai sur les intellectuels d'Europe centrale au XXe siècle).*
537 Jean-Jacques Rousseau : *Profession de foi du vicaire savoyard.*
538 Régis Debray : *Le moment fraternité.*
539 Claude Romano : *Au cœur de la raison, la phénoménologie.*
540 Marc Dachy : *Dada & les dadaïsmes (Rapport sur l'anéantissement de l'ancienne beauté).*
541 Jean-Pierre Luminet : *Le Destin de l'Univers (Trous noirs et énergie sombre) I.*
542 Jean-Pierre Luminet : *Le Destin de l'Univers (Trous noirs et énergie sombre) II.*
543 Sous la direction de Jean Birnbaum : *Qui sont les animaux ?*
544 Yves Michaud : *Qu'est-ce que le mérite ?*
545 Luc Boltanski : *L'Amour et la Justice comme compétences (Trois essais de sociologie de l'action).*
546 Jared Diamond : *Le troisième chimpanzé (Essai sur l'évolution et l'avenir de l'animal humain).*
547 Christian Jambet : *Qu'est-ce que la philosophie islamique ?*
548 Lie-tseu : *Le Vrai Classique du vide parfait.*

Composition Nord Compo
Impression Maury-Imprimeur
45330 Malesherbes
le 20 septembre 2012.
Dépôt légal : septembre 2012.
Numéro d'imprimeur : 176269.

ISBN 978-2-07-044924-8. / Imprimé en France.